SARAH MACLEAN

Trzy twarze damy

Przekład
Beata Horosiewicz

AMBER

Korekta
Barbara Cywińska

Projekt graficzny okładki
Małgorzata Cebo-Foniok

Zdjęcia na okładce
© Zbigniew Foniok

Tytuł oryginału
Never Judge a Lady by Her Cover

Druk
EDIT Sp. z o. o.

ISBN 978-83-241-5313-8

Warszawa 2015. Wydanie I

Wydawnictwo AMBER Sp. z o.o.
02-952 Warszawa, ul. Wiertnicza 63
tel. 620 40 13, 620 81 62

www.wydawnictwoamber.pl

Carrie Ryan, Sabrinie Darby i Sophie Jordan,
które dotrzymały sekretów Chase'a.
Baxterowi, który zachowuje w tajemnicy
wszystkie moje sekrety.
I lady V., która gdy dorośnie,
będzie mieć własne wspaniałe sekrety.

Chase

„Kocham cię".

Te dwa krótkie słowa miały w sobie niewiarygodną moc.

Ale lady Georgiana Pearson – córka jednego księcia i siostra drugiego, panna o wyglądzie nieskalanej dziewicy, doskonale urodzona przedstawicielka socjety, nauczona, co to honor i obowiązek – nigdy w życiu ich nie słyszała.

Arystokraci nie mieli zwyczaju kochać.

A jeśli nawet kochali, to nie posuwali się do czegoś tak pospolitego jak wyznawanie uczuć.

Kiedy więc te słowa tak łatwo popłynęły z jej ust, sama była zdumiona. Przez szesnaście lat życia nie doświadczyła niczego, w co wierzyłaby równie mocno. Nigdy dotąd nie czuła tak przemożnej ochoty, by pozbyć się brzemienia oczekiwań, jakie dźwigała na swoich barkach z powodu nazwiska, przeszłości i pozycji rodziny.

Tak. Miłość ją wyzwoliła.

Bo przecież nic nie dawało się porównać z tą piękną chwilą – w ramionach mężczyzny, którego kochała i z którym spędzi resztę życia. Mężczyzny, z którym zbuduje przyszłość, nie przejmując się nazwiskiem, rodziną i reputacją.

Jonathan ją ochroni.

Sam to mówił, kiedy osłaniając ją przed marcowym zimnem, przyprowadził tutaj, do stajni w jej rodzinnym majątku.

Jonathan będzie ją kochał.

Szeptał jej czułe słówka, a jego dłonie gorączkowo uwijały się przy tasiemkach i haftkach sukni. Obiecywał, że da jej wszystko, gdy jego palce były zajęte pieszczotami.

Odwzajemniła się szeptanymi czule wyznaniami, oddając mu całą siebie.

Jonathan.

Przywarła mocniej do jego szczupłego, muskularnego ciała. Leżeli na kłującej słomie, pod przykryciem z ciepłej końskiej derki, szorstkiej i drapiącej, która teraz wydawała jej się miękka i przyjemna.

Miłość. Opiewana w niezliczonych sonetach i madrygałach, w baśniach i powieściach.

Miłość. Nieuchwytne uczucie, które sprawiało, że mężczyźni płonęli pożądaniem i namiętnością.

Miłość. Odmieniająca życie siła, która spowija dni i noce cudownym blaskiem. Uczucie rozpaczliwie poszukiwane przez wszystkich ludzi na świecie.

Tymczasem ona je odnalazła. Podczas zimowego chłodu, w ramionach tego wspaniałego chłopca. Nie, mężczyzny. Był przecież mężczyzną, a ona kobietą – stała się nią dzisiaj, gdy przytulał ją mocno do siebie.

Jonathan poruszył się pod nią. Wtuliła się w niego, naciągając koc na ich splecione ciała.

– Jeszcze nie.

– Muszę. Jestem im potrzebny.

– Mnie też jesteś potrzebny – powiedziała figlarnie.

Ciepła, szorstka dłoń na gładkim ramieniu przyprawiała ją o rozkoszny dreszcz. Tak rzadko ktoś jej dotykał – była przecież córką, a także siostrą księcia. Dziewiczą. Nieskalaną. Nietkniętą.

Aż do dziś.

Uśmiechnęła się szeroko. Matka wpadnie w złość, kiedy się dowie, że debiut córki jest już zbędny i nie na miejscu. A brat – Książę Pogardy, najbardziej nieznośny z utytułowanych arystokratów, jakich widział Londyn – cóż, nie wyrazi aprobaty.

Georgiana nie dbała o to. Chciała zostać panią Jonathanową Tavish. Co z tego, że nie zachowa tytułu lady, którego miała prawo używać? Nie zależało jej na nim. Pragnęła tylko Jonathana.

Wiedziała, że brat zrobi wszystko, co w jego mocy, aby nie doszło do tego małżeństwa, ale to już nie miało znaczenia. Nic jej nie powstrzyma.

Mleko się rozlało i już do dzbanka nie wróci.

A Georgiana leżała w stodole i była z tego zadowolona.

Poruszył się pod nią, wyślizgując się z ciepłego kokonu. Pod derkę wpłynęło nagle chłodne zimowe powietrze, przyprawiając ją o gęsią skórkę.

– Powinnaś się ubrać – stwierdził, wciągając spodnie. – Jeśli ktoś nas przyłapie...

Nie musiał kończyć zdania. Powtarzał to od dwóch tygodni, od ich pierwszego pocałunku, w każdej ukradzionej chwili. Gdyby ktoś ich przyłapał, czekałaby go chłosta albo coś znacznie gorszego.

A jej reputacja byłaby zrujnowana.

Ale po dzisiejszych wydarzeniach ta reputacja i tak była zrujnowana. A ona wcale się nie przejmowała. To nie miało znaczenia.

Skoro i tak się pobiorą i zaczną nowe życie...

Przecież się kochali.

Nie było czego zazdrościć arystokracji. Można jej było tylko współczuć. Co to za życie bez miłości?

Westchnęła i przyglądała się Jonathanowi, nie kryjąc zachwytu, gdy z wdziękiem wkładał koszulę i wsuwał ją w spodnie, a następnie wciągał buty. Oszczędnymi i płynnymi ruchami zawiązał fular, włożył marynarkę i zimowy płaszcz.

Gdy skończył, odwrócił się w stronę drabiny biegnącej na dół i przystanął – muskularny, szczupły i silny.

Bez niego nagle zrobiło jej się zimno, więc otuliła się szczelniej kocem.

– Jonathanie! – zawołała cicho, bojąc się, że ktoś może usłyszeć.

Spojrzał na nią. Dostrzegła w jego oczach coś, czego nie potrafiła jeszcze nazwać.

– O co chodzi?

Uśmiechnęła się, nagle onieśmielona. Było to dziwne, zważywszy, co przed chwilą zrobili.

– Kocham cię – wyznała znowu, zachwycona, że słowa tak łatwo wypłynęły z jej ust, otulając ją obłokiem prawdy i piękna.

Zawahał się na szczycie drabiny, bez wysiłku odchylił się w tył i zawisł, jakby unosił się w powietrzu. Przez chwilę nic nie mówił. Trwało to na tyle długo, że poczuła, jak marcowy chłód przenika ją do szpiku kości. Nagle poczuła pierwsze, nieśmiałe ukłucie niepokoju.

A on posłał jej ten zuchwały i bezczelny uśmiech, którym podbił jej serce. Uwodził ją tym uśmiechem od dwóch tygodni, aż w końcu mu uległa. Przyprowadził ją do stodoły, przełamał pocałunkami jej wahanie, obsypał słodkimi obietnicami i wziął wszystko, co mogła mu dać.

Nie, to nie tak. Wcale tego nie wziął. Sama mu dała. Dobrowolnie.

Przecież go kochała. I on też ją kochał.

Nie wyraził tego słowami, ale pieszczotami, prawda?

Ogarnęło ją zwątpienie – zupełnie nowe uczucie, którego lady Georgiana, córka jednego księcia i siostra drugiego, nigdy wcześniej nie doświadczyła.

Powiedz to, błagała w duchu. Powiedz mi to.

Po nieskończenie długiej chwili rzucił:

– Jesteś słodką dziewczyną.

I zniknął jej z oczu.

1

*P*atrząc wstecz na dwudziesty siódmy rok swojego życia, Georgiana Pearson wskazałaby na pewien satyryczny rysunek. Od niego wszystko się zaczęło. Ta przeklęta karykatura.

Gdyby zamieszczono ją w „Skandalach" rok albo pięć lat wcześniej, albo nawet kilka lat później, nic a nic by jej to nie obeszło. Ale pojawiła się właśnie piętnastego marca w najbardziej plotkarskim brukowcu, jaki wychodził w Londynie.

Strzeż się Id Marcowych…*, też coś.

Oczywiście, rysunek ukazał się w związku z zupełnie inną datą, przypadającą dwa miesiące wcześniej – z piętnastym stycznia. Tamtego dnia Georgiana, niezamężna matka o całkowicie zrujnowanej reputacji, naznaczona skandalem siostra księcia Leighton, postanowiła wziąć sprawy we własne ręce i powrócić do towarzystwa.

I dlatego tu teraz stała, w kącie sali balowej Worthington House, zbierając siły do powtórnego przekroczenia granicy świata wyższych sfer. Czuła na sobie wzrok całego Londynu.

Te spojrzenia ją osądzały.

To nie był pierwszy bal od chwili, gdy jej reputacja legła w gruzach – ale z pewnością pierwszy, na którym jej twarzy nie zasłaniała ani maska,

---

* William Szekspir *Juliusz Cezar* (wszystkie przypisy pochodzą od tłumacza).

11

ani makijaż. Dopiero teraz występowała jako Georgiana Pearson, diament pierwszej wody, niestety ze skazą.

Pierwszy bal, na którym wystawiła się jawnie na publiczne potępienie. Georgiana wcale nie martwiła się statusem, jaki miała w towarzystwie. W istocie była nawet zadowolona, i to z wielu powodów, spośród których za najważniejszy uważała jeden: dama o zszarganej reputacji nie musiała już przejmować się etykietą.

Lady Georgiana Pearson – która nie rościła sobie pretensji do używania tego tytułu i nie zasługiwała na to, by nazywać ją damą – była zachwycona swoją zrujnowaną reputacją. Bo właśnie dzięki niej stała się bogatą i wpływową właścicielką Upadłego Anioła, najbardziej skandalicznej i najpopularniejszej w Londynie jaskini hazardu, a także tajemniczym „dżentelmenem" znanym jako Chase, który siał postrach w Królestwie.

I nie miało żadnego znaczenia, że jest on kobietą.

Tak, Georgiana wierzyła, że dziesięć lat temu, gdy jej los ważył się na szali, niebiosa okazały się dla niej łaskawe.

Skazana na wygnanie z towarzystwa, nie mogła się spodziewać zaproszeń na bale, herbatki, pikniki i inne towarzyskie imprezy. Pozbawiło ją to wątpliwej przyjemności korzystania z opieki batalionów przyzwoitek, prowadzenia pustych konwersacji przy chłodnej lemoniadzie i udawania, że interesują ją trzy nieśmiertelne tematy rozmów młodych arystokratek: bezmyślne plotki, nowinki mody oraz dżentelmeni do wzięcia.

Nie obchodziły jej plotki, bo rzadko miały coś wspólnego z prawdą, a jeśli nawet, to nie ujawniały jej całej. Wolała sekrety zdradzane przez wpływowych mężczyzn, którzy sprzedawali jej informacje o skandalach.

Nie obchodziła jej też moda. Suknie bywały zbyt często znakiem niewieściej słabości, sprowadzając rolę damy do wygładzania fałd spódnicy, a co bardziej zuchwałych kobiet – do ich podnoszenia. Kręcąc się po salonach swojego piekła, stapiała się z tłem, wkładając jedwabne suknie w jaskrawych kolorach, takie same, w jakie stroiły się londyńskie prostytutki, ale w innych miejscach wolała korzystać ze swobody, którą zapewniały spodnie.

Nie obchodzili jej również dżentelmeni. Nie dbała o to, czy są przystojni, inteligentni czy utytułowani. Wystarczyło, że mieli pieniądze do przegrania. Od lat naśmiewała się z kawalerów, których londyńskie damy uznały za nadających się do małżeństwa – ich nazwiska widniały w księdze zakładów w Upadłym Aniele. Zgadywano, kim będą ich przyszłe żony, przewidywano daty ślubu i wieszczono przyszłe potomstwo. Z wysokości apartamentu właścicieli w swoim kasynie obserwowała, jak każdy z nich – co jeden to bogatszy, przystojniejszy i lepiej urodzony – w końcu wpadał w sidła i dawał się zakuć w małżeńskie kajdany.

I dziękowała swojemu stwórcy za to, że nie musiała brać udziału w tej niemądrej zabawie, że nie musiała o nikogo zabiegać i wychodzić za mąż.

Nie, lady Georgiana Person, która straciła reputację w wieku szesnastu lat – i od dekady była ostrzeżeniem dla wszystkich dam z socjety, które chciałyby pójść w jej ślady – wcześnie odebrała lekcję na temat mężczyzn i na szczęście nie dała nikomu zaciągnąć się przed ołtarz.

Aż do teraz.

Falujące wachlarze ukrywały przytłumione szepty, znaczące uśmieszki i chichoty. Muskały ją spojrzenia, które starannie udawały, że jej nie widzą, przeklinając ją za grzeszną przeszłość. I za teraźniejszość. I bez wątpienia za jej tupet. Za kalanie skandalem ich nieskazitelnego świata.

Chryste. Co za męka.

Udręka zaczynała się od sukni. Ciasny gorset powoli ją zabijał. Niezliczone warstwy halek ograniczały ruchy. Gdyby była zmuszona uciekać, od razu upadłaby na twarz, a ta rozjazgotana horda arystokratycznych dam pożarłaby ją żywcem.

Wyobraźnia podsunęła jej stosowny obrazek i niewiele brakowało, by się uśmiechnęła. Naprawdę niewiele. Samo wyobrażenie, że może ją spotkać taki koniec, zgasiło jednak uśmiech w zarodku.

Nigdy w życiu nie miała tak przemożnej ochoty, by się wiercić, ale stała spokojnie, bo nie chciała, by widzieli w niej bezbronną ofiarę. Nie da im tej przyjemności. Usiłowała się skupić na zadaniu, które przed sobą postawiła.

Na zdobyciu męża.

Jej celem był lord Fitzwilliam Langley, przyzwoity, utytułowany dżentelmen, który rozpaczliwie potrzebował pieniędzy, a także ochrony. Miał tylko jeden jedyny sekret – za to taki, którego ujawnienie nie tylko zrujnowałoby mu reputację, lecz także wtrąciłoby go do więzienia.

Idealny mąż dla damy, która potrzebowała wyłącznie przywilejów małżeństwa, a nie jego zasad.

Niech tylko ten przeklęty człowiek wreszcie się pojawi.

– Pewna mądra kobieta powiedziała mi kiedyś, że po kątach kryją się tylko tchórze.

Powstrzymała jęk, ale nie odwróciła się w stronę znajomego głosu księcia Lamont.

– Myślałem, że nie obchodzi cię życie towarzyskie.

– Nonsens. Nawet je lubię, ale i tak nie przepuściłbym takiej okazji jak pierwszy bal lady Georgiany. – Spojrzała na niego wilkiem. – Uważaj, bo cały Londyn obiegnie plotka, że źle potraktowałaś księcia.

Książę ów, ogólnie znany jako Temple, był jej wspólnikiem w interesach, współwłaścicielem Upadłego Anioła, a kiedy chciał, potrafił być niezmiernie irytującym typem. Odwróciła się do niego z promiennym uśmiechem.

– Przyszedłeś napawać się moim widokiem?

– Czy nie zapomniałaś zakończyć swojej kwestii grzecznościowym „Wasza Książęca Mość"? – zripostował bez wahania.

– Na pewno nie.

– Jeśli chcesz złapać arystokratycznego męża, to lepiej podciągnij się z tytulatury.

– Wolę się podciągnąć w innych dziedzinach. – Policzki zaczynały ją boleć od przylepionego uśmiechu.

– Na przykład w jakich?

– W wymierzaniu zemsty zarozumiałym arystokratom, którzy napawają się moim bólem.

– To raczej nie jest kobieca umiejętność.

– Zapomniałam już, co nią jest.

– Nie wierzę. – Błysnął w uśmiechu zębami, których biel podkreślała oliwkową cerę. Miała ochotę zedrzeć mu z twarzy ten uśmiech, ale spojrzała tylko spode łba, mrucząc pod nosem inwektywy. Zachichotał. – To też nie jest zbyt kobiece.

– Kiedy wrócimy do klubu…

– Twoja przemiana jest niesamowita – przerwał jej. – Z trudem cię rozpoznałem.

– I o to chodziło.

– Jak to zrobiłaś?

– Mniej szminki i różu. – Georgiana najczęściej występowała publicznie jako Anna, kurtyzana z Upadłego Anioła. Anna miała mocny makijaż, nosiła ekstrawaganckie peruki i uwydatniała biust. – Mężczyźni widzą to, co chcą widzieć.

– Akurat – powiedział, wyraźnie niezadowolony z jej słów. – Co ty masz na sobie, do diabła?

Palce aż ją zaświerzbiły z nagłej ochoty, by wygładzić spódnicę.

– Suknię.

Kreacja miała kolor dziewiczej bieli i pasowałaby komuś znacznie bardziej niewinnemu niż ona. Kogoś, kto nie wywoływał skandali. Dla osoby, którą była, zanim to, co uczyniła z własnym życiem, stało się sprawą publiczną.

– Widziałem cię już w sukni. Ale to... – Temple zamilkł, ogarniając wzrokiem jej strój. Zamaskował śmiech kasłaniem. – Nie przypomina żadnej kreacji, w jakich cię dotąd widywałem. – Znowu zamilkł, przyglądając jej się uważniej. – Te piórka sterczą ci z włosów na wszystkie strony.

– Podobno to ostatni krzyk mody.

– Wyglądasz śmiesznie.

Tak jakby sama tego nie wiedziała.

– Twój wdzięk nie zna granic.

– Muszę pilnować, żeby nie przewróciło ci się w głowie.

To jej zupełnie nie groziło. Nie tu, w otoczeniu wroga.

– Nie powinieneś raczej zająć się żoną?

Popatrzył w głąb sali balowej i zatrzymał spojrzenie na błyszczących kasztanowych włosach kobiety, która tańczyła na środku parkietu.

– Twój brat z nią tańczy. Użycza jej cząstki swojej reputacji, więc pomyślałem, że mógłbym uczynić to samo dla jego siostry.

Spojrzała na niego z niedowierzaniem.

– Masz wysokie mniemanie o własnej reputacji.

Zaledwie kilka miesięcy temu Temple zyskał przydomek Książę Zabójca, sądzono bowiem, że zamordował swoją przyszłą macochę w przeddzień jej ślubu. Socjeta przyjęła go z powrotem na swoje łono dopiero wtedy, kiedy udowodniono, że oskarżenie było fałszywe. Poślubił wówczas kobietę, którą rzekomo miał zabić. Ale księcia i tak otaczała aura niegasnącego skandalu – zwłaszcza że kilka lat spędził najpierw na ulicach, a potem na ringu Upadłego Anioła, staczając walki gołymi pięściami.

15

Temple nosił wprawdzie tytuł księcia, ale jego reputacja była porządnie zszargana – w przeciwieństwie do reputacji jej brata. Simon był doskonałym przedstawicielem świata, w którym się urodził. Tańcząc z żoną Temple'a, utrwalał jej dobre imię, nie mówiąc już o arystokratycznym tytule jej męża.

– Twoja reputacja mogłaby mi przynieść więcej szkody niż pożytku.

– Nonsens. Książęta są powszechnie kochani. Jest nas niewielu, więc nie ma co kręcić nosem. – Z drwiącym grymasem podał jej rękę. – Zechce pani ze mną zatańczyć, lady Georgiano?

– Żartujesz sobie.

W miejsce drwiącego grymasu pojawił się szeroki uśmiech, a w ciemnych oczach Temple'a zabłysły iskierki humoru.

– Nie śmiałbym żartować z twojego odkupienia.

Spojrzała na niego zwężonymi oczami.

– Potrafię ci odpłacić, wiesz?

– Kobiety takie jak ty, Anno, nie odmawiają książętom.

– Nie nazywaj mnie tak.

– Kobietą?

Wsunęła rękę w jego dłoń, doprowadzona do cichej furii.

– Szkoda, że cię nie zabili na ringu.

Przez kilka lat jego walki były cononą atrakcją Upadłego Anioła. Ci, którzy zaciągnęli w klubie długi, mogli odzyskać utracone fortuny, pokonując niezwyciężonego Temple'a na ringu. Dopiero kontuzje i żona skłoniły go do rezygnacji z boksu.

– Nie myślisz tak. – Temple wyciągnął ją z kąta. – Uśmiechaj się.

Zrobiła, co kazał, ale czuła się jak skończona idiotka.

– Właśnie że myślę.

– Wcale nie, ale nie będę drążył tego tematu, bo jesteś teraz zbyt przerażona wielkim światem i tym, co masz zamiar zrobić.

Zesztywniała w jego ramionach.

– Nie jestem przerażona.

Rzucił jej kose spojrzenie.

– Oczywiście, że jesteś. Myślisz, że tego nie rozumiem? Albo Bourne? I Cross? – dodał, wymieniając nazwiska pozostałych właścicieli Upadłego Anioła. – Wszyscy musieliśmy wygrzebać się z błota i wyjść z powrotem na światło dzienne, a potem energicznie zabiegać o akceptację tego świata.

– Z mężczyznami jest inaczej. – Słowa popłynęły z jej ust, nim zdążyła pomyśleć. Przez jego twarz przemknęło zdziwienie. Uświadomiła sobie, że zaakceptowała w ten sposób jego punkt widzenia. – Do diabła!

– Musisz powściągnąć swój niewyparzony język – poradził przyciszonym głosem – jeśli chcesz, żeby uwierzyli, że twój tragiczny przypadek nie zasługuje na miano skandalu.

– Doskonale sobie radziłam, zanim się zjawiłeś.

– Schowałaś się do kąta.

– Wcale się nie schowałam.

– To co robiłaś?

– Czekałam.

– Aż zgromadzeni tu ludzie skierują do ciebie oficjalne przeprosiny?

– Miałam raczej nadzieję, że pochłonie ich zaraza – mruknęła.

Zachichotał.

– Gdyby życzenia miały taką moc... – Zawirował z nią na parkiecie. Światła świec zamieniły się przed jej wzrokiem w długie pasma. – Przyjechał Langley.

Wicehrabia wszedł na salę przed niespełna pięcioma minutami. Natychmiast go zauważyła.

– Widziałam.

– Nie spodziewasz się chyba, że to będzie normalne małżeństwo – rzucił Temple.

– Nie.

– To dlaczego nie zrobisz tego, co potrafisz najlepiej?

Jej wzrok powędrował ku przystojnemu mężczyźnie na drugim końcu sali. Temu, którego wybrała na męża.

– Sądzisz, że szantaż jest najlepszym sposobem na zdobycie męża?

– Ja byłem szantażowany, zanim znalazłem żonę – odparł z uśmiechem.

– Tak, ale z tego, co wiem, mężczyźni przeważnie nie są masochistami, Temple. Od ponad roku powtarzasz, że powinnam wyjść za mąż. Ty i Bourne, i Cross – dodała, wymieniając współwłaścicieli Upadłego Anioła. – Nie mówiąc już o moim bracie.

– A tak, słyszałem, że książę Leighton wyznaczył nagrodę za twoją głowę w postaci sowitego posagu. Aż dziw bierze, że jeszcze tu stoisz. Ale co z miłością?

– Miłość? – Nie potrafiła wymówić tego słowa bez pogardy.

– Na pewno o niej słyszałaś. Opisują ją w sonetach i wierszach. No wiesz… i żyli długo i szczęśliwie.

– Owszem, słyszałam – powiedziała. – Ale ponieważ rozmawiamy o małżeństwie w najlepszym razie z rozsądku, a w najgorszym z konieczności spłacenia długów, nie sądzę, aby brak miłości był tu jakimś problemem. A poza tym to wymysł głupców.

– No to jesteś otoczona przez głupców.

– I to z każdej strony. Zadurzonych do nieprzytomności. Przypomnij sobie, jakie to miało konsekwencje.

– Co masz na myśli? Małżeństwo? Dzieci? Szczęście?

Westchnęła. Rozmawiali na ten temat setki razy. Tysiące. Jej brat przeżywał małżeńską idyllę, więc nieustannie zachwalał to rozwiązanie każdemu, kogo miał pod ręką. Nie wiedział tylko, że Georgiana nie jest stworzona do takiej idylli. Odsunęła tę myśl.

– Jestem szczęśliwa – skłamała.

– Nie. Jesteś bogata. I wpływowa. Ale nie jesteś szczęśliwa.

– Szczęście bywa przeceniane – stwierdziła, wzruszając ramionami, gdy przemykali w tańcu na drugą stronę sali. – Jest nic niewarte.

– Jest warte każdej ceny. – Tańczyli w milczeniu przez długą chwilę. – I dobrze to rozumiesz, bo po co byś to robiła, jeśli nie dla szczęścia?

– Nie jest mi potrzebne.

– Nie mówię o twoim szczęściu.

Nie miała zamiaru udawać, że nie rozumie.

– Wiem, że masz na myśli Caroline.

Jej córka była coraz starsza. Skończyła dziewięć lat, niedługo będzie miała dziesięć, wkrótce dwanaście, potem dwadzieścia. Właśnie z tego powodu Georgiana zjawiła się na balu. Podniosła wzrok na swojego wysokiego partnera. Uratował ją tyle razy, podobnie jak ona jego. Powiedziała mu prawdę.

– Myślałam, że mogę ją ocalić – odezwała się cichym głosem. – Trzymałam się z dala od niej.

Przez zbyt wiele lat. Ze szkodą dla nich obu.

– Wiem – odpowiedział równie cicho. Cieszyła się, że w tańcu nie musi zbyt często patrzeć mu w oczy. Nie wiedziała, czy by to zniosła.

– Chciałam ją przed tym ochronić – powtórzyła. – Ale to nie wystarczyło. Potrzebuje czegoś więcej.

Georgiana zrobiła, co mogła. Odesłała Caroline na wychowanie do domu swojego brata. Starała się, by dziewczynka nie odczuwała piętna związanego z okolicznościami swoich narodzin.

I to się udawało, aż do teraz. Aż do ubiegłego miesiąca.

– Chyba nie mówisz o tym rysunku – ciągnął Temple.

– Oczywiście, że mówię o rysunku.

– Co kogo obchodzą brukowce?

– Obchodzą. I wiesz to lepiej niż inni.

Krążyły niezliczone plotki – podobno brat powiedział, że nie może jej wprowadzić do towarzystwa, że go o to błagała. Że nalegał, aby jako niezamężna matka trzymała się w ukryciu. Podobno sąsiedzi słyszeli krzyki. Szlochy. Wyzwiska. Powiadano, że książę skazał ją na wygnanie, a ona powróciła bez jego zgody.

Plotkarskie rubryki prześcigały się w rewelacjach, zamieszczając sążniste artykuły o powrocie Georgiany Pearson, Królowej Skandalu.

Uznała, że to nawet zgrabne przezwisko – skandal wydawał się idealnym partnerem dla pogardy, której księciem nazywano przed długi czas jej brata.

Najpopularniejszy ze szmatławców, „Skandale", zamieścił słynny rysunek, zarazem skandalizujący i bluźnierczy. Georgiana siedziała nago na końskim grzbiecie, osłonięta tylko włosami, trzymając opatulone niemowlę – niczym połączenie lady Godivy i Maryi Dziewicy – a książę Leighton przyglądał jej się z boku z przerażeniem.

Zignorowała tę karykaturę, bo cóż innego mogła zrobić, i pewnie by o niej zapomniała, gdyby nie fakt, że tydzień temu, w niezwykle ciepły dzień wybrała się z córką na spacer do Hyde Parku, podobnie jak połowa Londynu. Caroline błagała, by zabrała ją na przejażdżkę, więc Georgiana niechętnie zostawiła pracę i spełniła prośbę dziewczynki. Pojawiały się już razem w miejscach publicznych, ale nie były jeszcze nigdzie od dnia, gdy opublikowano rysunek. Caroline zauważyła, że wszyscy im się przyglądają.

19

Zsiadły z koni na wzniesieniu, skąd prowadziła droga do jeziora Serpentine, pokryta szarym błotem typowym dla późnej zimy. Poprowadziły wierzchowce w stronę jeziora, nad którym stała grupa dziewcząt nieco starszych od Caroline – przekomarzały się i szeptały, jak to dziewczynki w tym wieku. Georgiana wiedziała, że podobne zbiorowisko może oznaczać tylko i wyłącznie kłopoty.

Ale młoda twarzyczka Caroline pojaśniała z nagłej nadziei, a Georgiana nie miała serca odciągać jej od dziewczynek. Chociaż w tym momencie niczego bardziej nie pragnęła.

Caroline przesuwała się w stronę rozchichotanej grupki, udając, że robi to zupełnie przypadkowo. Jak to się działo, że wszystkie dziewczęta wiedziały, jak to zrobić? Że umiały skradać się chyłkiem pod wpływem nadziei przemieszanej z lękiem, wyrażając w ten sposób cichą prośbę o zainteresowanie?

Taka cudowna odwaga płynęła z szaleństwa młodości.

Dziewczynki najpierw dostrzegły Georgianę i ją rozpoznały, bez wątpienia za sprawą ciekawskich oczu i długich języków własnych matek, a potem w ciągu kilku sekund rozgryzły tożsamość Caroline. Uniosły głowy i wyciągnęły szyje, szepcząc coraz intensywniej. Georgiana przystanęła, powstrzymując się przed wkroczeniem między niedźwiedzie a ich ofiarę. Może się myliła. Może powitają ją uprzejmie i zaakceptują.

I wtedy spoczął na niej wzrok przywódczyni tej grupy.

Nieczęsto się zdarzało, by rozpoznawano w niej matkę Caroline. Była na tyle młoda, że brano je raczej za siostry, a Georgiana rzadko brała udział w towarzyskich imprezach.

Kiedy więc jasnowłosa dziewczynka otworzyła szeroko oczy z nagłym zrozumieniem – niech diabli wezmą rozplotkowane matki – Georgiana już wiedziała, że Caroline nie ma szans. Rozpaczliwie chciała ją powstrzymać. Zrobiła krok w ich kierunku, ale było już za późno.

– Ten park nie jest już taki jak dawniej – odezwała się dziewczynka pogardliwym tonem, zupełnie nieprzystającym do jej wieku. – Każdemu pozwalają się tu wałęsać. Bez względu na urodzenie.

Caroline zamarła, zapominając o końskich wodzach, które luźno zwisły w jej ręce. Udawała, że nie słyszy. A raczej próbowała nie słyszeć.

– I pochodzenie – dodała inna dziewczynka z okrutną radością.

W powietrzu zawisło niewypowiedziane słowo.

Bękart.

Georgiana miała ochotę każdej wymierzyć policzek.

Rozbrzmiały chichoty, a dłonie w rękawiczkach uniosły się do ust. Caroline obróciła się w stronę matki, a zielone oczy córki zrobiły się szkliste.

Nie płacz, błagała w duchu Georgiana. Nie daj im poznać, że cię to dotknęło.

Nie wiedziała, czy kieruje te słowa do siebie, czy do córki.

Caroline nie płakała, ale jej policzki się zaróżowiły. A więc wstydziła się swojego urodzenia. I swojej matki.

Podeszła do Georgiany spacerowym krokiem, poklepując wierzchowca po szyi – jak gdyby chciała im dowieść, że to nie ich słowa ją przepędziły.

Gdy córka stanęła przy jej boku, Georgiana była z niej taka dumna, że ucisk w gardle nie pozwalał jej wykrztusić słowa. Caroline odezwała się pierwsza na tyle głośno, by ją usłyszały:

– I brak dobrych manier.

Georgiana roześmiała się z ulgą, a mała wsiadła na konia i spojrzała na nią z góry.

– Będziemy się ścigać do Grosvenor Gate.

I tak się stało, a Caroline wygrała. Dwa razy tego samego ranka.

Ale ile razy jeszcze przegra?

To pytanie przywróciło ją do rzeczywistości. Znowu znalazła się na parkiecie sali balowej, w ramionach księcia Lamont, otoczona przedstawicielami arystokracji.

– Ona nie ma przyszłości – powiedziała cicho Georgiana. – Sama ją zniszczyłam.

Temple westchnął.

– Myślałam, że mogę pieniędzmi utorować jej drogę na wszystkie salony – mówiła dalej. – Powtarzałam sobie, że Chase otworzy jej drzwi do każdego miejsca, do którego zapragnie wejść. – Nikt nie mógłby podsłuchać jej cichych słów podczas tańca. – Ale ludzie nie przestaną pytać, dlaczego właściciel jaskini hazardu tak się troszczy o nieślubną córkę pewnej damy.

Zacisnęła mocno zęby. Złożyła w życiu wiele obietnic: że da ludziom z wyższych sfer nauczkę, na jaką zasłużyli; że nigdy nie będzie się im kłaniać.

Przysięgła sobie, że nie pozwoli im zranić swojej córki.

Ale niektórych przyrzeczeń nie da się dotrzymać.

– Mam nad nimi wielką władzę, ale to nie wystarcza, żeby ocalić jedną małą dziewczynkę. – Zamilkła. – Jeśli tego nie zrobię, to jaki czeka ją los?

– Zadbam o jej bezpieczeństwo – przyrzekł książę. – I ty też. Podobnie jak inni. – Hrabia. Markiz. Jej wspólnicy w interesach, z których każdy był bogaty i wpływowy. – Jest jeszcze twój brat.

A jednak...

– A kiedy już nas nie będzie? Co wtedy? Odziedziczy w spadku grzechy i występek. Będzie żyła w mroku.

Caroline zasługiwała na wszystko, co najlepsze.

– Zasługuje na to, by żyć w świetle dnia – powiedziała bardziej do siebie niż do Temple'a.

I Georgiana jej to zapewni.

Kiedyś córka zechce ułożyć sobie życie. Mieć dzieci. Zapragnie rzeczy, których Georgiana nie może jej dać.

Chyba że sama wyjdzie za mąż. Ta myśl sprowadziła ją z powrotem na salę balową. Popatrzyła na mężczyznę, którego wybrała na przyszłego męża.

– Tytuł wicehrabiego będzie pomocny – mruknęła.

– Wymagasz tylko tytułu?

– Tak – odpowiedziała. – Tytułu, który będzie wart Caroline. Takiego, który zapewni jej życie, jakiego będzie chciała. Być może nigdy nie będzie otoczona szacunkiem, ale tytuł zabezpieczy jej przyszłość.

– Są na to inne sposoby – zauważył.

– Na przykład jakie? – zapytała. – Pomyśl o mojej bratowej. Pomyśl o swojej żonie. Nie mając własnego tytułu, z cieniem skandalu, są tu ledwie akceptowane. – Zmrużył oczy na te słowa, ale nie dawała za wygraną. – Tytuł męża je chroni. Do diabła, przecież nawet gdy posądzano cię o zamordowanie kobiety, nie zostałeś całkowicie wykluczony z towarzystwa, bo widziano w tobie przede wszystkim księcia, a dopiero potem mordercę. Tytuł daje władzę.

Zawsze będą kobiety pragnące tytułu i mężczyźni uganiający się za posagiem. Bóg świadkiem, że posag Caroline będzie tak duży, jak trzeba, ale to nie wystarczy. Zawsze pozostanie moją córką, nosząc piętno urodzenia.

A w tej sytuacji nawet gdyby znalazła miłość, żaden porządny człowiek nie będzie mógł się z nią ożenić. Jeśli jednak wyjdę za mąż za Langleya... otworzy się przed nią przyszłość nieprzytłoczona moim grzechem.

Milczał przez długą chwilę, za co była mu wdzięczna. W końcu zapytał:

– Dlaczego nie wykorzystasz Chase'a? Ty potrzebujesz nazwiska, on potrzebuje żony. I tylko my w całym Londynie wiemy dlaczego. To porozumienie byłoby korzystne dla obu stron.

Podając się za Chase'a, Georgiana trzymała w garści dziesiątki, a może setki znanych arystokratów. Chase potrafił ludzi niszczyć i wynosić na szczyt. Chase ich swatał i rujnował im życie. Mogłaby bez trudu nakłonić wicehrabiego do małżeństwa, powołując się na Chase'a i informacje, które miał na jego temat.

Ale móc nie znaczy chcieć i być może fakt, że rozumiała tę subtelną różnicę, sprawiał, że się wahała. Wiedziała, że wicehrabia musi się ożenić, tak samo jak ona musi wyjść za mąż, ale to wcale nie znaczyło, iż oboje tego pragną.

– Mam nadzieję, że wicehrabia sam dojdzie do przekonania, iż umowa jest korzystna dla obu stron. I że włączenie w to Chase'a nie będzie konieczne.

Temple znowu pogrążył się w milczeniu.

– Ingerencja Chase'a przyspieszyłaby sprawę – rzucił w końcu.

To prawda, ale rokowałaby jak najgorzej dla tego małżeństwa. Jeśli uda jej się zdobyć Langleya bez uciekania się do szantażu, tym lepiej dla nich.

– Mam plan – stwierdziła.

– A co, jeśli się nie powiedzie?

Pomyślała o teczce Langleya. Była cienka, ale mocno obciążająca. Tylko lista nazwisk.

– Szantażowałam już lepszych do niego.

– Za każdym razem, kiedy uświadamiam sobie, że jesteś kobietą, mówisz coś takiego... i Chase powraca.

– Nie tak łatwo go ukryć – odparła z uśmiechem.

– Nawet wtedy, kiedy wyglądasz tak... – Popatrzył znacząco na jej naszpikowaną piórkami koafiurę. – Jak prawdziwa damulka? To chyba trafne określenie? – Spojrzała spode łba, a Temple się roześmiał. – Co to za pomysł?

– Wiedziałbyś, gdybyś w ogóle bywał w klubie. – Chciała mu dokuczyć, ale powiedziała to z żalem.

– Sama jesteś sobie winna.

Próbowała naprawić sytuację.

– Mówisz o fryzurze? Zapewniam cię, że nie. Moja pokojowa interesuje się modą, ale rzadko ma okazję ubrać mnie na bal.

– Nie to miałem na myśli. Sama jesteś sobie winna, że wolę przebywać w innym miejscu niż klub. Podobnie jak Bourne i Cross. Ciepłe łoże to duża pokusa.

Jej wspólnicy ożenili się w ostatnim czasie – po części dzięki niej – toteż nocami zrobiło się w klubie jakoś pusto.

I bardziej samotnie.

Odsunęła tę myśl. Była matką i właścicielką najbardziej ekskluzywnego w Londynie klubu dla dżentelmenów. Dni wypełniała jej Caroline, a nocami pracowała. Nie miała czasu na samotność.

– To znaczy, że przebaczyłeś mi moją ingerencję?

– Częściowo – zaczął Temple cieplejszym tonem, myśląc o swojej księżnej. – Ale nie myśl, że nie mogę spłacić tego długu.

Tyle tylko że spłata długu oznaczała miłość. A ona nie była taka głupia, by znowu w nią uwierzyć.

Orkiestra skończyła grać, co wybawiło ją od odpowiedzi. Odsunęła się i dygnęła tak, jak należało.

– Dziękuję, Wasza Książęca Mość – powiedziała, kładąc nacisk na tytuł. – Pójdę się przewietrzyć.

– Sama? – zapytał ostrzejszym tonem.

– Myślisz, że nie potrafię zatroszczyć się o siebie?

Była założycielką londyńskiej jaskini hazardu, okrytej największą niesławą. Nie umiałaby się doliczyć, jak wielu mężczyzn zrujnowała. Czy nikt dziś o tym nie pamięta?

– Myślę, że powinnaś zatroszczyć się o swoją reputację – powtórzył Temple.

– Zapewniam cię, że jeśli jakiś mężczyzna za dużo sobie pozwoli, to dostanie po łapach. – Uśmiechnęła się fałszywie i kokieteryjnie przechyliła głowę. – Wracaj do żony, Wasza Książęca Mość. I dziękuję za taniec.

Nie puszczał jej ręki, aż znowu spojrzała mu w oczy.

– Nie wygrasz z nimi – ostrzegł ją cichym głosem. – Wiesz o tym, prawda? Obojętnie jak bardzo byś się starała, socjeta i tak wygra.

Na te słowa ogarnęła ją nagła i niespodziewana furia. Stłumiła emocje i odparła:

– Mylisz się. I zamierzam to udowodnić.

2

Rozmowa z Temple'em wyprowadziła ją z równowagi. Podobnie jak cały ten wieczór.

A Georgiana nie lubiła być wyprowadzona z równowagi. To dlatego tak długo odwlekała ten moment – moment swojego powrotu na łono towarzystwa i wystawienia się na ich wścibskie, osądzające spojrzenia. Nie cierpiała tych spojrzeń. Nie mogła znieść, że śledzą każdy jej krok. Nawet wtedy, gdy wychodziła na ulice Mayfair elegancko ubrana, a nie tak jak na parkiecie kasyna. Omiatały ją szyderczo, gdy przymierzała suknie u krawcowej czy robiła zakupy w galanterii. Nie dawały spokoju w księgarniach i na stopniach domu jej brata. Nienawidziła tych ludzi za to, że przesądzili o losie jej córki, zanim jeszcze przyszła na świat.

Georgiana zaplanowała zemstę. To dlatego zbudowała świątynię grzechu w samym środku ich świata i przez sześć lat, dzień po dniu, gromadziła cierpliwie sekrety wyższych sfer. Mężczyźni przychodzący pograć do Upadłego Anioła nie wiedzieli, że karty, kości i cała reszta są własnością kobiety, którą ich żony omijają szerokim łukiem.

Nie mieli też pojęcia, że ona gromadzi i kataloguje ich tajemnice, aby Chase mógł ich użyć, gdy zajdzie taka potrzeba.

Ale z jakiegoś powodu to miejsce, ci ludzie i ten nieskazitelny świat zaczynały ją zmieniać. Miała teraz wątpliwości w sprawach, które jeszcze niedawno załatwiłyby bez chwili wahania we właściwy sobie sposób. Powiedziałaby wicehrabiemu Langleyowi prosto z mostu, że albo się z nią ożeni, albo poniesie konsekwencje swojego postępowania.

Odkąd wiedziała aż za dobrze, jak wygląda w praktyce ponoszenie konsekwencji, nie miała ochoty narażać następnej osoby na skandal i pożarcie przez wilki.

Gdyby była do tego zmuszona, może zdecydowałaby się na ten krok. Ale miała nadzieję, że uda się tego uniknąć.

Wyszła na balkon sali balowej Worthington House i nabrała tchu. Kwietniowa noc była rześka i pełna obietnic. Odwróciła się tyłem do sali balowej – patrząc w ciemność, czuła się swobodniej. Oparła się o marmurową balustradę.

Postoi tu trzy minuty, no, może pięć. Potem wróci. Przyszła tu przecież w konkretnym celu. Podjęła grę i wiedziała, że na końcu będzie czekać nagroda. Jeśli rozegra to dobrze, zyska poczucie bezpieczeństwa i zapewni Caroline życie, jakiego sama nie może jej dać.

Na tę myśl znowu ogarnęła ją złość. Miała wprost niewyobrażalną władzę nad ludźmi. Znała tajemnice najbardziej wpływowych mężczyzn królestwa oraz ich żon. Wiedziała o arystokratach więcej niż oni sami o sobie.

A mimo to nie mogła ochronić swojej córki. Nie mogła zapewnić jej życia, na jakie zasługiwała.

Bo było to niemożliwe bez ich aprobaty.

Przyszła tu tylko z tego powodu, chociaż niczego bardziej nie pragnęła, niż zanurzyć się w ciemność ogrodu, dojść do muru, wspiąć się na niego i odnaleźć drogę do domu – do klubu. Do życia, które sama zbudowała. Do życia, które wybrała.

Musiałabym zdjąć suknię, żeby wdrapać się na mur, pomyślała. Mieszkańcom Mayfair mogłoby się to nie spodobać.

Z sali balowej wysypała się spora grupa kobiet. Chichotały i szeptały tak pisklliwie, że było je zapewne słychać w całej okolicy.

– Wcale mnie nie dziwi, że książę poprosił ją do tańca – zaszczebiotała jedna z nich. – Na pewno ma nadzieję, że poślubi hazardzistę, który wyda wszystkie pieniądze w tym jej przybytku.

– W przeciwnym razie – dodała druga – nic jej nie przyjdzie z tańczenia z Księciem Zabójcą.

Rzecz jasna, mówiły o niej. Bez wątpienia była tematem wieczoru.

– Zawsze to książę – rzuciła inna. – I to głupie, fałszywe przezwisko tego nie zmieni.

Ta przynajmniej miała odrobinę inteligencji. Nie przetrwa długo wśród przyjaciółek.

– Nic nie rozumiesz, Sophie. On nie jest prawdziwym księciem.

– Ale przecież ma tytuł, prawda? – zaprotestowała Sophie.

– Owszem – przyznała pierwsza poirytowanym tonem. – Ale przez wiele lat walczył na ringu i ożenił się z kobietą o znacznie niższej pozycji społecznej, więc to już nie jest to samo.

– Ale prawo pierworództwa...

– To nieważne, Sophie. Nigdy nic nie rozumiesz. Chodzi o to, że ona jest okropna. I nawet ogromny posag nie pomoże jej złapać męża z odpowiednim tytułem.

Georgiana pomyślała, że raczej przywódczyni grupy jest okropna, ale najwyraźniej się pomyliła, bo jej usłużne przyjaciółki przytakiwały z aprobatą.

Przysunęła się bliżej, aby mieć lepszy punkt obserwacyjny.

– To jasne, że chodzi jej o tytuł.

– Nie złapie nawet dżentelmena. O arystokracie nie ma w ogóle co marzyć. Nawet baronet to dla niej za dużo.

– W gruncie rzeczy to nie jest tytuł arystokratyczny.

Georgiana nie mogła się już powstrzymać.

– Och, Sophie – powiedziała. – Nigdy się niczego nie nauczysz? Nikogo nie interesuje prawda.

Słowa przecięły ciemność, a dziewczęta, których było w sumie sześć, odwróciły się jednocześnie w jej stronę, mniej lub bardziej zdziwione. Nie powinna była ściągać na siebie uwagi, ale skoro powiedziało się a, to trzeba powiedzieć b.

Gdy weszła w krąg światła, dwie z panien głośno westchnęły. Sophie zamrugała. A Napoleon w spódnicy patrzył na nią z wyższością, mimo że był od Georgiany niższy o jakieś dwadzieścia centymetrów.

– Nie zostałaś zaproszona do rozmowy.

– Ale powinnam się wtrącić, nie sądzisz? Skoro jestem jej tematem...

Musiała oddać honor pozostałym dziewczętom: były na tyle przyzwoite, że na ich twarzach odmalowało się upokorzenie. Co innego przywódczyni.

– Nie chcę, żeby ktoś zobaczył, że z tobą rozmawiam – powiedziała jadowicie. – Ten skandal może rzucić i na mnie cień.

Georgiana się uśmiechnęła.

– Nie masz się czym martwić. Do tego trzeba być... – zrobiła dramatyczną pauzę – ...na wyższym poziomie.

Sophie wytrzeszczyła oczy.

Georgiana nie dawała za wygraną.

– Nazywasz się jakoś?

Panna zmrużyła powieki.

– Lady Mary Ashehollow – przedstawiła się, kładąc nacisk na tytuł.

Ashehollow i wszystko jasne, pomyślała Georgiana. Jej ojciec był najbardziej odrażającym typem w Londynie – kobieciarzem i pijakiem, który na pewno zaraził już żonę kiłą. Ale nosił tytuł hrabiego Holborn, co zapewniało mu akceptację w tym śmiesznym światku. Jego żona natomiast, niegodziwa plotkarka, utopiłaby każdego w łyżce wody, gdyby tylko pomogło jej to wspiąć się wyżej na drabinie społecznej. Mieli dwoje dzieci: chłopca, który jeszcze się uczył, i dziewczynę, która miała już za sobą jeden sezon.

Najwyraźniej niedaleko padło jabłko od jabłoni.

Utytułowana pannica zasłużyła na porządną nauczkę.

– Powiedz, jesteś już zaręczona?

Mary zesztywniała.

– To dopiero mój drugi sezon.

Georgiana z dziką radością przypuściła atak.

– Jeszcze jeden i osiądziesz na koszu, prawda?

Uderzenie było celne. Dziewczyna uciekła wzrokiem na ułamek sekundy. Trwało to tak krótko, że ktoś inny pewnie w ogóle by nie zauważył. Ale nie Chase.

– Mam wielu starających się.

– Jasne. – Georgiana przypomniała sobie teczkę Holborna. – Burlington i Montlake. Mają tyle długów, że przymkną oko na twoje wady, byle tylko dorwać się do posagu...

– Nie jesteś osobą, która ma prawo mówić o wadach. I posagach – parsknęła Mary.

Biedna dziewczyna nie wiedziała, że doświadczenie Georgiany znacznie przewyższa jej wiek i że musiała sobie radzić z kreaturami znacznie gorszymi niż młoda panna o ciętym języku.

– Cóż, wcale nie udaję, że posag jest zbędny, Mary. Ale lord Russell nie ma czystych intencji. Bo po co taki przyzwoity mężczyzna jak on miałby się kręcić koło kogoś takiego jak ty?

Mary otworzyła szeroko usta.

– Kogoś takiego jak ja?

– Miałam na myśli twój uderzający brak wdzięku.

Trafiła w sedno. Mary odskoczyła, jakby ją ktoś uderzył. Jej przyjaciółki zakryły dłońmi usta, wstrzymując śmiech. Georgiana uniosła brew.

– Okrucieństwo nie sprawia takiej przyjemności, kiedy jest wymierzone w ciebie, prawda?

Gniew Mary przybrał gwałtowną postać. Ale Georgiana była na to przygotowana.

– Nie obchodzi mnie, jaki masz posag. I tak nikt cię nie zechce. Każdy wie, kim naprawdę jesteś.

– Tak? A kim? – zapytała Georgiana, zwabiając dziewczynę w zastawioną pułapkę.

– Tanią ladacznicą – rzuciła Mary z zamierzonym okrucieństwem. – I masz bękarta. Ona też wyrośnie na ladacznicę.

Georgiana spodziewała się wyzwisk pod swoim adresem, ale atak na córkę wprawił ją w furię. Tego było już za wiele. Weszła głębiej w krąg złocistego światła wylewającego się z sali balowej.

– Co powiedziałaś?

Na balkonie zapadła cisza. Pozostałe dziewczęta wyczuły w jej słowach ostrzeżenie. Rozległy się przytłumione szepty. Mary zrobiła krok w tył, ale była zbyt dumna, by się wycofać.

– Słyszałaś.

Georgiana postąpiła do przodu, wypychając dziewczynę z kręgu światła. Znalazły się w ciemności. A to było jej królestwo.

– Powtórz to.

– Ja…

– Powtórz to – rozkazała Georgiana.

Mary mocno zacisnęła powieki i wyszeptała:

– Jesteś tania.

– A ty jesteś tchórzem – wysyczała. – Jak twój ojciec, a przedtem jego ojciec.

Dziewczyna otworzyła szerzej oczy.

– Nie chciałam…

– Chciałaś – mruknęła cicho Georgiana. – Pewnie wybaczyłabym ci wyzwiska pod moim adresem. Ale nie pozwolę ci obrażać mojej córki.

– Przepraszam.

Za późno. Georgiana pokręciła głową, nachyliła się w stronę dziewczyny i odezwała się szeptem:

– Kiedy cały świat runie ci na głowę, będziesz wiedziała, że stało się to z powodu tej chwili.

– Przepraszam! – krzyknęła Mary, przerażona tonem i słowami Georgiany. I o to chodziło. Powinna się bać. Chase nigdy nie rzucał słów na wiatr.

Tylko że tego wieczoru nie była Chase'em, ale Georgianą.

Wiedziała, że musi się powstrzymać. Zamaskować swój gniew, zanim ujawni zbyt wiele. Odsunęła się od Mary i wybuchnęła głośnym, swobodnym śmiechem – przećwiczyła to wielokrotnie na parkiecie swojego klubu.

– Nie potrafisz odważnie bronić swoich przekonań, Mary. Łatwo cię zastraszyć!

Inne dziewczęta też się roześmiały, a Mary nie spodobało się, że strącono ją z piedestału. Doprowadziło ją to do ostateczności.

– Nigdy nie będziesz warta tyle co my! Jesteś zwykłą dziwką!

Z ust jej przyjaciółek wyrwał się jednoczesny okrzyk zgrozy, po czym na balkonie zapadła cisza.

– Mary! – szepnęła jedna z nich po długiej chwili, wyrażając w ten sposób oburzenie słowami przyjaciółki i dezaprobatę całej grupki.

Mary stała sztywno, chcąc za wszelką cenę odzyskać swoje miejsce na szczycie drabiny społecznej.

– To ona zaczęła! – warknęła.

Po długiej chwili milczenia odezwała się Sophie:

– Prawdę mówiąc, to my zaczęłyśmy.

– Och, bądźże cicho, Sophie! – zawołała Mary, odwróciła się i pobiegła na salę balową. Samotnie.

Georgiana powinna czuć się szczęśliwa. Mary posunęła się za daleko i odebrała najważniejszą lekcję – że przyjaciele będą cię wspierać dopóty, dopóki twoje błędy nie naruszą ich wizerunku.

Ale Georgiana wcale nie była szczęśliwa.

Jako Chase chlubiła się tym, że umiała nad sobą zapanować w każdej sytuacji. Wiedziała, kiedy zamilknąć. Zawsze podejmowała przemyślane działania.

Gdzie, do diabła, podział się dziś Chase?

Jak to możliwe, że ci ludzie mieli nawet taką władzę nad nią i nad jej emocjami? A przecież potrafiła ich tak zręcznie kontrolować, prowadząc równoległe życie!

„Jesteś zwykłą dziwką".

Słowa wisiały w ciemności, przenosząc ją w przeszłość. I przypominały, jaka będzie przyszłość Caroline, jeśli Georgiana nie zmusi tych ludzi, by ją zaakceptowali.

Dziewczęta miały władzę, ponieważ im na to pozwoliła. Ponieważ nie miała wyboru. Były na swoim terenie, a ich gra miała sprawić, by poczuła się mała i nic nieznacząca.

Nienawidziła ich za to, że tak dobrze w to grały.

Odwróciła się do pozostałych kobiet.

– Na pewno obiecałyście komuś następny taniec.

Rozproszyły się momentalnie – wszystkie oprócz jednej. Georgiana spojrzała spod przymkniętych powiek na ostatnią dziewczynę.

– Jak się nazywasz?

Nie odwróciła wzroku, co jej zaimponowało.

– Sophie.

– Tyle już wiem.

– Sophie Talbot.

Nie użyła tytułu lady, do którego miała prawo.

– Twój ojciec jest hrabią Wight?

Dziewczyna przytaknęła.

Georgiana była pewna, że Wight kupił sobie tytuł. Zrobił kilka imponujących interesów w Oriencie, na których nieprzyzwoicie się wzbogacił. Poprzedni król zaproponował mu tytuł, ale większość uważała, że Wight nie ma do niego prawa. Sophie miała starszą siostrę, która niedawno została księżną, i tylko z tego powodu była akceptowana w tym piekiełku.

– Idź do nich, Sophie, zanim dojdę do wniosku, że jednak cię nie lubię.

Sophie otworzyła usta, ale zaraz zamknęła je bez słowa. Obróciła się na pięcie i wróciła na salę. Bystra dziewczynka.

Gdy Georgiana została sama, głęboko westchnęła. Nie spodobało jej się wyczuwalne w tym westchnieniu drżenie, a nawet nutka żalu.

Ucieszyła się w duchu, że nie ma żadnego świadka tej chwili słabości. Ale wcale nie była sama.

– To nie pomoże pani sprawie.

Te ciche i złowieszcze słowa przypłynęły z mroku. Georgiana odwróciła się gwałtownie w stronę, skąd dobiegły, chcąc zobaczyć mężczyznę, który je wypowiedział. Z narastającym napięciem przenikała wzrokiem ciemność.

Nim zdążyła poprosić, by się pokazał, zrobił krok w jej stronę. Światło księżyca oblało jego włosy srebrzystym blaskiem. Cienie wyostrzyły rysy. Odetchnęła z ulgą, gdy po początkowym zaskoczeniu rozpoznała tę twarz. Poczuła przy tym podniecenie, do którego wolała się nie przyznawać sama przed sobą.

To był Duncan West, przystojny i znakomicie ubrany w czarny frak i spodnie. Biel wykrochmalonego płóciennego fularu odcinała się od skóry. W tym prostym, choć oficjalnym stroju wydawał się bardziej pociągający niż zwykle.

A Duncan West nawet w normalnych okolicznościach mógł się podobać: błyskotliwy, wpływowy i diabelnie przystojny. Jego inteligencja w połączeniu z władzą i urodą mogła być niebezpieczna. Czyż nie wiedziała tego lepiej niż ktokolwiek?

Czy nie zbudowała życia na tej świadomości?

West był właścicielem pięciu najbardziej poczytnych gazet w Londynie: dziennika, który wszyscy kamerdynerzy w mieście co rano skrupulatnie prasowali; dwóch tygodników, dostarczanych pocztą do domów w całym królestwie; magazynu dla dam i plotkarskiego szmatławca, chętnie czytanego przez osoby bez tytułów, ale potajemnie i z poczuciem wstydu zamawiali go też arystokraci.

A oprócz tego był prawie jej piątym wspólnikiem – ten dziennikarz zbudował nazwisko i zdobył fortunę dzięki ujawnianiu skandali, wykorzystywaniu tajemnic i informacji, które przekazywał mu Chase.

Rzecz jasna, nie wiedział, że stoi przed nim Chase – nie była przecież groźnym, tajemniczym dżentelmenem, za jakiego uważał go cały Londyn, ale kobietą. Młodą, o zrujnowanej reputacji i władzy zbyt wielkiej jak na przedstawicielkę płci pięknej.

Tylko dlatego West zgodził się na zamieszczenie w swoim szmatławcu wstrętnej karykatury, na której przedstawiono ją jak połączenie lady Godivy i Maryi. Dziwki i dziewicy. Grzechu i wybawienia. A wszystko po to, by napełnić kabzę prasowego magnata.

To jego gazety – czyli w istocie on sam – zmusiły ją do działania. To przez niego stała tu dzisiaj, wymuskana i perfekcyjna, aby dostać od socjety drugą szansę. I wcale jej się to nie podobało – pomimo że był taki przystojny.

– Sir – zaczęła ostrzegawczym tonem. – Nie zostaliśmy sobie przedstawieni. I nie powinien pan czaić się w ciemności.

– A dlaczego? – spytał z nutą prowokacji, co wydało jej się kuszące. – Ciemność to najlepsze miejsce, żeby się zaczaić.

– Chyba że komuś zależy na dobrej reputacji – drwiące słowa popłynęły same.

– Mojej reputacji nic nie zagraża.

– Mojej też nie – odparła.

– Doprawdy?

– Tak. Moja reputacja może się już tylko poprawić. Słyszał pan, jak nazwała mnie lady Mary.

– Chyba połowa Londynu to słyszała – powiedział, podchodząc bliżej. – Zachowała się niewłaściwie.

– Ale się nie pomyliła?

W jego oczach błysnęło zdziwienie. A przecież nie należał do tych, których łatwo zdziwić.

– Chyba jednak tak.

Te słowa również jej się spodobały. A pewność, z jaką je wypowiedział, wywołała leciutki dreszcz podniecenia. Sprowadziła rozmowę na bezpieczniejszy grunt.

– Nasze nieporozumienie na pewno trafi do jutrzejszych gazet – stwierdziła, zapominając, że przecież nie powinna wiedzieć, kim on jest.

W rzeczywistości znała Westa od kilku lat. Pracowała z nim. Widywała go w klubie, gdzie chodziła umalowana i wystrojona jak kurtyzana, przekazywała mu listy od wszechpotężnego Chase'a, flirtowała z nim w przebraniu Anny, królowej londyńskich prostytutek.

Duncan West nie znał Georgiany i nie miał pojęcia, jaką rolę dzisiaj odgrywa.

Ale już wiedział, że ona zdaje sobie sprawę, kogo spotkała.

– Widzę, że moja reputacja jest dobrze znana.

Przyjęła jego pomocną dłoń.

– Przynajmniej nie jestem osamotniona.

Wygiął kształtne wargi w uśmiechu, a ją przeniknęło ciepło.

– Dobrze powiedziane.

– To oczywiste, że znam człowieka, który zamieścił zniesławiający mnie rysunek.

Znieruchomiał. Dostrzegła w jego wzroku poczucie winy.

– Przepraszam.

– Przeprasza pan wszystkich odbiorców tego wątpliwego dowcipu? Czy tylko tych, na których pan się natknie?

– Zasłużyłem na te słowa.

– Nawet na gorsze – przyznała, wiedząc, że za chwilę może posunąć się za daleko.

– Nawet na gorsze. Ale pani nie zasłużyła na taki rysunek.

– Dopiero dziś wieczór pan to zauważył?

– To było w złym guście. Nie powinienem był… – Urwał w pół zdania.

– Nie musi się pan tłumaczyć. Interes ponad wszystko.

Doskonale to wiedziała. Od lat kierowała się w życiu tą zasadą. Częściowo dlatego Chase i West tak doskonale zgadzali się w interesach. Żaden z nich nie wypytywał o drugiego, dopóki istniał nieprzerwany przepływ informacji.

To wcale nie znaczyło, że przebaczy mu to, co zrobił. Przez niego musiała teraz szukać męża i akceptacji w towarzystwie. Gdyby nie on… miałaby na to więcej czasu.

Odsunęła od siebie tę myśl.

– Dzieci to inna sprawa – zauważył. – Nie powinna być w to zamieszana.

Rozmowa przybrała nieoczekiwany obrót. To, że tak delikatnie napomknął o Caroline, było niepokojące. Zmieniła temat.

– Kiedy przyjechałam tu z bratem, pokazał mi salonowe lwy.

Przechylił głowę.

– Tych, którzy bryluja w towarzystwie i są ważni?

– Tych, którzy są leniwi i niebezpieczni.

Roześmiał się głębokim basem. Znowu przeszyły ją dreszcze. To też jej się nie podobało. Chociaż uruchomiła wszystkie siły obronne, i tak udawało mu się zaatakować z zaskoczenia.

– Bywam niebezpieczny, lady Georgiano, ale nigdy nie byłem leniwy.

Nagle przestała się przejmować i poczuła się swobodnie, chociaż wystawiona na pokusę. Zapragnęła flirtować z nim bezwstydnie, może zapytać, jak ciężko jest gotów pracować, by zdobyć nagrodę. Nie mogła zaprzeczyć, że wywierał na nią taki sam wpływ jak w klubie, gdzie zabawiał Annę.

Zaczęła się zastanawiać, jak by się czuła, gdyby spotkała go w ciemności, będąc inną kobietą, w innym miejscu i czasie. Jak by to było ulec pokusie.

Po raz pierwszy od poprzedniego razu.

Jedynego jak dotąd.

Zesztywniała pod wpływem tej myśli. Był bardzo niebezpiecznym człowiekiem, a ona nie była teraz Chase'em. Poza klubem nie miała nad nim władzy.

Przeciwnie, to on miał władzę nad nią.

Spojrzała w stronę rozświetlonej sali balowej.

– Powinnam wrócić na bal. Do moich przyzwoitek.

– Których jest legion, jak mniemam.

– Bratowe uwielbiają tę rolę.

Stroiły ją i ustawiały przez pół wieczoru. Musiała się zgodzić na te idiotyczne piórka, żeby pozwoliły jej przyjechać i wrócić własnym powozem.

– Księżna i markiza pomogą pani zmienić ich nastawienie.

– Nie rozumiem, co pan ma na myśli.

Nie był głupcem. Doskonale wiedział, jaki jest cel Georgiany.

– Zostawmy te gierki. Próbuje pani podbić towarzystwo, żeby przyjęło panią z powrotem w swoje szeregi. Wezwała pani na pomoc brata i szwagra... – Spojrzał na salę ponad jej ramieniem. – Do diabła, nawet zatańczyła pani z księciem Lamont.

– Jak na kogoś, kto mnie nie zna, dość uważnie śledził pan moje poczynania.

– Jestem dziennikarzem. Lubię rzeczy, które odbiegają od normy.

– Ale ja jestem zupełnie normalna – powiedziała.

– Jasne, że tak.

Odwróciła wzrok. Nagle poczuła się zakłopotana. Nie wiedziała, kogo ma odgrywać przed tym mężczyzną, który zdawał się przenikać ją na wskroś. W końcu oznajmiła:

– Zmiana ich nastawienia wydaje się niewykonalnym zadaniem.

Jego twarz przybrała dziwny wyraz. Poczuła złość.

– Nie prosiłam o litość.

– To nie była litość.

– I bardzo dobrze – rzuciła. – W takim razie co?

– Nie musi się pani poddawać. – To oczywiste. Ich myśli zdawały się biec tym samym torem. – Skąd pani wiedziała, kto się stara o lady Mary?

– Wszyscy to wiedzą.

– Wszyscy, którzy w ubiegłym roku interesowali się towarzyskim sezonem.

– To, że nie bywam w towarzystwie, nie oznacza, że nie mam pojęcia, co się dzieje w wyższych sferach.

Nie uwierzył jej.

– Wie pani o nich bardzo dużo, jak sądzę.

– Próbuję wrócić na łono socjety. Byłoby głupotą nie zrobić podstawowego rekonesansu.

– To termin używany w wojsku.

– Mówimy o londyńskim sezonie towarzyskim. Nie uważa pan, że to jest stan wojny?

Uśmiechnął się i pochylił głowę, ale nie zamierzał nadać rozmowie lekkiego tonu. Zabawił się w reportera.

– Wiedziała pani, że dziewczęta odwrócą się od niej, jeśli je pani przyciśnie.

Odwróciła wzrok, myśląc o lady Mary.

– Towarzystwo z radością pożera swoich członków, jeśli ma okazję.

Stłumił śmiech.

– To pana bawi?

– Wydaje się dość niezwykłe, że ktoś, kto tak rozpaczliwie pragnie wejść w jego szeregi, wygłasza o nich takie prawdziwe sądy.

– Kto powiedział, że rozpaczliwie pragnę wejść w jego szeregi?

– A tak nie jest?

Nabrała podejrzeń.

– To prawda, co o panu mówią.

– Tak? A co mówią? – zapytał z zaciekawieniem.

– Że jest pan doskonały w tym, co robi. Niewiele brakowało, a dałabym panu gotową historię.

– Ale ja już mam historię.

– A jaką?

Nie odpowiedział, tylko obserwował ją uważnie.

– Taniec z księciem Lamont sprawiał pani przyjemność – zauważył wreszcie.

Nie chciała myśleć o swoim tańcu z Temple'em. Wolała, żeby się nie zastanawiał, skąd zna księcia, który jest właścicielem jaskini hazardu.

– Dlaczego interesuje się pan moją osobą?

Oparł się o marmurową balustradę.

– Córa marnotrawna wraca na łono arystokracji. Dlaczego miałbym się tym nie interesować?

Parsknęła krótkim śmiechem.

– Nie widzę tłustego cielca.

– Zabrakło cielęciny. Nie wystarczą pani kanapeczki i szklanka mdłej lemoniady?

– Nie robię tego dla arystokracji.

Pochylił się w jej stronę, aż poczuła jego ciepło. Był oszałamiająco przystojnym mężczyzną. W innym czasie i miejscu przyjęłaby ten gest z radością. Być może uległaby nawet jego kusicielskiemu urokowi. Pomimo zszarganej reputacji, wbrew niesprawiedliwym wyobrażeniom otoczenia wcale nie nurzała się w grzechu.

A przecież nawet nigdy wcześniej nie miała ku temu okazji. Czy tego pragnęła? W jej głowie rozbrzmiały słowa lady Mary: „Jesteś zwykłą dziwką". Nie mogła przed nimi uciec, chociaż były z gruntu fałszywe.

Myślała przecież, że to miłość.

Szybko się nauczyła, że miłość i zdrada zawsze idą w parze.

Wydawało jej się dziwne, że podłe kłamstwo może do tego stopnia zrujnować czyjąś reputację i że fałszywa tożsamość może stanowić takie brzemię.

Co dziwniejsze, człowiek w końcu nabiera ochoty, by żyć tym fałszywym życiem, choćby po to, by dotrzeć do prawdy.

– Wiem, że nie robi pani tego dla nich – odezwał się miękko West. – Tylko dla dobra Caroline.

– Niech pan nie wymawia jej imienia. – W jej tonie było zimne ostrzeżenie, więc dorzuciła: – Proszę.

Serce zabiło jej mocniej, gdy obrzucił ją uważnym wzrokiem. Starała się wyglądać młodo i niewinnie, jak słaba kobieta. W końcu powiedział:

– Pani córka to nie moja sprawa.

– Ale moja owszem. – Caroline była dla niej wszystkim.

– Wiem. Utopiłaby pani biedną lady Mary w łyżce wody za to, że o niej wspomniała.

– Lady Mary bynajmniej nie jest biedna. I nie powinna obrażać dziecka.

– Córka to jedyny powód, który mógł panią zmusić do powrotu. Śmiem przypuszczać, że naprawianie reputacji nie jest zbyt miłym zadaniem. Wilki czekają pod drzwiami.

Rzecz jasna, miał rację. Żyjąc z dala od tego świata, czuła się cudownie wolna. Musiała tylko zaakceptować fakt, że nigdy nie będzie prowadziła życia, do którego została tak dobrze przygotowana. Gorset i suknia nie były jedynymi rzeczami, które ją w tej chwili ograniczały. Bardziej przeszkadzała jej świadomość, że śledzą i osądzają ją setki oczu, czekając na najmniejszy błąd.

Ludzie, którzy nie mieli w tym osobistego celu, pragnęli zobaczyć jej upadek.

Tylko że tym razem to ona miała największą władzę.

– Niewątpliwie miłość do córki uczyni z pani bohaterkę tego dramatu.

– Nie odgrywamy żadnego dramatu.

– Ależ milady, oczywiście, że tak.

Kiedy po raz ostatni ktoś użył tego grzecznościowego tytułu? Kiedy zwrócono się tak do niej bez sarkazmu, osądzania czy chęci manipulacji?

Czy kiedykolwiek to się zdarzyło?

– I przyznam, że jestem tym dramatem zafascynowany – uznał.

Starała się zignorować falę gorąca, która oblała ją po tych słowach. Wyprostowała ramiona.

– Nie pojmuję, z jakiego powodu.

Przysunął się bliżej i jeszcze bardziej zniżył głos.

– Doprawdy?

Spojrzała mu w oczy. To on był jej odpowiedzią. Mężczyzna, który mówił wyższym sferom, co mają myśleć o ludziach. Mógłby nakłonić Langleya, by się z nią ożenił. Zresztą nie tylko Langleya.

Mógł jej pomóc w zdobyciu tytułu i nazwiska.

I zabezpieczyć przyszłość Caroline. Obserwowała tego mężczyznę od kilku lat, ale w świecie, w którym byli sobie równi. Teraz, gdy stała z nim twarzą w twarz, wydawał się bardziej zagrożeniem niż wybawicielem.

– Nikomu jeszcze nie udało się to, co zamierza pani zrobić – powiedział w końcu.

– To znaczy?

– Powrót z martwych. Jeśli to się powiedzie, pani historia podniesie sprzedaż gazet.

– Cóż za kupieckie podejście.

– To nie znaczy, że nie życzę pani sukcesu. – Po dłuższej chwili dodał, jakby ze zdziwieniem: – Właściwie to zależy mi, żeby go pani odniosła.

– Naprawdę? – zapytała wbrew sobie.

– Naprawdę.

Czy mógłby jej w tym pomóc?

Przyglądał się jej. Starała się stać spokojnie pod jego czujnym wzrokiem.

– Czy my się skądś znamy? – spytał w końcu.

O, nie.

Tego wieczoru w niczym nie przypominała Anny. Tamta była wystrojona i umalowana, a w pewnych miejscach wypchana poduszeczkami. Talię miała mocno ściśniętą gorsetem, z którego wylewał się biust, na policzkach biały puder, usta czerwone, a perukę tak nienaturalnie jasną, że niemal platynową. Georgiana stanowiła jej przeciwieństwo. Owszem, była wysoka i jasnowłosa, ale bez ekstrawagancji. Jej biust nie odbiegał od normy, a włosy miały naturalny odcień. Podobnie jak skóra i usta.

Ale West był mężczyzną, a oni widzieli tylko to, czego szukali w kobiecie. Teraz wydawał się świdrować ją wzrokiem na wylot.

– Nie sądzę – odparła. Odwróciła głowę i spojrzała na salę balową. – Zatańczy pan?

– Mam sprawę do załatwienia.

– Tutaj?

Pytanie wypłynęło z jej ust, nim zdążyła sobie uświadomić, że prostolinijna Georgiana Pearson nie byłaby zainteresowana jego sprawami.

Przymrużył oczy i rozważał jej pytanie.

– Tutaj. A potem jeszcze gdzieś. – Po króciutkiej pauzie ciągnął: – Jest pani pewna, że się wcześniej nie spotkaliśmy?

– Od wielu lat nie pojawiam się w tych kręgach – wyjaśniła.

– Ja również rzadko tu bywam. – Zamilkł, a po chwili dorzucił: – Zapamiętałbym panią.

Powiedział to z taką szczerością, że aż zabrakło jej tchu. Otworzyła szeroko oczy.

– Czy pan ze mną flirtuje?

– Po co flirtować, skoro to szczera prawda?

Uniosła kącik ust w półuśmiechu.

– Teraz już pan flirtuje. I to w dobrym stylu.

– Milady, pani komplement to dla mnie zaszczyt.

– Dosyć, mój panie. Mam pewien plan. I nie ma w nim miejsca dla przystojnego magnata prasowego.

Błysnęły białe zęby.

– Więc jestem przystojny, tak?

Teraz to ona uniosła brwi.

– Chyba ma pan lustro.

– Nie jest pani taka, jak się spodziewałem.

Gdyby tylko wiedział.

– Może się jednak zdarzyć, że nie podniosę sprzedaży pańskich gazet.

– Sprzedaż gazet to moje zmartwienie. – Zrobił pauzę. – A pani niech się martwi swoim planem. Każda debiutantka od wieków ma taki sam.

– Nie jestem debiutantką.

Przyglądał jej się przez chwilę.

– Myślę, że pani jest. I to bardziej, niż się pani wydaje. Nie marzy pani o upojnym walcu pod gwiazdami z jakimś wielbicielem?

– Upojne walce wpędzają panny w kłopoty.

– A pani pragnie tytułu.

O tak, tym razem trafił w sedno. Odpowiedziała mu wymownym milczeniem.

– Już pani jakiś wybrała? – zapytał.

Zapatrzyła się w ciemność.

– Jest wielu pociągających dżentelmenów.

– Dajmy sobie spokój z tymi sztuczkami. Nie szuka pani dżentelmena. Ma pani skazę.

– Sugeruje pan, że nieżonaty dżentelmen jest w czymś lepszy niż kobieta ze skazą?

– Chyba nie.

Pozwoliła sobie na chwilę triumfu.

– A widzi pan.

Uniósł kącik ust. Nie obchodziło jej, czy uważa ją za zabawną. Nie potrzebowała jego aprobaty, tylko pomocy.

– Wybrała już pani kogoś? – ponowił pytanie. – Jest jakaś lista wymagań?

– To by było wyrachowane.

– Raczej mądre.

– I do tego prostackie.

– Raczej uczciwe.

Czy on musi być taki bystry? Musi tak… idealnie do niej pasować? Odrzuciła tę ostatnią myśl. Był tylko środkiem do celu. I niczym więcej.

Przerwał milczenie.

– Na pewno musi to być ktoś, kto potrzebuje pieniędzy.

– Przyda się mój duży posag, prawda?

– I ktoś z tytułem.

– I ktoś z tytułem – przyznała.

– Czego jeszcze sobie życzy lady Georgiana Pearson?

Żeby był to ktoś przyzwoity.

Zdawał się czytać w jej myślach.

– Kogoś, kto będzie dobry dla Caroline.

Odpowiedziała bez namysłu:

– Chyba uzgodniliśmy, że nie będzie pan wymawiał jej imienia.

– Jej rola to utrudnia.

Georgiana nie na darmo ślęczała nad teczkami w swoim biurze w Upadłym Aniele. Wybrała jakiś tuzin nieżonatych mężczyzn. Zawęziła swój wybór do jednego kandydata wartego uwagi – człowieka, o którym wiedziała wystarczająco dużo, aby sądzić, że będzie dobrym mężem.

I którego mogła szantażem zmusić do małżeństwa, gdyby zaszła taka potrzeba.

– Już go pani wybrała – powiedział.

– Zgadza się – przyznała.

Powinna na tym skończyć rozmowę. Przebywała na balkonie na tyle długo, że mogło to zwrócić uwagę. Poza tym nie było tu nikogo oprócz tego mężczyzny. Gdyby ktoś ich zauważył...

...cóż, pomyślałby to, co podsuwała jej reputacja. Ryzyko było kuszące, jak to zwykle bywa z ryzykiem. Dobrze to wiedziała. Ale po raz pierwszy od bardzo długiego czasu czuła, że to ryzyko ma twarz przystojnego mężczyzny.

Po raz pierwszy od dziesięciu lat.

– Kto to taki?

Nie odpowiedziała.

– I tak się wkrótce dowiem.

– Być może – stwierdziła. – Taki ma pan zawód, prawda?

– Prawda – odrzekł i milczał przez dłuższą chwilę, po czym zadał pytanie, wokół którego krążył: – Są inne posagi do wzięcia, lady Georgiano. Dlaczego ma wybrać panią?

Znieruchomiała, po czym odezwała się, może zbyt szczerze:

– Ale żaden nie jest taki duży jak mój. I żaden nie gwarantuje takiej wolności.

– Wolności?

Nagle poczuła się skrępowana.

– Nie spodziewam się zbyt wiele po małżeństwie.

– Nie marzy pani o tym, żeby małżeństwo z rozsądku przeobraziło się w związek oparty na miłości?

– Absolutnie nie. – Roześmiała się.

– Jest pani o wiele za młoda na takie cyniczne podejście.

– Mam dwadzieścia sześć lat. I to nie jest cynizm, tylko rozsądek. Miłość jest dla poetów i idiotów. Nie jestem ani jednym, ani drugim. Małżeństwo oznacza wolność. Najczystszą, najbardziej podstawową, najlepszą.

– Jest jeszcze córka. – Nie zamierzał jej urazić, ale tak wyszło. Georgiana zesztywniała. Na szczęście zrobił przepraszającą minę. – Proszę wybaczyć. Nie chciałem tego wypominać.

– Powinien pan być zadowolony – rzuciła. – Mój brat od kilku lat namawiał mnie, żebym wróciła do tego świata. Gdyby tylko wiedział, że karykatura może być taką dobrą motywacją.

Uśmiechnął się z chłopięcym wdziękiem.

– Sugeruje pani, że nie zdaję sobie sprawy z własnej siły.

– Przeciwnie, przypuszczam, że zna ją pan aż za dobrze. Szkoda tylko, że nie mam pod ręką innej gazety. Żeby odczyniła urok, który rzuciły na mnie pańskie „Skandale".

Spojrzał jej w oczy.

– Ale ja mam.

Serce zaczęło jej szybciej bić. Wbrew sobie milczała, wiedząc, że jeśli pozwoli mu mówić, być może łatwiej osiągnie to, na czym jej zależy.

W dodatku będzie myślał, że to jego pomysł.

– Mam kilka gazet i wiem, czego szukają mężczyźni.

– Oprócz ogromnego posagu?

– Właśnie. – Przysunął się bliżej. – Szukają czegoś więcej.

– Nie mam nic więcej.

W każdym razie nic, do czego mogłaby się przyznać.

Podniósł rękę, a Georgiana wstrzymała oddech. Myślała, że chce jej dotknąć, i wiedziała, że jej się to spodoba.

Ale nie zrobił tego. Poczuła lekkie szarpnięcie za włosy, a on trzymał w palcach śnieżnobiałe piórko czapli.

– Myślę, że ma pani więcej, niż się pani wydaje.

I nagle w zimną marcową noc zrobiło się gorąco jak w środku słonecznego lata. Zmusiła się do zachowania spokoju.

– Czy mam rozumieć, że proponuje mi pan sojusz?

– Być może – odparł.

– Dlaczego?

– Z poczucia winy, jak sądzę.

– Nie mogę w to uwierzyć. – Roześmiała się.

– Nie byłbym taki pewny.

Sięgnął do jej ręki. Podniosła ją jak marionetka pociągana za sznurki.

Piórko musnęło miękką skórę nad rękawiczką, ale poniżej rękawa, w zagłębieniu łokcia. Wstrzymała oddech. Delikatny, cudowny dotyk. Duncan West był niebezpiecznym mężczyzną.

Cofnęła rękę.

– Dlaczego miałabym panu ufać, skoro sam pan przyznał, że robi pan to po to, żeby sprzedać więcej gazet?

Jego wargi wygięły się w uśmiechu.

– A nie lepiej wiedzieć, z kim pani się zadaje?

– Bez wątpienia. To najlepszy los, jaki może spotkać dziewczynę, która stoi samotnie na ciemnym balkonie.

– Los nie ma z tym nic wspólnego. – Po chwili milczenia dodał: – Nie kochamy się za bardzo z arystokracją.

– Uwielbiają pana – zauważyła.

– Uwielbiają rozrywkę, którą im zapewniam.

Georgiana przez dłuższą chwilę rozważała jego propozycję.

– A moja rola? – zapytała w końcu.

Znowu błysnął uśmiechem, przyprawiając ją o dreszcz podniecenia.

– Rozrywkowa.

– Co z tego będę miała?

– Męża, jakiego sobie pani życzy. Ojca, jakiego pani pragnie dla swojej córki.

– Powie pan im, że się zmieniłam na lepsze?

– I wcale nie będę musiał kłamać.

– Ale widział pan, jak doprowadziłam tę dziewczynę do tego, że mnie obraziła. Widział pan, jak groziłam jej rodzinie. Jak zmusiłam jej przyjaciółki, żeby się od niej odwróciły. – Spojrzała w ciemność. – Nie jestem pewna, czy to są pożądane cechy.

– Widziałem, jak się pani broniła. Siebie i swojego dziecka. Widziałem lwicę.

Nie umknął jej uwagi fakt, że niedawno to on był lwem.

– Każda historia ma dwóch autorów.

Odpiął frak i umieścił piórko w wewnętrznej kieszonce, po czym go zapiął. Piórko zniknęło jej z oczu, ale czuła, że tam jest, w miejscu, gdzie jego serce biło mocnym, pewnym rytmem. Uwięzione tuż przy jego ciele.

Był bardzo niebezpiecznym człowiekiem.

Szczerzył teraz zęby jak wilk. Ten wpływowy mężczyzna był właścicielem najbardziej poczytnych gazet w Londynie. Mógł wynieść człowieka na wyżyny albo zrujnować jednym pociągnięciem prasy drukarskiej.

Tymczasem Georgiana chciała go zmusić, by uwierzył w jej kłamstwa. I powielił je w druku.

– I tu się pani myli – powiedział. – Każda historia warta opowiedzenia ma tylko jednego autora.

– A kto nim jest?

– Ja.

3

Nie powinien był flirtować z tą kobietą.

West stał w kącie sali balowej Worthington House i obserwował lady Georgianę, która tańczyła po drugiej stronie, wsparta na ramieniu szwagra. Markiza Ralstona widywano na ogół wyłącznie w towarzystwie żony, ale niewątpliwie to książę Leighton zawezwał na pomoc wszystkich pociotków. Pewnie miał nadzieję, że połączone siły i majątki Ralstonów i Leightonów oślepią socjetę do tego stopnia, iż puści w niepamięć przeszłość pewnej damy.

Ale to nie działało.

Wszyscy na sali rozprawiali tylko o niej, a tematem szeptanych rozmów nie byli ani jej wpływowi obrońcy, ani jej uroda.

Chociaż w to ostatnie nikt nie śmiałby wątpić. Była piękna – wysoka i pełna wdzięku, o gładkiej skórze i jedwabistych włosach, a jej usta… Chryste, usta miała stworzone do grzechu. Nic dziwnego, że straciła cnotę w tak młodym wieku. Bez trudu mógł sobie wyobrazić, że wszyscy chłopcy w promieniu dwudziestu mil ślinili się na jej widok.

Zastanawiał się, nie wiadomo czemu, czy darzyła uczuciem mężczyznę, który ją wykorzystał. I doszedł do wniosku, że wolałby, aby nic do niego nie czuła. Irytowali go chłopcy, którzy nie potrafili trzymać rąk przy sobie, i oburzała myśl, że lady Georgiana wpadła w takie ręce. Była jeszcze sprawa dziecka. Żadne dziecko nie zasługiwało na to, by urodzić się w aurze skandalu.

Wiedział o tym lepiej niż większość ludzi.

Niewykluczone, że irytowała go nawet sama Georgiana, która wyglądała zupełnie jak nieskazitelna, nieskalana arystokratka, urodzona i wychowana w tym świecie. I powinna go mieć u swych stóp, a tymczasem każdy chciał pożreć ją żywcem.

Orkiestra przestała grać, a Georgiana po kilku sekundach wytchnienia znalazła się w ramionach wicehrabiego Langley, doskonałego kandydata na męża.

West przyglądał się parze okiem dziennikarza, rozważając ten związek z różnych punktów widzenia. Langley był grubą rybą. Tytuł wicehrabiego odziedziczył niedawno wraz z kilkoma okazałymi posiadłościami, ale dręczył go kłopot, który był udziałem wielu arystokratów – dziedzictwo okazało się niezmiernie kosztowne. Jego posiadłości popadły w ruinę, a do powinności wicehrabiego należało przywrócenie im świetności.

Ogromny posag, którym dysponowała lady Georgiana, pozwoliłby na przywrócenie dawnej chwały całemu hrabstwu. I jeszcze zostałaby pokaźna sumka.

West nie rozumiał, dlaczego ta myśl jest dla niego taka nieprzyjemna. Nie ona pierwsza i nie ostatnia. Wiele kobiet z wyższych sfer kupowało sobie męża.

Albo stawało się przedmiotem kupna za cenę starego nieistotnego tytułu. Cenionego wyłącznie za to, że dawał pewne miejsce w hierarchii. Tak, to prawda – dzięki temu jej córka nie byłaby narażona na głośne zniewagi, a jedynie potajemne potępienie. I niewykluczone, że mogłaby potem wyjść za mąż za szanowanego dżentelmena. Może pozbawionego tytułu, ale cieszącego się respektem, na przykład właściciela ziemskiego.

Ale jej matka nie miałaby z tego nic oprócz złośliwych docinków i potajemnych szeptów. Większość arystokratów, do których grona należała z racji urodzenia, nadal uznawałyby ją za niegodną nawet ich uprzejmości, nie mówiąc już o przebaczeniu.

Hipokryzja była opoką szlachetnie urodzonych.

Georgiana to wiedziała – zauważył to w jej spojrzeniu i wyczuł w głosie podczas rozmowy. Wydała mu się naprawdę fascynująca. W jej pragnieniu poświęcenia wszystkiego dla córki dostrzegał niezwykłą szlachetność.

Nie przypominała żadnej z kobiet, jakie do tej pory poznał.

Zastanawiał się niejasno, jak czuje się dziecko, otoczone miłością matki gotowej poświęcić dla jego dobra nawet własne szczęście. On poznał miłość matki, ale nie cieszył się nią zbyt długo.

A potem sam musiał stać się opiekunem.

Odsunął wspomnienia i powrócił na salę balową.

Langley to dobry wybór. Przystojny, inteligentny i czarujący, doskonały tancerz, który sunął z damą po parkiecie, zwinnym wdziękiem dodając jej gracji. West przyglądał się uważnie tej parze. Fałdy sukni tancerki otulały spodnie partnera, gdy obracał ją w tańcu. Jedwab na ułamek sekundy przywierał do wełny, po czym poddawał się sile grawitacji. Nie wiedzieć czemu, ten widok go irytował. Pełen wdzięku taniec działał mu na nerwy.

Nagle Georgiana uśmiechnęła się do Langleya, a w pamięci Westa otworzyła się jakaś szufladka. Nie przypominał sobie, gdzie mógłby widzieć wcześniej tę damę, ale nie mógł pozbyć się wrażenia, że jednak musiał ją spotkać. Że już kiedyś rozmawiali. I że uśmiechała się do niego w ten sam sposób.

– Nie tańczysz – usłyszał.

Spodziewał się, że go tu spotka – po to przyszedł na bal – ale te słowa przepełnione fałszywą serdecznością i tak go zmroziły.

– Bo nie mam zwyczaju tańczyć.

Hrabia Tremley roześmiał się nieprzyjemnie.

– Oczywiście, że nie.

West był ledwie kilka dni starszy od Tremleya, znał go przez całe życie i nienawidził niemal równie długo. Obecnie Tremley pełnił funkcję jednego z najbardziej zaufanych doradców króla Williama, a w najlepszej części Suffolk miał dziesiątki tysięcy akrów ziemi, która przynosiła mu dochód w wysokości niemal pięćdziesięciu tysięcy funtów rocznie. Był bogaty jak sam król, który w dodatku we wszystkim kierował się jego opinią.

West nie odrywał wzroku od Georgiany. Dziwnym trafem pomagało mu to zachować spokój.

– Czego chcesz?

Tremley udał oburzenie.

– Jakie chłodne powitanie. Powinieneś okazywać więcej szacunku lepszym od siebie.

– Powinieneś być wdzięczny, że jeszcze ci nie dołożyłem na oczach wszystkich – odrzekł West i odwrócił spojrzenie od Georgiany, bo obawiał się, że niechciany towarzysz odkryje jego zainteresowanie tą damą.

– Wielkie słowa. Nie podjąłbyś takiego ryzyka.

Irytacja Westa wzmagała się z każdą chwilą.

– Powtórzę pytanie. Po co przyszedłeś?

– Widziałem twój artykuł w zeszłym tygodniu.

West zamarł.

– Piszę wiele artykułów.

– Ten optował za zniesieniem kary śmierci za fałszerstwo. Bezczelny pomysł jak na kogoś, kto sam jest w podobnej sytuacji.

West nie odpowiedział. Nie było nic do powiedzenia. Nie tutaj, w pokoju pełnym ludzi, którzy nie musieli się martwić o swoją przyszłość. I nie byli przerażeni przeszłością.

Lady Georgiana oddaliła się z przyszłym mężem i zniknęła gdzieś w tłumie. Tremley westchnął.

– To takie męczące, że wciąż ci muszę grozić. Gdybyś tylko zaakceptował ten prosty fakt, że taki mamy układ – ja rozkazuję, ty wykonujesz rozkazy – to te rozmowy stałyby się bardziej strawne.

West spojrzał na swojego wroga.

– Jestem właścicielem pięciu najlepiej sprzedających się gazet na świecie. Jednym pociągnięciem pióra mogę doprowadzić cię do zguby.

– Jesteś ich właścicielem dzięki mojej łasce – oznajmił Tremley bez ogródek, znacznie zimniejszym tonem. – Dobrze wiesz, że to byłoby ostatnie pociągnięcie pióra w twoim życiu. Nawet jeśli proponowana przez ciebie zmiana prawa przejdzie.

I bez tego przypomnienia West wiedział, jaką władzę ma nad nim Tremley. Wiedział też, że jest jedynym człowiekiem na świecie, który zna jego tajemnice.

Tremley miał własne sekrety – i jeśli West się nie mylił, mogły go zaprowadzić prosto na szubienicę. Ale brakowało mu dowodu... a zatem skutecznej broni przeciwko człowiekowi, który decydował o jego życiu.

– Zapytam jeszcze raz – powiedział w końcu. – Czego chcesz?

- W Grecji jest wojna.
- We współczesnym świecie zawsze gdzieś jest wojna – odparł West.
- Ale ta się wkrótce skończy. Chcę, żebyś zamieścił w „Wiadomościach Londyńskich" artykuł przeciwko zawarciu pokoju.

Oczyma wyobraźni ujrzał dossier Tremleya i swoje biuro wypełnione podenerwowanymi ludźmi, których przerażała perspektywa, że ich nazwiska znajdą się w gazecie.

- Chcesz, żebym wystąpił przeciwko niepodległości Grecji? – Nie doczekawszy się odpowiedzi Tremleya, ciągnął: – Mamy tam swoich żołnierzy. Walczyli i umierali za tę demokrację.
- Ale ty jesteś tutaj – rzucił Tremley, cedząc słowa. – Cały i zdrowy.

West wiedział, do czego hrabia zmierza. Wystarczyłoby jedno słowo Tremleya, aby go zniszczyć. Wsadzić do więzienia na resztę życia, a nawet gorzej.

Chyba że znalazłby to, czego szuka.

- Nie masz wyboru – dodał Tremley. – Musisz jeść mi z ręki. Lepiej o tym nie zapominaj.

Fakt, że Tremley miał rację, denerwował go do granic wytrzymałości. Ale już niedługo. Wkrótce to się skończy. Gdy tylko znajdzie to, czego szuka.

West zacisnął pięści, całą siłą woli powstrzymując się, by go nie uderzyć. Miał na to równie wielką ochotę jak wtedy, gdy byli dziećmi i całymi dniami musiał znosić jego docinki i drwiny.

Uciekł stamtąd. Przyjechał do Londynu i zbudował swoje przeklęte imperium. A mimo to, kiedy był z Tremleyem, wciąż czuł się jak tamten chłopiec sprzed lat.

Wspomnienia stanęły mu przed oczami jak żywe. Przedzierał się przez ciemność na koniu, który był wart trzy razy tyle co jego życie. A nawet więcej. Siostra kuliła się przed nim na siodle. Obietnica bezpieczeństwa. Nowego życia dla nich dwojga.

Był zmęczony życiem w strachu przed tym wspomnieniem.

Odwrócił się od Tremleya. Jak zwykle po rozmowie z nim czuł się jak w pułapce. Rozpaczliwie potrzebował czegoś, co pozwoli mu zniszczyć tego człowieka, zanim będzie zmuszony po raz kolejny wypełnić jego rozkaz.

– Po co to? – zapytał. – Dlaczego mam nakłaniać opinię publiczną, by odwróciła się od Greków?

– To nie twoja sprawa.

West mógłby się założyć, że Tremley ustawicznie łamał prawa króla i kraju, więc to była jego sprawa. I sprawa jego czytelników. I sprawa samego monarchy.

Ale co ważniejsze, gdyby miał choć jeden niezbity dowód, zyskałby pewność, że jego sekrety nie wyjdą na jaw. Nigdy.

Niestety, nie tak łatwo było znaleźć dowód w tym świecie sekretów i kłamstw.

Musiał go znaleźć. Albo kupić, jeśli się da.

A w ostateczności wyżebrać.

Był tylko jeden człowiek na tyle wpływowy, że mógłby zdobyć to, czego West nie potrafił znaleźć samodzielnie.

Skinął głową, bo nie był w stanie wyrazić słowami zgody na to, czego domagał się od niego Tremley. Wypełniał już wcześniej jego polecenia, ale jeszcze nigdy nie zrobił niczego, co w tak jawny sposób byłoby skierowane przeciwko Koronie.

– Zrobisz to.

To nie było pytanie, więc West nic nie powiedział. Wyszedł z sali balowej i przystanął jeszcze na chwilę, gdy orkiestra przestała grać kolejny zestaw utworów, by spojrzeć na tłum arystokratów, pławiących się w swoim bogactwie, władzy i przyjemnościach.

Nie rozumieli, że los się do nich uśmiechnął.

Wziął płaszcz i kapelusz i skierował się do wyjścia. Miał zamiar od razu udać się do klubu, wezwać posłańca Chase'a i poprosić – po raz pierwszy – o przysługę.

Jeśli ktokolwiek był w stanie poznać tajemnice Tremleya, to tylko Chase.

Ale właściciel Upadłego Anioła zażąda zapłaty. West będzie musiał zaoferować konkretną kwotę za to, czego pragnął.

Czekał na stopniach Worthington House, aż jego powóz wyłoni się z rzędów pojazdów czekających na swoich panów i panie. Chciał jak najszybciej znaleźć się w klubie, by rozpocząć negocjacje z jego właścicielem.

Musi zdobyć informacje.

Po co więc składał niemądre obietnice dziewczynie, której w ogóle nie znał? Dlaczego mówił, że pomoże jej uzyskać odkupienie win?

Z poczucia winy.

Cholerny rysunek. Wytarzał ją w błocie, tak samo jak dziesięć lat temu uczynili to równi jej stanem. Wpadł w gniew, kiedy karykatura ukazała się w gazecie, bo szydziła z niezamężnej matki i z dziecka, które niczym nie zawiniło. Czytał wnikliwie wszystkie swoje gazety oprócz „Skandali" – nie lubił plotek. Przeoczył ten rysunek, bo wstawiono go w ostatniej chwili przed oddaniem numeru do druku.

Gdy tylko zobaczył rysunek, wylał z pracy redaktora, który go zamieścił. Lepiej późno niż wcale.

Ale co z tego, skoro i tak pogorszył tylko jej sytuację?

Królowa Skandalu – tak ją nazywali. Po części przez niego.

Zrobi, co będzie mógł, aby jej to wynagrodzić. Wydawało się to niezbyt trudne – socjeta uwielbiała jego plotkarską gazetę i łatwo dawała wiarę słowu pisanemu. Wystarczy kilka kolumn w dobrych miejscach i dziewczyna będzie mogła spokojnie wyjść za mąż. On zaś z czystym sumieniem skupi się na ważniejszych sprawach.

W końcu wytrąci broń z ręki człowiekowi, który trzymał go w garści przez tyle lat. Ale do tego musi mieć odpowiednią strategię i wspólnika, a nie zdobędzie tego, stojąc na stopniach Worthington House.

Chcąc złagodzić frustrację, zaczął układać w myślach tekst, który był winien tej dziewczynie.

Nasza jasnowłosa lady G…

Nie tędy droga. Wprawdzie dama była piękna, ale to właśnie uroda przyczyniła się do zrujnowania przed laty jej reputacji. Arystokraci nienawidzili najpiękniejszych w swoim gronie równie mocno jak tych najmniej znaczących. To z powodu jej urody skandal był tak interesujący. Przecież gdyby Ewa nie była piękna, może wąż dałby jej spokój.

Niestety, cała wina za zaistniałe zło spadła na Ewę, a nie na węża. Dziś też winna była zawsze kobieta, a nie ten, który ją do wszystkiego doprowadził.

Zastanawiał się, kim był ten człowiek. Czy go kochała?

– I znowu się spotykamy – usłyszał.

Stanęła za nim, jakby ściągnął ją myślami. Jej oczy i czysty głos zdawały się nieść ze sobą światło – tak jakby lata spędzone z dala od tego piekiełka uczyniły ją lepszą istotą.

Ich spojrzenia się spotkały. Powtórzył jej słowa:

– I znowu się spotykamy.

Uśmiechnęła się miękko i tajemniczo, a po jego ciele przebiegł przyjemny dreszczyk. Zgasił to uczucie w zarodku, nim zdążyło się rozwinąć. Nie była tu po to, by dawać mu przyjemność. Miała przyjaciół w dziwnych miejscach, wpływowych mężczyzn, z których lepiej nie robić sobie wrogów. Bo gdyby brat nie stanął w jej obronie, zrobiłby to książę Lamont.

I Chase.

A każdy, kto by wszedł w drogę Chase'owi, zapłaciłby za to wysoką cenę.

Stanęła obok niego na stopniach Worthington House, patrząc na stłoczone w dole powozy.

O tak wczesnej porze nie było tu nikogo oprócz nich, nie licząc jej pokojowej oraz kilku lokajów w liberiach, którym sowicie zapłacono za to, żeby wtopili się w tło.

– Uświadomiłam sobie poniewczasie, że nie powinnam była z panem rozmawiać – powiedziała, nie odrywając wzroku od lokaja, zmierzającego do pobliskiej uliczki, gdzie czekał jej powóz. – Nie zostaliśmy sobie nawet przedstawieni – dodała dla ścisłości.

Odwrócił się z powrotem w stronę zbiorowiska czarnych powozów.

– Ma pani rację.

– Jest pan kawalerem i nie ma pan tytułu.

– Nie mam tytułu? – Uśmiechnął się.

– Gdyby miał pan tytuł, aż tak bym się tym nie martwiła.

– Sądzi pani, że tytuł zapewnia bezpieczeństwo?

– Nie – odparła z powagą. – Ale jak już ustaliliśmy, gdyby miał pan tytuł, byłby pan wspaniałym kandydatem na męża.

Rozbawiło go to.

– Byłbym okropnym mężem, milady. Zapewniam panią.

– Dlaczego?

– Ponieważ mam większe wady niż brak żony i tytułu – odpowiedział zgodnie z prawdą.

52

– Ach. Chodzi o to, że pan pracuje, tak?

Gorzej.

Milczał, chcąc, by wzięła to za odpowiedź.

– No cóż, to głupie. Dlaczego wpaja się nam, że powinniśmy patrzeć z pogardą na tych, którzy ciężko pracują?

– Głupie, ale prawdziwe.

Stali przez chwilę w milczeniu, czekając, aż to drugie się odezwie.

– A jednak chyba pana potrzebuję.

Rzucił jej szybkie spojrzenie. Nie powinien pragnąć, by ktoś go potrzebował. Nie powinien chcieć jej pomóc.

Nie powinien uważać tej kobiety za tak bardzo pociągającą.

– Tak wcześnie wybiera się pani do domu? – zapytał, zadowolony, że może zmienić temat.

Otuliła się ciężką jedwabną peleryną, aby osłonić się przed nocnym chłodem.

– Może pan w to wierzyć lub nie – rzuciła drwiąco – ale to był dla mnie ciężki wieczór. Jestem wyczerpana.

Uśmiechnął się kpiąco.

– Ale znalazła pani w sobie dość energii, żeby zatańczyć z Langleyem.

– Uwierzy, że został do tego zmuszony? – odparła po chwili wahania. Coś podobnego.

– Jestem pewien, że nie była to dla niego udręka.

– Nie byłabym taka pewna – odrzekła, patrząc mu prosto w oczy. – Ale, zważywszy na mój posag, mógł trafić gorzej.

West nie miał na myśli jej posagu. Myślał o niej – wysokiej, smukłej i uroczej. Wyglądałaby lepiej bez tej śmiesznej ozdoby na głowie, ale nawet z piórkami sterczącymi z koafiury i tak była piękną kobietą.

Zbyt piękną.

Przez dłuższą chwilę stali w ciszy, przerywanej tylko uderzeniami końskich kopyt i odgłosem toczących się kół. Gdy jej powóz się pojawił, zaczęła się zbierać do odejścia. Nie chciał tego. Pomyślał o piórku wyjętym z jej włosów, które miał w kieszonce fraka, i przez głowę przebiegła mu szalona myśl, że przyjemnie byłoby ją przytulić. Szybko ją odegnał.

– Bez przyzwoitki?

Spojrzała na pokojową, która stała skromnie z boku.

– Jadę do domu, sir. Ta rozmowa to najbardziej gorsząca rzecz, jaką dziś zrobiłam.

Przyszło mu do głowy wiele innych gorszących rzeczy, które mógłby z nią zrobić, ale na szczęście przyprowadzono jego dwukółkę, co ocaliło go przed szaleństwem. Spojrzała na niego, unosząc brwi.

– Dwukółka? W nocy?

– Muszę szybko poruszać się po ulicach Londynu, kiedy trzeba przekazać wiadomości – wyjaśnił, gdy jego stajenny zeskoczył z pojazdu. – Dwukółka dobrze się do tego nadaje.

– I do tego, żeby uciec z balu?

– Do tego też.

– Może powinnam taką nabyć.

– Nie jestem pewien, czy spodobałoby się to damom z towarzystwa – zauważył z uśmiechem.

Westchnęła.

– To, co powiem, jest niewłaściwe, ale… do diabła z damami z towarzystwa.

Te słowa miały być zabawne – wypowiedziane z idealną proporcją znudzenia i humoru. Człowiek mniej wyrafinowany pewnie by się roześmiał, nie zauważając w nich ukrytej nuty.

Smutku. Poczucia straty. Frustracji.

– Wcale pani tego nie chce, prawda?

Skierowała na niego zdziwione spojrzenie, ale nie udawała, że nie rozumie. I to w niej lubił. Jej bezpośredniość.

– To moje łóżko, panie West. Jak sobie pościelę, tak się wyśpię.

Nie chciała wracać. Nie chciała tego życia. Tego był pewien.

– Lady Georgiano… – zaczął, nie wiedząc, co powiedzieć dalej.

– Dobranoc, panie West.

Ruszyła przed siebie, a niepozorna pokojowa w ślad za nią. Zbliżała się do pojazdu, który zabierze ją z tego balu.

I od niego.

Przegrupuje siły, wyleczy rany i jutro powtórzy to samo przedstawienie.

A on zrobi, co w jego mocy, by ochronić ją przed tą hordą.

Odprowadzał ją wzrokiem, podziwiając pewność siebie widoczną nawet w sposobie chodzenia. Patrzył zafascynowany na powiewającą jasną suknię. Podziwiał płynny ruch jej smukłej ręki, którą się podparła dla równowagi, gdy drugą zebrała fałdy sukni, wsiadając do powozu.

Mignęła mu w przelocie zgrabna kostka i stopa w błyszczącym srebrnym pantofelku. Stał jak zahipnotyzowany tym widokiem, aż trzasnęły drzwi powozu. Pomocnik woźnicy – potężny mężczyzna, wynajęty z pewnością przez jej bogatego brata po to, by ją ochraniał – umieścił podnóżek z tyłu powozu, po czym wdrapał się na siedzisko i dał znak woźnicy, żeby ruszali.

Znowu zaczął układać w myślach artykuł.

Lady G. jest kimś więcej, niż można by wnosić z jej reputacji, a skandal i dawne grzechy nie oddają w pełni jej osobowości. Jest tym, czym wszyscy pragnęlibyśmy się stać, gdybyśmy tylko mogli – odstępcą od naszego świata. To ironia losu, że pomimo swojej przeszłości jest czystsza niż większość z nas. Nietknięta. I to można prawdopodobnie uznać za jej największą zaletę.

Słowa przychodziły mu łatwo. Ale tak zwykle jest, gdy pisze się prawdę.

Niestety, prawda nie podnosiła sprzedaży gazet.

Zszedł po schodach, wsiadł do swojej dwukółki i wziął wodze od służącego, któremu dał wolne na noc. Lubił sam powozić, odnajdował spokój w miarowym rytmie końskich kopyt i obracających się kół.

Ruszył za powozem Georgiany, który jechał w żółwim tempie, chcąc się wydostać z zapchanej pojazdami posiadłości Worthingtonów. Westowi nie pozostało nic innego jak rozmyślanie o tej kobiecie, zamkniętej we wnętrzu powozu jedynie z własnymi myślami. Wyobrażał sobie, że patrzy przez okno na latarnie zwieszające się nad powozami, które stały wzdłuż ulicy. Wyobrażał sobie, że mogłaby wyjeżdżać wraz z innymi jako jedna z ostatnich osób opuszczających to miejsce, przetańczywszy wiele kolejek, aż nie czułaby stóp, a mięśnie bolałyby ją z wyczerpania. Myślał, że nie powinna opuszczać balu w ten sposób – nie powinna od nich uciekać, ale wychodzić jako królowa.

Gdyby tylko jej reputacja nie została zrujnowana.

Wyobrażał sobie żal i tęsknotę w jej oczach za tym wszystkim, czym mogłaby być. Za rzeczami, które mogłaby zrobić. Za życiem, jakie mogłaby prowadzić.

Gdyby wszystko wyglądało inaczej.

Był tak pogrążony w tych myślach, że nie zauważył, iż jej powóz, zamiast skręcić w ulicę prowadzącą do domu jej brata, skierował się na Mayfair – w tę samą stronę, w którą podążał West.

Nie miał zamiaru jej śledzić.

Koła pojazdu stukały na brukowanej nawierzchni Mayfair. Powóz skręcił w ulicę Bond, na której sklepy były już zamknięte na noc, następnie w Piccadilly i skierował się w stronę St. James.

Dopiero wtedy zaczął się zastanawiać, dokąd Georgiana jedzie.

Zwolnił tempo, tak że jego dwukółka została nieco w tyle. Wmawiał sobie, że zrobił to bez żadnego powodu. Wpuścił przed siebie kilka innych powozów, z trudem dostrzegając z oddali światła jej pojazdu, który kierował się w górę Piccadilly, po czym skręcił w Duke Street, a następnie zanurzył się w labirynt uliczek i zaułków na tyłach klubu dla mężczyzn przy St. James. Wyprostował się na siedzisku.

Jej powóz kierował się na zaplecze Upadłego Anioła.

Duncan West był bez wątpienia najbardziej znaczącym magnatem prasowym w Londynie, ale nawet człowiek o mniej dociekliwym umyśle bez trudu domyśliłby się prawdy.

Lady Georgiana Pearson, siostra księcia Leighton, za której posag można by kupić Pałac Buckingham, kobieta, która rozpaczliwie pragnęła odzyskać dobrą reputację, jechała do najpopularniejszego w Brytanii klubu dla panów.

I tak się składało, że był to również jego klub.

Zatrzymał dwukółkę przed ostatnim zakrętem, nie podjeżdżając pod tylne wejście, i zeskoczył, żeby resztę drogi przebyć piechotą – nie chciał zwracać na siebie uwagi. Jeśli ktoś ją tutaj zobaczy, jej reputacja zostanie bezpowrotnie zrujnowana. Żaden mężczyzna jej nie zechce, a przed córką zamknie to przyszłość na dobre.

Co ona, do diabła, wyprawia?

West stał w mroku, opierając się o mur budynku, i śledził wzrokiem duży czarny powóz, który zatrzymał się przed klubem. Uświadomił sobie, że na pojeździe nie ma żadnych znaków herbowych ani innych ozdób przyciągających uwagę. Zainteresowanie wzbudzał jedynie ogromny służący, który zszedł ze swojego siedziska, zbliżył się do ciężkich, stalowych drzwi i zaczął w nie walić. Ktoś odsunął klapkę niewielkiego otworu i zamknął go po kilku słowach olbrzyma. Drzwi się otworzyły, ukazując czarną otchłań – nieoświetlone tylne wejście do klubu.

Drzwi powozu wciąż pozostawały zamknięte.

To dobrze. Może poszła po rozum do głowy i uznała, że to nie ma sensu. Może tam nie wejdzie.

Sam w to nie wierzył. Bez wątpienia nie była tu pierwszy raz. To dlatego tak łatwo uzyskała zgodę na wejście do klubu, prowadzonego przez typy spod najciemniejszej gwiazdy. Każdy z nich mógłby ją zniszczyć bez chwili wahania.

Powinien ją powstrzymać. Już chciał oderwać się od ściany, przejść na drugą stronę zaułka, otworzyć drzwi powozu i wybić jej z głowy ten głupi pomysł.

Ale służący był bliżej. Otworzył drzwi i ustawił pod nimi podnóżek.

West się zawahał, czekając, aż pojawi się rąbek białej sukni i ten niewinny srebrny pantofelek, który mignął mu, gdy wsiadała do powozu.

I doczekał się, ale pantofelek, który ujrzał, nie był ani trochę niewinny.

Był grzeszny.

Na wysokim obcasie i ciemny – zbyt ciemny, by móc rozróżnić kolor w skąpym świetle z powozu – uwydatniał smukłą stopę o perfekcyjnym kształcie. W ślad za stopą pojawiła się zgrabna kostka, a potem zwoje jedwabiu w kolorze nocy, zebranego przy brzegu obcisłego gorsetu, zasznurowanego tak mocno, że wylewał się z niego olśniewający biust, na którego widok mężczyźni się ślinili.

Weszła w krąg światła, ukazując umalowane usta, uczernione rzęsy i blond włosy o platynowym połysku.

A raczej perukę w platynowym kolorze.

Rozpoznał ją w jednej chwili i zaklął cicho w ciemności.

Szok szybko minął, ustępując miejsca czystej radości, jaką zawsze odczuwał, gdy trafiał na niezwykłą historię.

Lady Georgiana Pearson nie była niewinnym dziewczęciem, lecz najlepszą dziwką w całym Londynie.

I rozwiązaniem jego problemów.

4

...Lady G. nie jest może wzorem damy, ale na balu u W. zachowywała się stylowo i z wdziękiem. Przyciągnęła uwagę co najmniej jednego księcia i kilku arystokratów poszukujących żony...

...wygląda na to, że lady M. oraz jej towarzyszki są w tym sezonie w świetnej formie i chętnie besztają każdego, kto ośmieli się do nich zbliżyć. Dżentelmeni z towarzystwa powinni uważać...

...córce hrabiego H. brakuje wdzięku, jaki mają panny mniej znaczące od niej...

„Skandale", 20 kwietnia 1833

Następnego wieczoru Georgiana zajrzała do swoich apartamentów mieszczących się nad klubem. Wystraszyła Asriela, jednego z ochroniarzy, który siedział sobie spokojnie, czytając książkę.

W jednej chwili zerwał się na równe nogi i wyprężył, wysoki jak dąb i szeroki jak stodoła, z pięściami gotowymi do walki.

Uspokoiła go ruchem ręki.

– To tylko ja.

– O co chodzi?

Spojrzała na zamknięte drzwi, pod którymi siedział.

– Nic jej nie jest?

– Położyła się i teraz jest cisza.

Odetchnęła z ulgą.

Co zresztą miałoby jej się stać? Dostępu do niej broniło kilka par drzwi zamkniętych na klucz i tyle samo ochroniarzy na korytarzach klubu, a dodatkowo jeszcze Asriel, który służył u Georgiany najdłużej ze wszystkich.

Ale mimo wszystko, gdy Caroline była w Londynie, zawsze istniało ryzyko. Georgiana wolała, kiedy dziewczynka przebywała w Yorkshire, bezpieczna z dala od wścibskich oczu, złośliwych plotek i nienawistnych obelg. Powinna przebywać jak najdalej od Upadłego Anioła i bawić się na powietrzu jak normalne dziecko.

Nieobciążone grzechami swojej matki. I ojca.

Ta ostatnia myśl była szczególnie bolesna. Grzechy ojców jakoś nie rzucały cienia na dzieci. To matka dźwigała cały ciężar zrujnowanej reputacji. To matka przekazywała go dziecku, tak jakby ta druga osoba nie miała z tym nic wspólnego.

Oczywiście, odkąd zniknął, Georgiana ani razu nie wymówiła jego imienia. Nie chciała, by ktokolwiek poznał tożsamość mężczyzny, który zrujnował jej przyszłość i okrył niesławą nazwisko. Brat pytał ją o to z tysiąc razy. Przysięgał, że się na nim zemści. Że zniszczy człowieka, który zostawił ją samą z dzieckiem i nigdy więcej nie zainteresował się jej losem. Ale Georgiana nie zgadzała się wyjawić jego nazwiska.

Nie była przecież bezwolną marionetką w jego rękach. Poszła z nim do stodoły z własnej woli i dobrze wiedziała, co robi. To nie Jonathan ją zniszczył.

Uczyniła to socjeta.

Złamała obowiązujące w tym świecie zasady i dlatego ją odrzucili.

Nie miała nawet debiutu, nie miała szansy, by udowodnić, że jest coś warta. Ale nigdy też nie żywiła nadziei, że to by cokolwiek zmieniło – bo to oni odgrywali rolę zarazem sędziego i ławy przysięgłych. Skandal z jej udziałem dostarczył im rozrywki, a ona sama stała się bohaterką historii opowiadanej ku przestrodze.

A wszystko przez to, że padła ofiarą zupełnie innej historii, w którą uwierzyła, choć była ona jedynie kłamstwem.

Historii o miłości.

Ale socjeta się tym nie przejmowała. Nawet jej rodzina i przyjaciele nie brali tego faktu pod uwagę. Została odtrącona przez wszystkich, z wyjątkiem brata, który sam ożenił się w aurze skandalu, tracąc przez to szacunek ich matki. I ludzi z dobrego towarzystwa.

Poprzysięgła sobie, że przejmie władzę nad znienawidzoną socjetą. Gromadziła informacje o najbardziej wpływowych ludziach, a jeśli mieli wobec niej długi, których nie byli w stanie spłacić, bez wahania rujnowała im życie. Cały ten świat – klub, pieniądze, władza – funkcjonował w jednym celu: aby podporządkować sobie tych, którzy przed laty wykluczyli ją ze swojego grona i którzy odwrócili się do niej plecami, zostawiając ją z niczym.

Nie, nie z niczym.

Z Caroline. A przecież córka była dla niej wszystkim.

– Nie cierpię, kiedy tu jest – mruknęła bardziej do siebie niż do Asriela. Znał ją na tyle dobrze, że nic nie odpowiedział. Mimo swoich obaw Georgiana zabierała Caroline do Londynu co kilka miesięcy. To było silniejsze od niej. Powtarzała sobie, że robi to, bo chce, by jej córka znała swojego wujka. I kuzynostwo. Ale wiedziała, że sama siebie oszukuje.

Georgiana przywoziła Caroline do Londynu, ponieważ nie mogła znieść pustki, którą odczuwała, gdy córka przebywała z dala od niej. Potrafiła cieszyć się życiem tylko wtedy, gdy mogła położyć rękę na plecach śpiącej dziewczynki i poczuć, jak unoszą się i opadają w spokojnym oddechu, we śnie wypełnionym marzeniami i obietnicami.

Wszystkim, czego Georgiana nie miała, a co pragnęła dać swojemu dziecku.

„Nie marzy pani o tym, żeby małżeństwo z rozsądku przeobraziło się w związek oparty na miłości?"

Wbrew woli przypłynęły do niej słowa, które poprzedniego wieczoru padły z ust Duncana Westa, wysokiego mężczyzny o jasnych włosach opadających na czoło. Był tak przystojny, że mógł stanowić zagrożenie, zwłaszcza że urodzie towarzyszyła nieprzeciętna inteligencja – rozumiał znacznie więcej, niż zostało powiedziane, a jego oczy potrafiły znaleźć to, co pozostawało w ukryciu. I ten jego głos o niskiej barwie... i melodyjny sposób wypowiadania słów, a zwłaszcza jej imienia.

Mogłaby słuchać tego głosu całymi godzinami.

Odegnała tę myśl. Nie miała na to czasu. Złożył jej wspaniałomyślną propozycję. Niczego więcej od niego nie chciała.

Kłamczucha.

Słowo przemknęło jak szept. Zignorowała je. Wróciła myślami do córki. Do obietnicy, że zapewni jej przyszłość.

Minęło dziesięć lat, odkąd Georgiana zaszła w ciążę i musiała uciekać ze świata, w którym się wychowała. Dziesięć lat, odkąd świat wykluczył ją, i Caroline. Przez ten czas Georgiana zbudowała imperium, aby ujawnić prawdę o wyższych sferach, wyjawić, że każdemu z jej członków groziła ruina. Żaden z tych ludzi, których jedynym zajęciem było węszenie i obrażanie innych, nie przetrwałby ani dnia, gdyby ich sekrety wyszły na jaw.

Wspólnikami Georgiany byli trzej arystokraci. Każdy z nich przewyższał innych z towarzystwa charakterem i inteligencją; i każdy został zniszczony bez chwili wahania. Każdy też rozpaczliwie pragnął ukryć się przed tymi ludźmi, pomimo że miał nad nimi władzę.

Bourne, Cross, Temple i Chase trzymali w garści najbardziej wpływowych mężczyzn i kobiety w Londynie. Odkrywali ich najmroczniejsze tajemnice, najgłębsze sekrety. Ale ich królem był Chase, po części dlatego, że to Georgiana jako jedyna z całej czwórki nie miała szans, by powrócić do dobrego towarzystwa.

Każdy błąd, każdy skandal, każde upokorzenie mogło pójść w zapomnienie, jeśli stało się udziałem utytułowanego arystokraty. Tytuły kupowały szacunek, nawet tym, którzy chwilowo wypadli z łask.

Czy nie udowodniła tego wystarczająco?

Dobrała sobie wspólników z powodu błędów, które popełnili, gdy byli młodzi i głupi. Bourne stracił cały majątek, Cross wybrał życie hazardzisty i dziwkarza, Temple znalazł się w łóżku z narzeczoną swojego ojca. Żaden z nich nie zasłużył na karę, jaką wymierzyła mu socjeta.

Ale każdy odzyskał należne sobie miejsce, zdobywając jeszcze większe bogactwo, władzę i wpływy. Każdy z nich znalazł też miłość.

Miłość zresztą była drugorzędną sprawą. Jej wspólnicy odzyskali należne im miejsce, ponieważ Georgiana dała im taką szansę. Na szczęście miała brata, który zrobiłby dla niej wszystko, o co poprosiła.

Dzięki skandalowi, jaki wywołała, mógł ożenić się z kobietą, którą sam wybrał. W zamian dał jej coś znacznie cenniejszego. Przyszłość.

Być może nigdy nie zostanie zaakceptowana przez wyższe sfery, ale teraz miała dość władzy, by ich wszystkich zniszczyć.

Przez wiele lat marzyła o chwili, gdy ujawni prawdę i da im do zrozumienia, że bez niej, bez okrytej niesławą kobiety, którą odrzucili, są niczym.

Cóż, nie mogła tego zrobić. Bo chociaż nimi pogardzała, byli jej potrzebni. I nie tylko oni.

Potrzebny był jej również West.

Stanęła jej przed oczami przystojna twarz Westa – jego leniwy uśmiech i zdolność zjednywania sobie ludzi. Ten mężczyzna był tak arogancki, że mógł sam sobie zaszkodzić. Ale właśnie ta arogancja wydawała jej się pociągająca. West uosabiał jednak to, czego nie wolno jej było pragnąć. Nie miał tytułu, nie był nawet dżentelmenem – pojawił się znikąd, a wyższe sfery akceptowały go tylko z powodu nieprzyzwoitego wprost bogactwa. Na litość boską, ten człowiek przecież kalał się pracą. To istny cud, że w ogóle mógł postawić stopę po tej stronie Regent Street.

Potrzebowała jego pomocy w jednej jedynej sprawie – i na tym kończyło się jej zainteresowanie.

Chodziło wyłącznie o zabezpieczenie przyszłości Caroline.

Drzwi za Asrielem uchyliły się i wyjrzała zza nich jej córka, oświetlona od tyłu całą kolekcją zapalonych świec.

– Wydawało mi się, że słyszę twój głos.

– Dlaczego jeszcze nie śpisz?

Caroline machnęła książką w czerwonej, skórzanej oprawie.

– Nie mogę spać. Co za nieszczęsna kobieta! Mąż zmusił ją, by wypiła wino z czaszki własnego ojca!

Georgiana wyjęła książkę z dłoni córki.

– Myślę, że to nie jest odpowiednia lektura do poduszki… – Odczytała tytuł z okładki. – *Duchy zamku Teodorico*. Znajdziemy coś innego.

– Na przykład co?

– Przecież masz książkę z wierszykami dla dzieci, prawda?

Caroline przewróciła oczami.

– Nie jestem dzieckiem.

– Oczywiście, że nie. – Georgiana wiedziała, że nie warto się o to spierać. – Chcesz jakąś powieść? Ze szlachetnym rycerzem, wspaniałym zamkiem i szczęśliwym zakończeniem?

Caroline spojrzała jej prosto w oczy.

– Ta książka też może się dobrze skończyć. Nie dowiem się, jeśli jej nie przeczytam. I jest tu romans.

– Mąż, o którym wspomniałaś, nie wydaje się bohaterem romansu.

– Och, nie chodzi o niego. To prawdziwy potwór. Ale jest drugi duch, który żył dwieście lat wcześniej. I są w sobie zakochani.

– Te dwa duchy? – zapytał Asriel, zatrzymując spojrzenie na książce.

Caroline skinęła głową.

– Pokazują się razem tylko w jedną noc w roku.

– I co wtedy robią? – zapytał Asriel.

Georgiana obrzuciła go zdumionym spojrzeniem – był wielki jak dąb i zwykle milczał jak grób, ale najwyraźniej lubił dyskusje o romantycznych powieściach.

Caroline pokręciła głową.

– To jest niezbyt jasne. Przypuszczam, że chodzi o jakąś fizyczną manifestację ich namiętności. Chociaż skoro są duchami... nie jestem pewna, jak to się odbywa.

Asriel się zakrztusił.

Georgiana uniosła brew.

– Caroline.

Dziewczynka uśmiechnęła się od ucha do ucha.

– Sama widzisz, jak łatwo go czymś zaszokować.

– Osoby, które zachowują się tak jak ty, określa się jako nad wiek rozwinięte. Muszę ci przypomnieć, że jestem starsza, mądrzejsza i masz mnie słuchać. Idź już spać.

– A co z moją książką?

Georgiana powstrzymała uśmiech.

– Dostaniesz ją rano. A do tego czasu będzie pod opieką Asriela.

– Rozdział piętnasty. Jutro o nim porozmawiamy – szepnęła dziewczynka do ochroniarza.

Asriel mruknął coś, udając brak zainteresowania, ale bez protestów wziął książkę.

Georgiana wskazała na sypialnię Caroline.

– Do łóżka.

Dziewczynka posłusznie się odwróciła, a Georgiana weszła za nią do pokoju. Caroline wskoczyła do łóżka, a Georgiana przysiadła na brzegu i wygładziła płócienną pościel.

– Zdajesz sobie sprawę, że kiedy będziesz zapraszana na imprezy...

Caroline jęknęła.

– Kiedy będziesz zapraszana na towarzyskie imprezy... to nie powinnaś dyskutować o fizycznych manifestacjach czegokolwiek. – Umilkła. – I lepiej nie wspominać o piciu krwi z czaszek.

– Mówiłam, że to było wino.

– Nieważne. Nie mówimy o czymś takim.

– Te towarzyskie imprezy muszą być okropnie nudne.

– Wcale nie.

Caroline skierowała na matkę zdumione spojrzenie.

– Nie?

– Nie. Są całkiem dobrą rozrywką, jeśli... – Zawahała się. „Jeśli jesteś na nich mile widziana" nie wydawało jej się właściwym dokończeniem zdania. Zwłaszcza że sytuacja Caroline była nie do pozazdroszczenia. – Jeśli lubisz takie rzeczy.

– A ty lubisz? – zapytała cicho Caroline. – Te imprezy towarzyskie?

Georgiana nie wiedziała, co odpowiedzieć. Kiedyś je lubiła. Bardzo jej się podobało na tych kilku wieczorkach tanecznych, na które została zaproszona.

Caroline zasługiwała na to, by mieć takie wspomnienia. Zasługiwała na balową suknię, na tańce i na aplauz otoczenia. Na brak tchu po szybkim wirowaniu i na lawinę komplementów, z których będzie dumna. Na szybkie bicie serca, gdy jej wzrok napotka spojrzenie pięknych niebieskich oczu. Taki właśnie był pierwszy krok do ruiny Georgiany.

Przerażenie ścisnęło jej żołądek.

Caroline wiedziała o tym, że nie ma ojca, że matka jest niezamężna. Georgiana przypuszczała, że mała zdaje sobie sprawę z konsekwencji tego faktu. Jako dziecko z nieprawego łoża miała od urodzenia zepsutą reputację; mogła się domyślać, że nie wystarczy pomoc matki oraz zgrai arystokratów o wątpliwej sławie, by zyskać dobre imię. I aprobatę wyższych sfer.

Caroline jednak nigdy nie poruszała tego tematu. I nigdy – nawet podczas nieuniknionych w tym wieku nieporozumień z matką – nie wyraziła nawet słówkiem żalu z powodu okoliczności swoich narodzin. Nie powiedziała, że wolałaby mieć inne życie.

Ale to nie znaczyło, że go nie pragnęła i że Georgiana nie powinna zrobić wszystkiego, co w jej mocy, by zapewnić jej lepszą przyszłość.

– Matko... – zaczęła dziewczynka, przywracając ją do rzeczywistości. – Lubisz ludzi z wyższych sfer?

– Nie – odpowiedziała, pochyliła się i pocałowała córkę w czoło. – Lubię tylko ich sekrety.

Caroline przez dłuższą chwilę rozważała jej słowa, aż w końcu powiedziała z przekonaniem:

– Też ich nie lubię.

To było kłamstwo. Georgiana też była kiedyś dziewczynką pełną nadziei i pomysłów. Wiedziała, o czym marzy Caroline w skrytości ducha. Wiedziała, ponieważ kiedyś marzyła o tym samym. O małżeństwie, o życiu wypełnionym szczęściem przy boku dobrego człowieka. I wypełnionym miłością.

Miłość.

Temu słowu zawsze towarzyszyła gorycz.

Byłaby skończoną idiotką, gdyby powiedziała, że nie wierzy w to uczucie. Wiedziała, że ono istnieje. Sama je odczuwała, i to wielokrotnie. Kochała swoich wspólników. Kochała brata. Kochała kobiety, które okazały jej serce wiele lat temu i które ją ochraniały, mimo że mogła zagrozić ich opinii; była bowiem siostrą księcia, która uciekła z domu. Kochała też Caroline. Ponad wszystko.

I był taki czas, kiedy kochała w inny sposób. Kiedy wierzyła, że to cudowne uczucie czyni ją niezwyciężoną. Kiedy myślała, że podbije świat. Że razem podbiją świat.

Ufała temu uczuciu. Tak jak ufała chłopcu, który je w niej obudził.

I została ze złamanym sercem.

Tak, wierzyła w miłość, ale poznała również jej prawdziwe oblicze. Miłosna namiętność miała niszczycielską siłę. Mogła dać nieskończoną moc, a następnie uczynić zupełnie bezsilnym.

Miłość była do niczego.

– Dobranoc, mamo. – Głos Caroline wyrwał Georgianę z zamyślenia.

Spojrzała na córkę, która leżała z kołdrą nasuniętą pod samą brodę – wydała jej się zarazem bardzo młoda i o wiele za dorosła.

Pocałowała ją znowu w czoło.

– Dobranoc, moja słodka dziewczynko.

Wyszła z pokoju i cicho zamknęła za sobą drzwi, po czym spojrzała na Temple'a, który czekał na nią w holu.

– O co chodzi?

– O dwie rzeczy – odparł książę rzeczowym tonem. – Po pierwsze, jest tu Galworth.

Wicehrabia Galworth był zadłużony w klubie po same uszy. Wzięła teczkę, którą jej podał, i zajrzała do środka.

– Chce zapłacić?

– Powiedział, że ma niewiele do zaoferowania.

Uniosła brwi, przerzucając papiery w teczce.

– Ma dom w mieście i sporo ziemi w Northumberland, która przynosi dochód w wysokości dwóch tysięcy rocznie. Nie tak mało.

– Nie wiedziałem, że ma ziemię – zdziwił się Temple.

– Nikt nie wie o ziemi – stwierdziła, ale rolą Chase'a było wiedzieć o członkach Upadłego Anioła więcej niż reszta świata.

– Zaproponował coś jeszcze.

Podniosła na niego wzrok.

– Tylko nie mów, że córkę.

– Z przyjemnością odda ją Chase'owi.

To się czasami zdarzało. A nawet zbyt często. Arystokraci nie szanowali własnych córek i nader chętnie oddawali je nieznajomym mężczyznom o podejrzanej reputacji. W przypadku Chase'a takie propozycje były źle widziane.

– Przekaż mu, że Chase nie jest zainteresowany jego córką.

– Wolałbym mu powiedzieć, żeby skoczył z pierwszego mostu – odrzekł były bokser.

– Proszę bardzo. Ale najpierw przejmij ziemię.

– A jeśli się nie zgodzi?

– To musi nam oddać siedem tysięcy funtów. I niech Bruno je odzyska tak, jak mu się podoba. Ma wolną rękę.

Zwalisty ochroniarz lubił wymierzać karę ludziom, którzy na to zasłużyli – co dotyczyło większości mężczyzn należących do klubu.

– I przypomnij mu, że jeśli się dowiemy, że ma inny pomysł, niż wydać dziewczynę za przyzwoitego człowieka, to wypuścimy informację, że ustawia wyścigi konne.

Ciemne brwi Temple'a poszybowały w górę.

– Nie przestanie mnie zdumiewać, że potrafisz być taka bezlitosna.

Posłała mu najsłodszy uśmiech ze swojego arsenału.

– Nigdy nie ufaj kobiecie.

– W każdym razie nie tobie.

– Jeśli nie chciał, by to wyszło na jaw, to mógł nam nie sprzedawać tej informacji, żeby uzyskać wstęp do klubu. – Chciała odejść, ale przypomniała sobie o drugiej sprawie. – Wspomniałeś o dwóch rzeczach.

– Masz gościa.

– To mnie nie interesuje. Idź ty.

Justin pokręcił głową.

– Nie pytał o Chase'a. Chce się widzieć z Anną.

To się czasem zdarzało. Jeśli ktoś za dużo wypił w tej piekielnej czeluści, domagał się spotkania z Anną.

– Kto to jest?

– Duncan West.

Z trudem złapała oddech. Nie była zachwycona, że na dźwięk jego nazwiska ogarnia ją taki niepokój, jakby była naiwnym dziewczęciem.

– Co on tu robi?

– Mówi, że przyszedł do ciebie – odpowiedział, wyraźnie zaciekawiony.

Tak samo jak ona.

– Po co?

– Tego nie określił – odparł książę takim tonem, jakby zadała niemądre pytanie. – Po prostu spytał o ciebie.

Może spowodowała to melancholia, która ogarnęła ją w pokoju Caroline. Może fakt, że Duncan West widział ją poprzedniej nocy w chwili słabości, a mimo to zgodził się pomóc jej w powrocie na łono arystokracji. A może przyczyną był pociąg, który do niego czuła.

W każdym razie odpowiedź na pytanie Temple'a zadziwiła nawet samą Georgianę.

– Powiedz mu, że za chwilę przyjdę.

Odczekała kwadrans i ruszyła labiryntem przejść, które łączyły prywatne apartamenty z głównym pomieszczeniem klubu. Po drodze otwierała i starannie zamykała z powrotem na klucz mijane drzwi, aby mieć pewność, że nikt przypadkowo nie zakłóci spokoju Caroline.

Kiedy otworzyła ostatnie drzwi i znalazła się w głównej sali, głęboko odetchnęła. Odgrywanie roli ladacznicy dawało jej wolność, choć to wyrażenie nie opisywało precyzyjnie całej tej maskarady. Od kilku lat, spowita w jedwab i satynę, udawała słynną prostytutkę i siłą rzeczy polubiła tę rolę.

Cóż, wykonywała większość związanych z nią obowiązków. Oprócz tego, który był najbardziej oczywisty.

Nie planowała, że będzie tego unikać – mleko się rozlało, skoro urodziła dziecko. Nie brakowało jej też okazji – połowa męskiej populacji Londynu próbowała się do niej zbliżyć. Ale nigdy do tego nie doszło. I to Georgianie odpowiadało. Ponieważ żaden mężczyzna należący do klubu nie mógł się pochwalić, że ją miał, otaczała ją swoista legenda. Cieszyła się sławą wytwornej kurtyzany, ochranianej przez właścicieli klubu i tak drogiej, że członków Upadłego Anioła nie było stać na jej usługi.

Ta legenda zapewniała jej bezpieczeństwo, a także swobodę poruszania się w tłumie mężczyzn. Żaden z klubowiczów nie zaryzykowałaby swojego członkostwa, by posmakować rozkoszy z Anną.

Zatrzymała się na środku kasyna. Uwielbiała to ogromne pomieszczenie wypełnione graczami i stolikami, kartami i kośćmi. Lubiła smak wygranych i porażek. Każdy centymetr tej przestrzeni należał do niej, każdy zakątek był fragmentem jej królestwa.

To miejsce, powstałe z grzechu, występku i sekretów, mogło przyprawić człowieka o zawrót głowy; tłumy przed jej oczami wibrowały podnieceniem, pożądaniem, zdenerwowaniem i chciwością. Najbogatsi londyńczycy przesiadywali tu noc w noc, z pieniędzmi w kieszeniach i kobietami na kolanach, i czekali na uśmiech losu, nie wiedząc – lub nie chcąc tego przyznać – że Upadły Anioł jest niepokonany. Że nigdy nie wygrają tyle, by nim rządzić.

Upadły Anioł miał już monarchę.

Trzymała ich tu chciwość – rozpaczliwe pragnienie pieniędzy, luksusu, wygranej. Wszystko, o czym marzyli członkowie klubu, było do wzięcia, jeszcze zanim sami rozpoznali dręczącą ich żądzę. I właśnie dlatego klub został uznany za najlepszy, jaki kiedykolwiek istniał w Londynie.

Podczas gdy White's, Brooks's czy Boodle's uznawano za kluby dla uczniaków, Anioł uchodził za przybytek dla prawdziwych mężczyzn. Byli gotowi ujawnić wszystkie tajemnice, by uzyskać do niego wstęp.

Taką siłę przyciągania miał grzech.

Jej wzrok spoczął na kilku stołach w centralnym punkcie kasyna, gdzie kręciły się koła ruletki, a po zielonym suknie przesuwały się żetony. To było jej ulubione miejsce w tym piekle, żywy puls jej królestwa.

Uwielbiała stukanie kulek z kości słoniowej o mahoniowe koła ruletki, wstrzymywanie oddechu przez graczy siedzących przy stole.

Ruletka przypominała życie z jego nieprzewidywalnością, a wygrana dawała ogromną satysfakcję.

Odwróciła się powoli, szukając w tłumie Westa i starając się opanować ekscytację związaną z polowaniem na człowieka, którego władza na tej sali była porównywalna z jej władzą. Starała się nie dopuszczać do głosu uczuć, które w niej budził – a przecież czuła się tak, jakby spotkała swoją drugą połowę.

Powinna się denerwować, że ją wezwał... ale nie mogła oprzeć się pokusie, którą uosabiał.

Georgianę ograniczały zasady przyzwoitości. Ale Anna... Anna mogła z nim flirtować.

I to ją pociągało.

Porzuciła te myśli, gdy mocne ramiona otoczyły ją w talii i podniosły z podłogi. Z trudem powstrzymała okrzyk zdziwienia, kiedy gorące usta zbliżyły się do jej ucha, a pijany głos wychrypiał:

– A teraz czas na ucztę.

Znalazła się w pułapce męskich ramion, wystawiona na widok publiczny. Wielu klubowiczów, zbyt tchórzliwych albo nie dość głupich, aby potraktować ją w ten sposób, siedziało z rozdziawionymi ustami. Nikt nie przyszedł jej z pomocą. Zauważyła, że krupier przy najbliższym stoliku sięgnął pod blat, aby pociągnąć za sznur, który uruchamiał dzwonki w każdym z pokojów na górze.

Wiedząc, że wezwano ochronę, odwróciła głowę, aby zobaczyć twarz zwalistego człowieka, który trzymał ją w uścisku.

– Baronie Pottle – powiedziała spokojnie. – Proponuję, aby postawił mnie pan na podłodze, zanim komuś z nas stanie się krzywda.

Podniósł ją wyżej, tak że stopy majtały w powietrzu, a spódnica się uniosła, ukazując nogi do kostek. Poczuła na sobie pożądliwe spojrzenia.

– Nie mam zamiaru zrobić ci krzywdy, kochana.

Odsunęła się od jego ust cuchnących alkoholem.

– Tak czy inaczej, to panu stanie się krzywda, jeśli mnie pan nie puści.

– A kto miałby mi zrobić krzywdę? – wybełkotał. – Chase?

– Wszystko możliwe.

Pottle się roześmiał.

– Chase nie pokazuje się tutaj od pięciu lat, skarbie. I raczej nie zrobi tego dla ciebie. – Pochylił się nad nią. – A poza tym spodoba ci się to, co planuję.

– Śmiem wątpić. – Zaczęła się szamotać w jego ramionach, ale był silniejszy, niż jej się zdawało. Do licha, ten stary idiota miał zamiar ją pocałować. Oblizał wargi i przysunął twarz bliżej, podczas gdy wykręcała się na wszystkie strony; tylko tyle mogła zrobić kobieta, ściśnięta w męskich ramionach jak w imadle. – Baronie Pottle – ciągnęła. – To się źle skończy. I dla pana, i dla mnie.

Tłum gości zachichotał, ale żaden z mężczyzn nie pospieszył jej na pomoc.

– Daj spokój, Anno. Jesteśmy dorośli. A ty jesteś profesjonalistką – stwierdził Pottle z ustami tuż przy jej twarzy. – Chciałbym cię poujeżdżać. Przecież ci zapłacę, i to słono.

Dopiero w tym momencie Georgiana uświadomiła sobie, że nikt go nie powstrzyma – pomimo tego, jak znaczącą rolę tu odgrywała, pomimo ochrony, jaką dawał jej Upadły Anioł. Kobiety z jej reputacją i przeszłością nie mogły liczyć na to, że ktoś się za nimi ujmie.

I właśnie ta myśl, a nie fizyczna przemoc, wywołała w niej paniczny lęk. Zaraz nadciągnie ochrona, pomyślała, starając się nie tracić ducha i przezwyciężyć poczucie upokorzenia.

Usta Pottle'a dotknęły jej ust. Dwudziestu kilku tak zwanych dżentelmenów obserwowało sytuację, ale żaden nie kiwnął palcem.

Tchórze. Co do jednego.

– Puść tę damę.

5

...łowcy posagów mają prawdopodobnie powód do zmartwienia, gdyż urok i gracja lady G. mogą sprawić, iż w dobrym towarzystwie zapomni się o jej przeszłości, co otworzy przed nią obiecującą, świetlaną przyszłość...

...na mieście powiadają, że pewien baron P. odsypia
kaca i żałuje nocy spędzonej w klubie. Radzimy odwracać
wzrok od jego prawego oka, gdyż bijący z niego blask może
oślepić nic niepodejrzewających...

Plotkarska rubryka „Tygodnia w Brytanii", 22 kwietnia 1833

Stanowcze słowa zawisły w powietrzu, a wraz z nimi ogarnęło ją poczucie ulgi, które w jednej chwili znienawidziła, podobnie jak nieznoszący sprzeciwu ton mówiącego. Ktoś się jednak za nią ujął.

Pobiegła wzrokiem ponad ramieniem napastnika i napotkała wściekłe brązowe oczy Duncana Westa. Poczucie ulgi jakby opadło. Czy był jedynym mężczyzną na tym świecie?

Za tą myślą przybiegła następna. Widział jej nogi aż do kostek, tak samo jak reszta zgromadzonych, ale liczył się tylko fakt, że właśnie on je zobaczył.

Do diabła, kto by się tym przejmował?

To dlaczego się przejmowała?

Kolejne słowa przerwały tok jej myśli.

– Nie każ mi tego powtarzać, Pottle. Puść tę damę.

Pijany baron westchnął.

– Nie znasz się na żartach, West – wybełkotał. – A poza tym Anna nie jest damą, prawda? Więc komu to szkodzi?

West na chwilę odwrócił wzrok.

– I pomyśleć, że nie chciałem ci robić krzywdy.

Spojrzał ponownie na barona, a w jego oczach błysnęła furia.

Georgiana miała dość rozumu, by się odsunąć, zanim pięść Westa trafiła twarz barona ze złowieszczym trzaskiem. Uderzenie było mocne i szybkie, silniejsze, niż się spodziewała. Pottle z wrzaskiem padł na podłogę, trzymając się za nos.

– Chryste, West! Co ci, do diabła, odbiło?

West pochylił się i chwycił go za halsztuk, unosząc nieco głowę Pottle'a, aby spojrzeć mu w oczy.

– Czy ta dama – zrobił pauzę, kładąc nacisk na ostatnim słowie – prosiła, żebyś ją dotykał?

– Zobacz, jak jest ubrana! – wydarł się Pottle, z którego nosa ciekła krew. – Sama się o to prosi!

– Zła odpowiedź. – Drugi cios był równie mocny jak pierwszy, a głowa Pottle'a odskoczyła w tył. – Spróbuj jeszcze raz.

– West – odezwał się jeden z kompanów Pottle'a przepraszającym tonem. – On jest zalany. Nigdy by czegoś takiego nie zrobił, gdyby był trzeźwy.

Wymówka stara jak świat. Georgiana z trudem się powstrzymała, by nie przewrócić oczami.

Na Weście nie zrobiło to wrażenia. Podniósł mężczyznę z podłogi i oznajmił:

– Więc nie powinien tyle pić. Spróbuj jeszcze raz – powtórzył lodowatym tonem.

Pottle się skrzywił.

– Nie prosiła.

– A więc?

– Co: więc? – powtórzył Pottle, skonsternowany.

West podniósł pięść.

– Nie! – wrzasnął baron i uniósł ręce, żeby zasłonić twarz. – Przestań!

– A więc? – nie dawał za wygraną West, a jego niski głos brzmiał złowieszczo.

– A więc nie powinienem był jej dotykać.

– Ani całować – dodał West, patrząc na Georgianę.

W jego oczach malowało się coś jeszcze prócz złości. Ten przelotny wyraz zniknął jednak, nim zdołała go nazwać. West widział, jak ten łajdak ją całował. Na policzki Georgiany zaczął wypełzać rumieniec. Na szczęście, nie było go widać przez grubą warstwę białego pudru.

West przeniósł wzrok na wroga.

– Wytrzeźwiałeś trochę?

– Tak.

– Przeproś tę damę.

– Przepraszam – mruknął baron.

– Popatrz na nią. – Słowa Westa zabrzmiały jak groźne dudnienie nadciągającej burzy. – Powiedz to z przekonaniem.

Pottle spojrzał błagalnym wzrokiem.

– Przepraszam, Anno. Nie chciałem cię obrazić.

Powinna teraz coś powiedzieć, ale na chwilę wypadła z roli, zbyt poruszona tym, co działo się przed jej oczami. W końcu posłała baronowi kpiący uśmieszek.

– Mniej whiskey następnym razem, Oliverze – powiedziała, z rozmysłem używając jego imienia. – Wtedy może dam ci szansę. – Podniosła wzrok na Westa i dostrzegła jego wzburzone spojrzenie. – A także pan West.

Dziennikarz puścił barona, który padł jak kłoda na podłogę kasyna.

– Wynoś się. I nie wracaj, dopóki nie wytrzeźwiejesz.

Pottle wycofał się na czworakach jak krab uciekający przed morską falą, by jak najszybciej znaleźć się daleko od zamieszania, które sam wywołał.

West skierował wzrok na Georgianę. Była przyzwyczajona do męskich spojrzeń. Czuła je na sobie tysiące razy, zbijała na nich kapitał. Mimo to spokojne i uważne spojrzenie tego mężczyzny budziło w niej niepokój. Ledwie mogła ustać w miejscu. Powiedziała, nasycając te jakże prawdziwe słowa udawanym sarkazmem:

– Mój bohaterze!

Uniosła się jedna jasna brew.

– Anno.

Gdy z ust Westa padło to proste imię, które wybrała dla fałszywej cząstki samej siebie, wyczuła w jego tonie coś, czego wcześniej nie słyszała.

Pożądanie.

Najpierw zrobiło jej się zimno, a zaraz potem gorąco.

Wiedział.

Musiał wiedzieć. Była przecież emisariuszem Chase'a, od kilku lat nosiła wiadomości między Westem a wymyślonym właścicielem Upadłego Anioła. I nigdy dotąd nie spojrzał na nią inaczej niż z umiarkowanym zainteresowaniem.

Na pewno nie z pożądaniem.

Wiedział.

Jego oczy odzyskały badawczy chłód. Pomyślała, że chyba miesza jej się w głowie. Może jednak się myliła.

Może tylko chciała, żeby wiedział.

Bzdura.

Źle zinterpretowała tę sytuację. Stoczył walkę w jej obronie, a mężczyźni, którzy bronili honoru dam, często mieli nieodpartą potrzebę zwrócenia na siebie uwagi. To prosta sprawa, nic więcej, przekonywała samą siebie.

– Sądzę, że należy ci się moje podziękowanie.

– Nie.

Krótkie słowo wprawiło ją w stan jeszcze większego zdenerwowania niż to, które odczuwała w ramionach barona Pottle'a. Nie wiedziała, jak zareagować.

Wyciągnął do niej rękę i przejął kontrolę nad sytuacją. Przez dłuższą chwilę wpatrywała się w jego dłoń, z rozmysłem wysuwając biodro i przygryzając czerwone wargi. Przedstawienie dla ciekawskich gapiów.

Ale Duncan West nie przejmował się ani trochę gapiami. Wziął ją za rękę i pociągnął do niszy za zasłonką, w której panował obiecujący półmrok. Odwrócił ją twarzą do światła samotnej świecy. Jej blask stwarzał w pomieszczeniu uwodzicielską atmosferę. Każda para, która się tu znalazła, musiała zbliżyć się do siebie, aby się lepiej widzieć.

W jednej chwili Georgiana znienawidziła tę świecę. Wydawało jej się, że stoi w blasku słońca i grozi jej zdemaskowanie.

A jeśli on już znał prawdę?

Odrzuciła tę myśl. Jako Georgiana, siostra jednego księcia i córka innego, od wielu lat żyła na wygnaniu i bywała w Londynie tylko od czasu do czasu, żeby zrobić zakupy na Bond Street, pospacerować po Hyde Parku czy odwiedzić Muzeum Londyńskie. Nikt nigdy nie rozpoznał w niej królowej Upadłego Anioła.

Arystokraci widzieli to, co chcieli widzieć.

A najbystrzejszy magnat prasowy w Brytanii, Duncan West, nie różnił się pod tym względem od innych.

Posłała mu swój najbardziej uwodzicielski uśmiech.

– Jesteśmy tu sami. I co pan ze mną zrobi?

Pokręcił głową, odmawiając udziału w tej grze.

– Nie powinnaś kręcić się sama po kasynie.

– Każdej nocy kręcę się sama po kasynie.

– Nie powinnaś – powtórzył. – To nie świadczy dobrze o Chasie. Nie powinien ci na to pozwalać.

Nie zważała na jego gniewny, emocjonalny ton. Coś się zmieniło, ale nie potrafiła określić co. Spojrzała mu w oczy.

– Gdyby mnie pan nie wezwał, sir, nie musiałabym narażać się na zaczepki.

Teraz gniew pojawił się też w jego oczach.

– Więc to moja wina?

Zamiast odpowiedzieć, spytała:

– Po co mnie pan wezwał?

Milczał przez długą chwilę i już myślała, że nie odpowie.

– Mam prośbę do Chase'a – powiedział w końcu.

Znienawidziła to uczucie rozczarowania, które wypełniło ją po tych słowach. Wprawdzie nie spodziewała się, że prosił o spotkanie z Anną z innego powodu, ale ponieważ stanął w jej obronie, miała nadzieję, że chodzi o nią. O Georgianę.

Żałowała, że nie przyszedł po to, aby właśnie ją o coś poprosić.

To była niedorzeczna myśl... przynajmniej w pewnym sensie, bo przecież to ona była Chase'em, więc technicznie rzecz biorąc, przyszedł do niej. Ale z drugiej strony... nie wiedziałaby, jak zareagować na prośbę mężczyzny, bo nie miała w tym żadnego doświadczenia.

Nie podobało jej się, jak wymawiał imię Chase'a. Za dużo już widział.

– Oczywiście – odpowiedziała z udawaną szczerością. – Kto pana interesuje?

– Tremley – odparł.

– A co konkretnie?

– Jego tajemnice.

Georgiana zmarszczyła czoło, słysząc tę dziwną prośbę.

– Tremley nie jest członkiem klubu. Wie pan o tym.

Hrabia Tremley nie był głupcem. Nigdy nie dałby się uwieść Upadłemu Aniołowi – bez względu na to, jak kuszące były stoliki tego przybytku.

Założyciele Upadłego Anioła długie lata pracowali na to, by zaproszenie do wstąpienia do klubu stało się najbardziej pożądaną propozycją w Brytanii, a może i w całej Europie. Nie wymagano tu wpisowego ani niczyjego poręczenia – warunków, które obowiązywały w innych klubach dla panów. Członkowie klubu na ogół nie wiedzieli, dlaczego ich zaproszono, a dyskutowanie o tym poza ulicą St. James nie było mile widziane. Tylko nieliczni mieli świadomość, co się za tym kryje, po części dlatego, że zapłacili wysoką cenę za wstęp do kasyna.

75

A ceną były ich sekrety.

Przez kilka lat Bourne, Cross, Temple i Georgiana – w przebraniu Anny lub Chase'a – gromadzili tajemnice najbardziej wpływowych mężczyzn i kobiet, a każda z tych tajnych informacji została im przekazana dobrowolnie w zamian za wstęp do najmroczniejszej, najbardziej obiecującej i grzesznej jaskini hazardu. Nie było takiej rzeczy, której Upadły Anioł nie mógłby zapewnić swoim członkom, i niewiele próśb składanych na ręce właścicieli kasyna nie zostało spełnionych.

Za wyjątkowy luksus, który tu oferowano, warto było zapłacić każdą cenę, a walutę stanowiły informacje.

Ale hrabia Tremley miał zbyt mocne powiązania z Koroną, aby ryzykować to wszystko dla Upadłego Anioła.

– Niech pan spróbuje w klubach po drugiej stronie ulicy – powiedziała, celowo go drażniąc. – White's albo Brooks's są bardziej w guście hrabiego.

– Niewykluczone, ale ja potrzebuję informacji, które może zdobyć na niego Chase.

Od razu się zaciekawiła.

– A co pan ma na niego?

– A czy Chase coś ma?

Anioł wiele razy próbował znaleźć haki na hrabiego, odkąd król William wstąpił na tron, a Tremley stał się jego prawą ręką. Ale prawie nikt nie chciał rozmawiać o człowieku, który miał takie wpływy w polityce. A może coś przeoczyli?

Skoro West o to dopytywał, to musiało coś być. Bez wątpienia.

– Nie ma teczki na Tremleya – odparła zgodnie z prawdą.

Nie uwierzył jej. Nawet w tym mdłym świetle dostrzegła to w jego oczach.

– Ale może się znajdzie, jeśli zaprosicie jego żonę do klubu dla pań.

– Nie wiem, co ma pan na myśli.

Od momentu założenia Upadłego Anioła, prowadzonego przez czterech bogatych arystokratów o podejrzanej reputacji, istniał drugi tajny klub, funkcjonujący pod nosem dżentelmenów. Ci jednak woleli o nim nie wiedzieć. Był to klub dla dam, bez nazwy i bez oficjalnego oblicza.

Nikt nigdy o tym nie rozmawiał.

A Georgiana nie miała zamiaru przyznawać, że on istnieje.

West najwyraźniej się tym nie przejmował. Zrobił krok w jej stronę, a w niewielkim pomieszczeniu zrobiło się jeszcze ciaśniej. I bardziej niebezpiecznie.

– Chase nie jest jedynym człowiekiem, który wie o różnych rzeczach, skarbie.

Wypowiedział te słowa niskim, pełnym napięcia głosem. Zawahała się. Ten ton budził w niej niepokój. Z trudem się opanowała.

– Nie przyjmujemy dam.

Skrzywił wargi. Przypominał jej lwa, o którym wcześniej rozmawiali.

– Daj spokój, możesz okłamywać resztę Londynu, ale nie mnie. Zaproponujecie członkostwo tej damie. W zamian za to przyniesie dowód złych uczynków swojego męża. A ja zdobędę informacje, na których mi zależy.

Wzięła się w garść.

– Chase'owi się to nie spodoba.

Pochylił się nad nią i szepnął do ucha, wywołując dreszcze:

– Powiedz Chase'owi, że nie obchodzi mnie, gdzie grają jego kobiety. – Spojrzał jej w oczy. – Chcę informacji, których dostarczy ta dama. I sowicie za nie zapłacę.

Wahała się, zaciekawiona. Dlaczego hrabia? Dlaczego teraz?

– Co pan wie?

– Wiem, że podkrada ze skarbu państwa.

Spojrzała mu w oczy.

– Jak każdy doradca każdego monarchy od czasów Wilhelma Zdobywcy.

– I wspomaga imperium osmańskie w wojnie.

Otworzyła szeroko oczy i zniżyła głos.

– Zdrada stanu?

– Tego musimy się dowiedzieć.

– Dlaczego mi się zdaje, że pan już to wie?

– Bo ja w ogóle dużo wiem.

I nagle ich rozmowa nabrała zupełnie innego charakteru.

– A skąd wiadomo, że ta dama przyniesie dowód?

– Przyniesie – zapewnił. – Ten potwór się nad nią znęca. Będzie chciała się podzielić tym, co wie.

– A pan nic nie robi, żeby jej pomóc?

– Właśnie to jej pomoże – odparł.

– Skąd ta pewność, że w ogóle coś wie?

– Mogę się założyć, że wie.

– I myśli pan, że szczęście się do pana uśmiechnie?

Wyszczerzył zęby w wilczym uśmiechu.

– Szczęście mi sprzyja od jedenastu lat. Nie mam powodu sądzić, że to się zmieniło.

– Bardzo ciekawe.

Przez jego twarz przemknęła chmura.

– Dobrze zapłacę za informacje.

A zatem on też miał tajemnice. Ta myśl ją pocieszyła. Oparła się pokusie, by o nie spytać. Przywołała uśmiech.

– Jak dobrze? – zapytała i dodała bezczelnie: – Przysługa za przysługę, panie West.

Przyglądał jej się przez chwilę, a powietrze między nimi zdawało się falować.

– A co byś chciała, Anno?

Czy powiedział jej fałszywe imię z dziwnym naciskiem, czy tylko jej się zdawało?

– To nie mnie musi pan zapłacić – powiedziała, wykorzystując kobiece środki najlepiej, jak potrafiła. Oparła się o ścianę alkowy, wysuwając pierś do przodu i rzucając mu powłóczyste spojrzenie. – Dużo panu zawdzięczam. Uratował mnie pan przed baronem. – Wydęła wargi. – Prawdziwa ze mnie szczęściara.

Jego wzrok padł na jej usta, tak jak się spodziewała, a potem powędrował niżej, gdzie zaczynała się linia dekoltu.

– Co tam nosisz na tym łańcuszku?

Dotknęła srebrnego medalionu, który spoczywał między jej piersiami. Był w nim ukryty klucz do mieszkania Chase'a i do przejścia na wyższe piętra klubu, gdzie spała Caroline.

– Moje tajemnice – odpowiedziała z uśmiechem.

Uniósł kącik ust.

– Jest ich pewnie mnóstwo.

Musnęła palcami rękaw jego fraka.

– Jak mam panu dziękować, panie West? Zachował się pan jak bohater.

Pochylił się nad nią. Pomyślała o piórku, które wyjął z jej włosów. Była ciekawa, czy nadal je nosi w wewnętrznej kieszeni. Zastanawiała się, co by zrobił, gdyby wsunęła dłoń pod frak i położyła ją na jego piersi, żeby to sprawdzić.

Wyrwał ją z zamyślenia.

– Wczoraj wieczorem poznałem kobietę.

Wstrzymała oddech. Miała nadzieję, że tego nie zauważył.

– Czy powinnam być zazdrosna? – drażniła się z nim.

– Może – rzucił. – Georgiana Pearson wydaje się dość niewinną osobą. Cała w bieli, wystraszona...

– Georgiana Pearson? – Udała zdziwienie, a on skinął twierdząco. – Zapewniam pana, że ta dziewczyna nie jest wystraszona.

Zbliżył się, zmuszając ją, by się cofnęła i odcinając odwrót.

– Mylisz się. Jest przerażona.

Zmusiła się do śmiechu.

– To siostra księcia, ma taki posag, że mogłaby kupić nieduże hrabstwo. Czego miałaby się bać?

– Wszystkiego – stwierdził od niechcenia. – Socjety, jej osądów, swojej przyszłości.

– Nie musi się przejmować takimi rzeczami i na pewno się ich nie boi. Źle ją pan ocenił.

– A skąd możesz to wiedzieć?

Złapał ją w pułapkę. Jego bystry umysł za szybko formułował pytania. A ona nie mogła się skupić. Rozpraszała ją jego smukła sylwetka i szerokie ramiona, które zasłaniały dopływ światła. Wzbudzał w niej nerwowy niepokój i zarazem tęskne oczekiwanie.

– Wiem tylko tyle, ile przeczytałam w gazetach. – Zamilkła. – Jakiś miesiąc temu widziałam też wymowny rysunek.

Cios był celny. Wstrzymał oddech i poczuła, że na chwilę znieruchomiał. Po chwili oparł rękę o ścianę przy jej głowie. Pochylił się nad nią.

– Źle ją oceniłem. To nie ulega wątpliwości – przyznał. – Nie jest głupiutkim dziewczątkiem, za jakie ją uważałem.

Pochylił się tak, że jego usta znalazły się tuż przy jej uchu. Ta bliskość wytrąciła ją z równowagi.

– Mam zamiar pomóc tej dziewczynie.

Zalało ją poczucie ulgi.

– Nie wiem, dlaczego pan myśli, że interesuje mnie to, co pan z nią zrobi.

Przeklęła w myślach, bo wyobraźnia podsunęła jej obrazy jego ewentualnych działań.

Roześmiał się cicho.

– Zapewniam cię, że warto będzie popatrzeć na to, co zrobię z tą dziewczyną.

Ich oczy się spotkały. Wytrzymała jego spojrzenie, choć przyszło jej to z trudem. Anna nie powinna odwracać wzroku od mężczyzn. Jednak z niewiadomego powodu prawie przy żadnym nie czuła się tak nieswojo jak przy Weście.

Była wysoka jak na kobietę i miała na sobie pantofle na obcasach, które dodawały jej kilka centymetrów, ale mimo to musiała zadzierać głowę, aby spojrzeć mu w oczy, aby popatrzeć na kwadratową szczękę, prosty nos i jasne pukle włosów nad czołem.

Był chyba najprzystojniejszym mężczyzną w Brytanii. I w dodatku najbardziej inteligentnym.

I dlatego wydawał jej się taki niebezpieczny.

Poruszył się. Zastanawiała się, czy czuje się równie nieswojo jak ona.

– Nie powinnaś przebywać ze mną sam na sam.

– Nie pierwszy raz jesteśmy sami. – Było tak przecież poprzedniego wieczoru. Na tamtym balkonie. I wtedy wydawał jej się równie kuszący.

– Chyba jednak pierwszy.

No właśnie. Na balkonie była Georgianą, inną kobietą w innej rzeczywistości. Spróbowała szybko naprawić błąd. Wydęła usta w zamyśleniu.

– Może mi się przyśniło.

– Może – powiedział przeciągle. – Dziwne, że Chase na to pozwala.

– Nie jestem własnością Chase'a.

– Oczywiście, że jesteś. – Zrobił pauzę. – Wszyscy jesteśmy, w pewnym sensie.

– Pan nie jest – rzuciła. Był jedynym człowiekiem, nad którym nie miała władzy. Pilnował swoich sekretów równie dobrze jak ona.

– Chase i ja potrzebujemy się nawzajem, żeby przetrwać – wyjaśnił. – Ty też go potrzebujesz.

– Wszyscy jedziemy na tym samym wózku.

Spojrzał na nią spod ściągniętych brwi.

– Ty i ja na pewno jedziemy na tym samym – powiedział. – I to Chase wyznacza kurs. Ale to nasz wózek. – Podniósł rękę i musnął kosmyk jej włosów wijący się na szyi. Przeszył ją dreszcz. – Może powinniśmy pojechać w innym kierunku niż on. Myślisz, że to by mu się spodobało?

Wstrzymała oddech. Łączyły ich wspólne interesy, ale gdy przekazywała wiadomości od tajemniczego, nieistniejącego Chase'a, West nigdy nie dotknął jej w tak zmysłowy sposób.

Nie mogła na to pozwolić. Nigdy dotąd na to nie pozwoliła. Nikomu. Od czasu, kiedy…

Ale po zastanowieniu stwierdziła, że właśnie tego pragnie.

– To by mu się nie spodobało – wyszeptała.

– O, z pewnością. – Jego palce powędrowały w dół szyi, do zagłębienia u jej nasady; było to jak dotyk płomienia. – Jak mogłem tego wcześniej nie zauważyć? – spytał, nie przerywając uwodzicielskiej pieszczoty.

Wstrzymała oddech, a jego palce wróciły tą samą drogą w górę szyi. Ujął w dłonie jej twarz. Wpatrywała się w jego usta, gdy mówił:

– Jak mogłem tego nie zauważyć? Twojego zapachu, kształtu warg, wygięcia szyi… – Zamilkł, a jego usta znalazły się tuż obok jej warg. – Ile lat na ciebie patrzę?

Dobry Boże, zaraz ją pocałuje.

Dobry Boże, a ona tego pragnie.

– Gdybym był na jego miejscu – wymruczał tak blisko jej ust, że zamarła w bolesnym oczekiwaniu – wcale by mi się to nie podobało.

Gdyby był na czyim miejscu? Upijał ją słowami, spojrzeniami i dotykiem.

To dlatego trzymała się z dala od mężczyzn.

Ale w tym momencie pragnęła z tego zrezygnować.

– Gdybym był na jego miejscu – mówił dalej, przesuwając kciukiem po jej policzku – nie chciałbym, żebyś wyszła za mąż. Wolałbym, żebyś była moja.

Te słowa wywołały w niej panikę.

– A więc wiesz.

– Wiem – przyznał. – Ale nie rozumiem dlaczego.

Nie wiedział wszystkiego. Nie rozumiał, że życie, które wybrała, nie było życiem Anny, ale Chase'a. Nie była kurtyzaną, lecz królem.

– Dla władzy – powiedziała zgodnie z prawdą.

– Nad kim?

– Nad wszystkimi – odparła po prostu. – Jestem panią swojego życia. Uważają mnie za dziwkę, więc dlaczego nie miałabym jej odgrywać?

– Tuż pod ich nosami.

Uśmiechnęła się.

– Widzą tylko to, co chcą. I to jest piękne.

– Ja cię zobaczyłem.

– Przez wiele lat nie widziałeś. Ty też myślałeś, że jestem Anną.

– Mogłabyś panować nad swoim życiem poza tymi ścianami – zaprotestował. – Wcale nie musisz odgrywać tej roli.

– Ale ja to lubię. Tutaj jestem wolna. To Georgiana musi przed nimi dygać i błagać o akceptację. Tutaj biorę, co chcę. I nie należę do nikogo.

– Do nikogo oprócz swojego pana.

Tylko że to ona była tym panem. Nic nie powiedziała.

Błędnie zinterpretował jej milczenie.

– To dlatego szukasz męża, tak? Co się stało? – zapytał. – Czy Chase już cię nie chce?

Odsunęła się od niego. Potrzebowała dystansu, aby móc trzeźwo myśleć i tkać dalej swoje misterne kłamstwa.

– Nie masz racji.

– Chyba on się nie spodziewa, że twój mąż będzie się tobą dzielił.

Te słowa ją zabolały, chociaż nie powinny. Od wielu lat żyła w mroku Upadłego Anioła, udając dziwkę. Zdołała przekonać setki londyńskich arystokratów, że jest mistrzynią w dawaniu rozkoszy. Że sprzedała się ich najpotężniejszemu przywódcy. Ubierała się stosownie do tej roli, uwydatniając biust i malując twarz. Nauczyła się odpowiednio poruszać i zachowywać.

Ale kiedy ten mężczyzna mówił tak otwarcie o wizerunku, który tak pracowicie skonstruowała, który budowała z takim przekonaniem i troską, znienawidziła rolę graną od lat. Może dlatego, że wiedział o niej więcej niż inni, a mimo to wierzył w jej kłamstwa.

Albo raczej dlatego, że obudził w niej pragnienie, by z nimi skończyć.

A może tylko dlatego, że kilkanaście minut wcześniej pospieszył jej z pomocą.

Zabrakło jej tchu, gdy dotarł do niej prosty fakt.

Przecież wtedy też znał prawdę. Wiedział o jej drugim życiu.

Wezbrał w niej gniew, podsycany rozczarowaniem.

– Nie uratowałbyś mnie.

Dopiero po chwili zorientował się, co Georgiana ma na myśli.

– Ja...

– Nie okłamuj mnie – rzuciła, podnosząc rękę, jakby chciała zakryć mu usta, zanim coś powie. – Nie obrażaj.

– Miałem Pottle'a na oku – stwierdził i spojrzał na pięść, która rano będzie go bolała. – I jednak cię uratowałem.

– Ponieważ wiedziałeś, kim naprawdę jestem. Gdybym była tylko Anną... kobietą wykonującą najstarszy zawód świata, wymalowaną dziwką...

– Nie mów tak – poprosił.

– Czyżbym cię obraziła?

Przeczesał jasne kosmyki obolałą dłonią.

– Chryste, Georgiano...

– Nie nazywaj mnie tak.

Roześmiał się bez radości.

– A jak mam cię nazywać? Anną? Fałszywym imieniem, z którym się wiążą fałszywe włosy, fałszywa twarz i fałszywe... – Wskazał na jej mocno zasznurowany, wypchany gorset, który sprawiał, że biust wydawał się ogromny.

– W tej chwili nie jestem pewna, czy powinieneś się do mnie zwracać którymkolwiek imieniem – odparła szczerze.

– Za późno na wątpliwości. Tkwimy w tym razem. Wiąże nas słowo i chciwość.

Mierzyli się wzrokiem w mdłym świetle świecy. Georgiana wyczuwała jego złość i rozczarowanie, które dorównywały temu, co sama czuła. Co za dziwny moment. Czy była zła o to, że bronił Anny tylko dlatego, że wiedział o istnieniu Georgiany?

To było szaleństwo. Gdyby rozplątała tę pajęczynę, zrujnowałaby wszystko, na co pracowała.

Zdawał się ją rozumieć.

– Postąpiłbym tak samo – powtórzył z uporem. – Uratowałbym cię.

– Chciałabym w to wierzyć.

Spojrzał jej w oczy z powagą widoczną nawet w półmroku.

– A powinnaś. Postąpiłbym tak samo. Czy zrobiłem to szybciej, dlatego że znałem prawdę? Cóż, nie będę kłamał. Ale na pewno zrobiłbym to samo.

– Dlaczego?

Mógłby podać z tuzin powodów. Ale takiego, którego się nie spodziewała.

– Bo cię potrzebuję.

W tych słowach, wypowiedzianych opanowanym tonem, kryła się nuta smutku. Potrzebował jej, ale nie tak, jak mężczyzna potrzebuje kobiety – namiętnie i rozpaczliwie. Ale jej to nie obchodziło.

– Do czego mnie potrzebujesz?

– Chcę, by lady Tremley otrzymała zaproszenie do klubu dla dam. Chcę poznać informacje, które przekaże w zamian za wstęp. I za te informacje otrzymasz swoją zapłatę.

Powinna być wdzięczna, że sprowadził rozmowę na bezpieczniejszy grunt. Ale nie była. I nie potrafiła ukryć tonu rozczarowania, gdy odrzekła:

– To Chase dostanie swoją zapłatę.

– Nie. Ty.

Otworzyła szeroko oczy.

– Ja?

– Ja zdobędę informację, a ty małżeństwo.

Przysługa za przysługę.

I wtedy nagle ją olśniło. Poczuła szacunek dla tego mężczyzny, który bez wysiłku potrafił obrócić każdą sytuację na swoją korzyść. Dorównywał jej władzą i prestiżem.

– A jeśli nie, to co?

– Nie każ mi tego mówić.

– Nie wiem, co masz na myśli.

– Nie każ mi mówić: „Jeśli nie, to ujawnię światu twoje sekrety".

Spojrzała na niego zwężonymi oczami.

– Właśnie to powiedziałeś.

Pokręcił głową.

– Nie każ mi spełniać tej groźby. – Zaczął się przeciskać do drzwi.

Nie spodobało jej się to. Pragnęła, żeby został, chociaż wydawał się wiedzieć zbyt wiele. – Potrzebujesz mnie – stwierdził cicho. – Twoja córka też mnie potrzebuje.

Skrzywiła się na wzmiankę o Caroline. Nie powinien wspominać o niej tutaj, w tym miejscu, w takiej rozmowie.

– Myślisz, że wreszcie tego nie zobaczą? – mówił dalej. – Myślisz, że nie zauważą, tak jak ja zauważyłem, że twoje dwie maski są uderzająco podobne?

– Do tej pory nie zauważyli.

– Nie byłaś gwoździem sezonu.

Spojrzała mu w oczy i wyznała jedyną rzecz, której była pewna:

– Ludzie widzą to, co chcą widzieć.

– Ale po co ryzykować?

– Wolałabym tego nie robić, ale muszę. – To była prawda.

– Dlaczego teraz? – Jego pytania padały szybko.

– Mojego zawodu nie wykonuje się do śmierci.

Poznała po jego oczach, że nie jest zadowolony z tej odpowiedzi.

– A więc zamiast kupić ci dom na wsi i dać tyle pieniędzy, żeby starczyło do końca życia, Chase daje ci posag – oznajmił ze zrozumieniem.

Naprawdę niczego nie rozumiał.

– Nie on – odparła. Daję go sobie sama, pomyślała.

– Oczywiście, że nie on. Nigdy by się nie przyznał do takich uczynków. To ja dam ci nową reputację.

– I weźmiesz za to hojną zapłatę – dodała.

– Wiesz, że zrobiłbym to za darmo.

– Gdybym tylko była tą zagubioną dziewczynką, za którą mnie wziąłeś wczoraj?

– Nie byłaś zagubiona. Wydawałaś się twarda jak stal.

– A teraz?

– Teraz żądam zapłaty za pomoc i powinnaś być za to wdzięczna. W przeciwnym razie skończę z wami wszystkimi. Nie mam zwyczaju nawiązywać stosunków z kłamcami.

Obdarzyła go kokieteryjnym uśmiechem, chcąc ukryć, jak bardzo zabolały ją te słowa.

– Nikt cię nie prosi o nawiązywanie stosunków.

Nie spodziewała się, że zawróci i przyprze ją do muru jak ścigane zwierzę. Jeszcze nigdy w życiu nie czuła się tak jak w tej chwili. Poczucie władzy uszło z niej razem z kłamstwami. A przynajmniej większością z nich.

Zostało jeszcze to jedno, największe.

Oparł dłonie na mahoniowej ścianie po obu stronach jej głowy, zamykając ją jak w klatce.

– Prosisz się o to od kilku lat. Trudno nie myśleć o stosunkach, kiedy się na ciebie patrzy.

Nie wiedziała, co odpowiedzieć. Jego zachowanie tak bardzo różniło się od tego, które dotąd znała, że nie miała pojęcia, jak się zachować.

– Mylisz się.

– Nie – zaprzeczył. – Mam rację. I szczerze mówiąc, zawsze chciałem przyjąć to zaproszenie.

Był tak blisko. Czuła jego ciepło i potężną siłę. Po raz pierwszy w życiu zrozumiała, dlaczego kobiety omdlewają w ramionach mężczyzn.

– Co się zmieniło? – spytała, nadrabiając tupetem, choć brakło jej tchu. – Wolisz niewinność?

– Oboje wiemy, że to nie wchodzi w grę.

Zignorowała ukryte w tych słowach żądło. Cóż, wolałaby teraz nie być przebrana za dziwkę. Wolałaby, żeby znał całą prawdę. Ale nie poddawała się:

– A więc nic się nie zmieniło.

– Oczywiście, że się zmieniło.

Teraz była również Georgianą.

– Podoba ci się, że jestem arystokratką o zrujnowanej reputacji. – Krew dudniła jej w uszach. – Jak powiedziałeś? Że jestem przerażona? Czy myślisz, że możesz mi spieszyć na ratunek każdego dnia? I każdej nocy?

– Myślę, że chcesz, by ktoś cię ocalił – odpowiedział z wahaniem.

– Sama dam sobie radę.

Wyszczerzył zęby w groźnym uśmiechu.

– Nie ze wszystkim. Dlatego mnie potrzebujesz.

Miała większą władzę, niż sobie wyobrażał. Aby mu to udowodnić, uniosła podbródek i odparła:

– Wcale cię nie potrzebuję.

Wbił w jej oczy gorące spojrzenie.

– A kto cię ocali przed nimi? Kto cię ocali przed Chase'em?

– Nic mi nie grozi ze strony Chase'a.

Ujął ją za podbródek i odchylił jej głowę.

– Wyznaj mi prawdę – rozkazał, trzymając tak, że nie mogła odwrócić wzroku. – Czy możesz go zostawić? Czy pozwoli ci odejść i zacząć nowe życie?

Gdyby tylko prawda była taka prosta.

Dostrzegł jej wahanie. Zmniejszył dystans, nie pozwalając jej odetchnąć.

– Powiedz.

Miała ochotę zdać się na niego. Co by się stało, gdyby wprowadziła go do świata swoich sekretów i wyznała całą prawdę?

– Możesz pomóc mi wyjść za mąż.

– Ale ty nie chcesz małżeństwa. Nie z jednym z nich.

– W ogóle nie chcę małżeństwa, ale to bez znaczenia. Potrzebuję go.

Rozważał przez chwilę jej słowa i już myślała, że się sprzeciwi albo jej odmówi. Nie powinno jej to obchodzić.

Przez długą chwilę stali w milczeniu, a klatka jakby się skurczyła. Jego brązowe oczy wpatrywały się badawczo w jej oczy. W końcu odezwał się głębokim szeptem, żądając uczciwej odpowiedzi:

– Należysz do niego?

Powinna odpowiedzieć twierdząco. Tak byłoby bezpieczniej. Gdyby West chociaż przez chwilę uwierzył, że Chase chciałby o nią walczyć, trzymałby się na dystans. Potrzebował Chase'a i jego informacji.

Ale nie potrafiła tego zrobić. Chciała powiedzieć mu prawdę. Chociaż raz. Chociaż po to, by wiedzieć, jak to jest.

– Nie – odszepnęła. – Do nikogo nie należę.

Poczuła jego usta na wargach i wszystko się zmieniło.

6

*...A jednak w naszej lady G. jest coś tajemniczego, co
zmusza nawet najbardziej nieprzejednane arystokratki do
tego, by na towarzyskich imprezach obserwować tę dziewczynę przez lornion. Czy to możliwe, że przez tyle lat nie-
słusznie otaczaliśmy ją wzgardą? Ten sezon pokaże...*

*...Młode londyńskie damy, zróbcie, co do was należy!
Wszyscy mówią, że lord L. szuka żony. Na liście jego wymagań znajdują się bez wątpienia: uroda, poczucie humoru i umiejętność gry na instrumencie strunowym. Prosimy
jednak, by nie zgłaszały się kandydatki, które nie dysponują
pokaźnym posagiem...*

"Perły i Pelisy. Magazyn dla Dam", kwiecień 1833

*N*ie dbał o to, że Georgiana kłamie.

Nie obchodziło go, że od kilku lat ochrania ją najbardziej wpływowy i tajemniczy mężczyzna w Londynie. A przecież wiedział, że człowiek z takim
majątkiem nie potraktuje przyjaźnie nikogo, kto porywa się na jego własność.

Nie obchodziło go też, że nie była tym, na kogo wyglądała – ani dziwką, ani arystokratką o zrujnowanej reputacji, ani niewinną dziewczyną.

Obchodziło go tylko jej ciało przytulone do niego w ciasnym pomieszczeniu, jej długie nogi i delikatna skóra. Tak jakby przez ulotną
chwilę należała do niego.

Pocałunek był zarazem niewinny i grzeszny, jak ta kobieta – z pozornie bogatym doświadczeniem. Dłoń Georgiany spoczęła na jego karku,
a palce wplatały się we włosy z dużą wprawą. Ale westchnęła tak, jakby
dotąd nikt jej nie całował.

Nic dziwnego, że była najbardziej pożądaną damą do towarzystwa.
Dwiema stronami jednego medalu. Pokusą niemożliwą do odparcia.
A teraz, w tej chwili, należała do niego.

Ale najpierw...

Odsunął się odrobinę, pozwalając jej odetchnąć, i szepnął:

– Zrobiłbym to samo. Tak czy inaczej.

Nie podobała mu się sugestia, że uderzył Pottle'a tylko dlatego, iż Georgiana pochodziła z arystokratycznej rodziny. Jak mogła sądzić, że nie zachowałby się tak samo wobec każdej molestowanej kobiety? I że w innych okolicznościach zostawiłby ją na pastwę tego typa? Nie zniósłby sam siebie, gdyby tak zrobił.

Nie wiedział, dlaczego tak bardzo pragnął, aby uważała go za człowieka, który potrafi stanąć w obronie kobiety. Każdej kobiety. Wiedział tylko, że to dla niego ważne.

– Zrobiłbym to samo – powtórzył.

Bawiła się kosmykami jego włosów na karku, zarazem niewinnie i prowokująco. Jego pragnienie się wzmogło.

– Wiem – szepnęła.

Przejął to słowo, przykładając usta do jej rozchylonych warg i pogłębiając pocałunek, który stał się teraz bardziej namiętny.

Nie obchodziły go żadne informacje ani jej podwójna tożsamość – po prostu nie mógł się oprzeć tej kobiecie. Nigdy nie zdradziłby jej sekretów, chociaż wiedział już, że jest kimś innym, niż się wydaje.

Po prostu jej pragnął.

Objął ją w talii i przyciągnął bliżej, wsuwając nogę między uda. Otuliły go spódnice, zapach i uwodzicielska siła. Bo uwodziła go tak samo, jak on ją. Po raz pierwszy w życiu czuł, że tak dobrze do kogoś pasuje.

Podniósł ją w ramionach i poprowadził do przeciwległej ściany alkowy. Przygryzł pieszczotliwie płatek ucha.

– Pragniesz tego od lat – wyszeptał, kąsając delikatną skórę. Wpiła się palcami w jego ramiona.

– Nie – skłamała, ale zdradził ją ton głosu.

– Myślisz, że tego nie widziałem? Że nie czułem, jak na mnie patrzysz?

– Jeśli to widziałeś, to dlaczego po mnie nie przyszedłeś?

Wpatrywał się w nią przez dłuższą chwilę, nie odrywając wzroku od oczu w kolorze płynnego złota.

– Właśnie przychodzę – powiedział i chwycił zębami jej dolną wargę.

Powędrował ustami w dół jej szyi, do zagłębienia, gdzie wibrował śmiech. Próbował jej delikatnie zębami, aż westchnęła z rozkoszy. Miał ochotę głośno krzyczeć z radości, jaką mu to dawało. Zatęsknił za jej ustami.

Odsunęła go.

– Nie pragnąłeś mnie aż do teraz. Aż odkryłeś, że jestem też nią.

Znieruchomiał.

– Nią?

– Georgianą. – Wydało mu się dziwne, że mówi o sobie jak o kimś obcym. Odwrócił ją do światła, żeby lepiej widzieć twarz.

– A więc Georgiana jest kimś innym? – Przymknęła na chwilę oczy, myśląc nad odpowiedzią. Postawił drugie pytanie: – Musisz się nad tym zastanawiać?

– Czyż wszyscy nie musimy? – zapytała z namysłem. – Czy w każdym z nas nie siedzą dwie osoby? Albo trzy? Albo tuzin? Czy nie jesteśmy kimś innym z rodziną i z przyjaciółmi, z kochankami, z obcymi, z dziećmi? Czy nie jesteśmy kimś innym z mężczyznami? Z kobietami?

– To nie to samo – upierał się. – Nie bawię się w udawanie drugiej osoby.

– To nie zabawa – odparła. – Nie sprawia mi to radości.

– Ależ sprawia – rzucił. Była zdumiona, że tak dobrze widzi to, czego nie dostrzegał prawie nikt inny. – Uwielbiasz to. Przecież widzę. Zachowujesz się jak królowa tego kasyna, jakbyś była jego właścicielką. Piękna. Wystrojona... – przejechał od niechcenia palcami wzdłuż brzegu dekoltu, aż westchnęła – ...i ten twój śmiech. Zauważyłem, że się dobrze bawisz, kusisz mężczyzn, wieszasz się na ramionach najbogatszych członków klubu, a tym, którym się nie poszczęściło, dajesz nadzieję, że być może pewnego dnia będą mogli się ogrzać w promieniach twojej przychylności.

Uniosła podbródek i odezwała się, nie wychodząc z roli:

– Teraz ty masz moją przychylność, drogi panie.

– Przestań. Nie próbuj ze mną tych sztuczek. Po co miałabyś urządzać tę całą maskaradę, gdyby nie sprawiało ci to przyjemności?

Dostrzegł w jej oku dziwny błysk, który szybko zniknął.

– Żeby przeżyć.

Duncan dość się nakłamał w życiu, aby rozpoznać, kiedy ktoś mówił prawdę. Właśnie dlatego był wspaniałym dziennikarzem.

– Czego się boisz?

Roześmiała się bez wesołości.

– Mówisz jak człowiek, który nie boi się ruiny.

Gdyby tylko wiedziała o tym, jak budził się co rano z obawą, że tego dnia jego życie zostanie zniszczone. Odgonił te myśli.

– Po co odgrywasz rolę Anny? – zapytał. – Dlaczego nie możesz być po prostu Georgianą? Czy nie boisz się, że rola Anny może cię jeszcze bardziej pogrążyć?

Pokręciła głową.

– Nic nie rozumiesz.

– Owszem. Martwisz się, że nie możesz poślubić utytułowanego człowieka, aby twoja córka miała nieskazitelną reputację, a mimo to wkładasz na siebie te jaskrawe jedwabie, malujesz twarz i dowodzisz brygadą prostytutek w najsławniejszym kasynie Londynu.

– Uważasz to za głupotę, tak?

– Uważam, że to lekkomyślne.

– Myślisz, że jestem samolubna.

– Nie. – Nie był głupcem.

– A więc co myślisz?

– Myślę, że żadna kobieta na świecie nie wybrałaby dobrowolnie tego zawodu.

Uśmiechnęła się, jakby wiedziała coś, czego on nie wiedział. I być może tak było.

– I tu się pan myli, panie West – odrzekła kokieteryjnie.

– Więc o co chodzi? – spytał, rozpaczliwie pragnąc poznać odpowiedź. – Lubisz być wyłączną własnością nieuchwytnego Chase'a, który napełnia strachem serca mężczyzn w całej Brytanii?

– Chase jest tego częścią, rzecz jasna.

Musiał zadać następne pytanie:

– Jest aż tak dobrym kochankiem?

Przez chwilę milczała, a on przeklął sam siebie za to pytanie, zwłaszcza gdy odpowiedziała:

– A gdybym cię zapewniła, że mój związek z Chase'em nie ma nic wspólnego z seksem?

To słowo w jej ustach było pokusą i obietnicą. Tak bardzo chciał jej wierzyć – nie mógł znieść myśli, że dotykają jej ręce i usta obcego człowieka. Tym bardziej że nie znał wyglądu mężczyzny, który rościł sobie do niej prawo.

– Nie uwierzyłbym ci.

– Dlaczego?

– Bo żaden mężczyzna, który miałby cię na wyłączność, nie powstrzymałby się od dotykania ciebie.

Zaszokowały ją te słowa, ale nie dała nic po sobie poznać. Inny mężczyzna na jego miejscu dałby się oczarować bez reszty uśmiechowi pełnemu satysfakcji.

Ale kombinacja tych dwóch cech – niewinności i występku – trafiła w najczulsze miejsce Westa i wywołała falę pożądania.

Gdy zbliżyła się do niego o krok, z trudem zachował spokojny oddech.

– Czy to znaczy, że chciałbyś mnie mieć na wyłączność? – Tym razem przemawiała przez nią Anna, uosobienie grzechu i występku.

Odpowiedział w tym samym stylu:

– Jestem mężczyzną, prawda?

Położyła dłonie na jego ramionach, po czym wsunęła rękę pod ubranie i zatrzymała ją na płóciennej koszuli.

– Czy Chase napełnia twoje serce strachem? – spytała cicho, przyciskając dłoń w odpowiednim miejscu. – Czyżbym czuła jego drżenie?

Tak, to serce biło mocno dla tej tajemniczej kobiety, która doprowadzała go do szaleństwa. Nigdy w życiu nie pragnął nikogo tak bardzo jak jej. Wiedział, że to wybór gorszy niż wszystkie inne, których dokonał w kasynie. Wtedy ryzykował tylko pieniądze.

Teraz ryzykował coś znacznie bardziej cennego.

– Nie kuś mnie – wyszeptał w ciemności, zaciskając w pięści ręce opuszczone wzdłuż boków.

– Bo co? – Pytanie było jak język ognia.

– Bo dostaniesz to, o co się prosisz.

Poczuł jej uśmiech przy policzku.

– To wspaniała obietnica.

Odwrócił głowę i uniósł ją wyżej, by lepiej się do niej dopasować. Objęła go za szyję i przylgnęła do niego całym ciałem, jakby się poddawała.

Przycisnął ją do ściany i przywarł do miejsca między jej udami, przeklinając jedwabne spódnice. Chciał ją poczuć. Otwartą. Gorącą. Mokrą.

Chciał, by należała do niego.

Westchnęła z rozkoszy. Pogłębił pocałunek, wprawiając w ruch język. Dopasowała się do tego rytmu. Przejechał pieszczotliwie dłonią

92

wzdłuż jej ciała, odnajdując kciukiem wypukłość piersi na skraju dekoltu. Nie potrafił oprzeć się pokusie i wsunął palce pod jedwab. Przesunął kciukiem po naprężonym czubku piersi.

Oderwał usta od jej warg.

– Dałbym wszystko za więcej światła.

– Dlaczego?

– Chcę zobaczyć kolor tego cudownego koniuszka. Chcę widzieć, jak się pręży. – Zagryzła wargi. – Przyjemnie ci?

Po dłuższej chwili milczenia mruknęła:

– Tak.

W tej krótkiej odpowiedzi wyczuł dziwny ton. Jakby zakłopotanie. Nie było na to miejsca.

– Nie wstydź się tego, co lubisz.

Podkreślił te słowa delikatnym uszczypnięciem.

– Naprawdę lubię – wykrztusiła w końcu.

– Ja też – przyznał i przesunął językiem wokół naprężonego sutka. Smakowała równie zachwycająco, jak pachniała.

– Anno? – usłyszeli.

Oboje zamarli, wracając do rzeczywistości.

Podniósł głowę i napotkał spojrzenie jej wystraszonych oczu.

– Diabli nadali – zaklęła szeptem, ale nie miał czasu na zdziwienie. Wyjęła mu te słowa z ust. – To Temple.

Poczuł żal i złość. Postawił ją na podłodze.

– Nie wchodź! – krzyknęła Georgiana.

– Jedną chwilę, Temple – rzucił jednocześnie, nie mogąc oderwać oczu od jasnej półkuli jej piersi.

– Za późno – odezwał się Temple już bliżej.

Duncan odwrócił się, by zasłonić ją przed wzrokiem przybysza, i stanął twarzą w twarz z księciem Lamont, udając spokój, którego wcale nie czuł. Później będzie się zastanawiał, dlaczego Georgiana wydała dziki pisk, jakby po raz pierwszy znalazła się w podobnej sytuacji. Może to Temple wprawił ją w zakłopotanie. Tak czy inaczej, była wściekła.

– Wynoś się!

– Podobno zostałaś obcesowo potraktowana – oznajmił ze spokojem Temple. – Widzę, że te wieści nie są bezpodstawne.

– Nic mi nie jest – odparła. – Chyba widzisz.

Temple spojrzał w oczy jej towarzysza.

– West – odezwał się. – Pełno cię tu dzisiaj.

– To mój klub.

– Ale nie twoja kobieta.

Duncan nie miał wątpliwości, że Chase jeszcze tej nocy dowie się o incydencie.

– Twoja też nie – odparowała Georgiana.

Temple zerknął w jej stronę, a Duncan przesunął się, aby ją zasłonić.

– Nie podglądaj damy.

Książę wytrzeszczył oczy.

– Mam się odwrócić?

– Tak byłoby lepiej, bo nie mam ochoty wyzywać cię na pojedynek.

– Boisz się, że mógłbym cię pokonać?

Książę był najlepszym bokserem walczącym na gołe pięści.

– Boję się, że mógłbym wygrać – powiedział Duncan. – Wolałbym nadal nazywać cię przyjacielem, kiedy zakończymy ten niefortunny incydent.

Temple skinął krótko głową i odwrócił się do nich tyłem.

– Pozbieraj swoje… strzępki, Anno.

Westchnęła z irytacją.

– Możesz stąd wyjść, jeśli się wstydzisz, Temple.

– Nie ma mowy – odpowiedział książę. – Oferuję ci moją ochronę.

– Nie potrzebuję ochrony – warknęła Georgiana, podciągając gorset. Duncan poczuł rozczarowanie. – Możesz się odwrócić.

– Nie proponuję jej tobie – wyjaśnił książę i wskazał podbródkiem na Duncana. – Tylko jemu.

West nie przejął się jego słowami.

– Sam umiem sobie poradzić z tą sytuacją.

– Nie masz najmniejszego pojęcia, jaka to sytuacja – stwierdził książę.

– Wynoś się – niemal wrzasnęła Georgiana, wprawiając ich obu w osłupienie.

Temple, o dziwo, posłusznie wyszedł z alkowy.

Przez dłuższą chwilę stali w milczeniu. Duncan próbował sobie wmówić, że powinien być wdzięczny Temple'owi za to, że w porę się zjawił, dzięki czemu sprawy nie zaszły za daleko.

Ta kobieta była tak pociągająca i zarazem niebezpieczna, że lepiej trzymać się od niej na dystans.

– Milady – rzucił na pożegnanie.

– Nie nazywaj mnie tak w tym miejscu – powiedziała.

– Będę cię tak nazywał, gdzie zechcę. Masz prawo do tego tytułu, prawda? – Milczała, więc dodał: – Czy nasza umowa obowiązuje?

Przez chwilę nie wiedziała, o czym mówi. Poczuł satysfakcję, że wytrącił ją z równowagi równie mocno jak ona jego.

– Przekażę to Chase'owi. – Zatopiła bursztynowe spojrzenie w jego oczach. – To się nie może powtórzyć.

– Jest na to tylko jeden sposób. – Spojrzała pytająco. – Zdobądź dla mnie te informacje, a ja wydam cię za mąż.

Odwrócił się i wyszedł z alkowy, a potem z klubu.

Poprzysiągł sobie w duchu, że nie ulegnie tej kobiecie.

7

...I znowu lady G., drodzy czytelnicy! Pojawiła się w operze w cudownej turkusowej sukni. Jeszcze nigdy żadna kobieta nie wyglądała piękniej w takiej oprawie. Arystokraci muszą być zachwyceni powrotem tej damy do towarzystwa i niecierpliwie czekają, aż rozwinie skrzydła...

...Ponieważ trzej właściciele pewnego kasyna zawarli świetne związki, polecamy kobietom, które szukają męża, by przyjrzały się uważnie jego bywalcom. Zdaje się, że w tej wodzie pływają wyjątkowe rybki...

Rubryka towarzyska „Wiadomości Londyńskich",
24 kwietnia 1833

Niewiele brakuje, żeby Chase przespał się z Duncanem Westem – oznajmił Bourne, zajmując miejsce za stołem właścicieli.

Od dwóch dni, od czasu żenującego incydentu z udziałem Westa i Temple'a, Georgiana robiła wszystko, aby uniknąć spotkania ze wspólnikami. Niewiele brakowało, by zrezygnowała z partyjki faraona, którą właściciele mieli zwyczaj rozgrywać w każdy sobotni wieczór. Miała ochotę ukryć się w swoim pokoju.

Ale nie chciała ujść za tchórza i dać wspólnikom satysfakcję. Wiedziała, że natrząsaliby się z niej niemiłosiernie, gdyby zrezygnowała z kart.

Tyle że nie musiała znosić ich obcesowych pytań.

Zbyła słowa Bourne'a milczeniem i zebrała karty ze stołu, którego używali tylko do tej gry. Ona, Temple i Cross grali, Bourne zaś siedział na czwartym krześle, trzymając w dłoni szklaneczkę szkockiej. W dniu swoich osiemnastych urodzin markiz przegrał cały majątek w karty. Od tamtego czasu nie grał wcale.

Niestety, brał udział w ich spotkaniu, z tym swoim głupawym uśmieszkiem przylepionym do ust. Nie przejął się wcale, że nie odpowiedziała na jego zaczepkę.

– Chociaż, jak mniemam, spanie nie byłoby ich głównym zajęciem – mówił dalej niezrażony.

– Nie powinnam była ratować wam tyłków przed laty – mruknęła.

Sześć lat wcześniej Temple i Bourne przyjmowali zakłady do gry w kości na skrzyżowaniu Seven Dials i narobili sobie wielu wrogów. Pewnej nocy Georgiana postanowiła dać im szansę i zaproponowała, by zostali jej wspólnikami. Prawdę mówiąc, ocaliła im wtedy życie, bo paru opryszków zamierzało ich okraść i zostawić na pewną śmierć.

– Pewnie masz rację – powiedział wesoło, odchylił się w krześle i założył ręce na piersi. – Ale na szczęście uratowałaś.

Spojrzała na niego wilkiem.

– Wciąż jeszcze mogę cię wymanewrować.

– Ale na razie jesteś zajęta Westem, więc nie starczy ci czasu na Bourne'a – wtrącił Cross, wygrywając partyjkę.

Rzuciła karty na stół, wyraźnie zła.

– Ty też?

– Obawiam się, że tak.

– Zdrajca. – Popatrzyła na Temple'a. – A ty? Dołożysz swoje trzy grosze do tych zniewag?

Temple pokręcił głową, tasując karty. W końcu rozdał je wprawnymi ruchami.

– Nie chcę mieć z tym nic wspólnego. Prawdę mówiąc, wolałbym wymazać z pamięci tamten incydent. – Zamknął oczy. – To tak, jakby człowiek zobaczył swoją siostrę nagą.

– Nie byłam naga! – oburzyła się.

– Ale wiele nie brakowało.

– Naprawdę? – zapytał Bourne z wyraźnym zainteresowaniem.

– Byłam kompletnie ubrana.

– Ale wolałabyś być naga?

Tak. Nie. Być może. Georgiana odsunęła te myśli.

– Nie bądź śmieszny.

Bourne powiedział do Temple'a:

– Czy powinniśmy jej przypomnieć, że nie odpowiedziała na pytanie?

Opuściła wzrok na karty, czując falę ciepła na policzkach.

– Nienawidzę was.

– Którego konkretnie? – zapytał Temple, wykładając kartę.

– Wszystkich.

– Szkoda, bo nie masz innych przyjaciół – zauważył Bourne.

Mówił prawdę.

– Jesteście skończonymi dupkami.

– Powiadają, że z kim przestajesz, takim się stajesz – odparował.

– W takim razie dobrze się składa, że jestem kobietą – odparła, kładąc kartę.

– Co Temple może teraz potwierdzić. – Bourne zamilkł na chwilę. – Zastanawiałaś się kiedyś, dlaczego żaden z nas nie zapragnął nigdy przekonać się o tym osobiście?

Śmierć byłaby zbyt łagodną karą dla Bourne'a. Zasłużył na średniowieczne tortury. Zastanawiała się, które urządzenie wybrać. Temple się roześmiał.

– Ustaliliśmy już, że widzimy w niej siostrę, a nie uwodzicielkę.

– Rozważałem ten problem – stwierdził Bourne, dolewając sobie szkockiej. – Raz czy dwa.

Wszyscy skierowali na niego wzrok.

– Naprawdę? – spytał Cross, wyrażając ich wspólne oburzenie.

– Nie wszyscy są tacy święci jak ty, Cross – odparł Bourne. – Ale się rozmyśliłem.

Uniosła jasne brwi.

– Rozmyśliłeś się? To znaczy, że zdałeś sobie sprawę, że i tak bym cię nie chciała, nawet gdybyś był ostatnim mężczyzną w Londynie?

– Ranisz mnie. – Położył dłoń na sercu. – Głęboko.

Prawda była jednak inna. Właściciele Upadłego Anioła zeszli się przed sześcioma laty głównie po to, żeby sobie udowodnić, iż mogą mieć większą władzę niż arystokracja. Ponieważ przyświecał im tak wzniosły cel, nie mieli ani czasu, ani ochoty na rzeczy, które odwracałyby ich uwagę. Szczerze mówiąc, dopiero kiedy klub stał się tym, czym miał być, Bourne, Cross i Temple znaleźli w końcu czas na miłość.

A właściwie to miłość ich dopadła.

Położyła kolejną kartę.

– Niech Bóg ma w opiece lady Bourne, bo czeka ją orka na ugorze. Powinnam chyba ją przeprosić, że pomogłam was wyswatać.

Georgiana odegrała znaczącą rolę w związku każdego ze swoich wspólników, ale najbardziej Bourne'a. Lady Penelope Marbury była kiedyś zaręczona z bratem Georgiany, ale okazali się niedobraną parą. Georgiana wykorzystała skandal wokół swojej osoby, by uchronić brata przed nieudanym małżeństwem. Lady Penelope znosiła los starej panny prawie przez dziesięć lat, aż Bourne zapłonął do niej uczuciem.

Temple się roześmiał.

– Przecież ani trochę nie żałujesz, że się do tego wtrącałaś.

Podobną rolę odegrała w wyswataniu Temple'a z panną Mary Lowe, obecnie księżną Lamont, a także Crossa z siostrą lady Penelope, lady Philippą, obecnie hrabiną Harlow.

Bourne wyszczerzył zęby w uśmiechu.

– Moja pani też nie ma czego żałować. Zapewniam was, że dbam o jej szczęście.

Georgiana jęknęła.

– Proszę, oszczędź mi szczegółów.

– Coś mi przyszło do głowy – przerwał im Cross, a Georgiana była wdzięczna, że postanowił zmienić temat.

A miał o czym mówić. Prowadzili we czwórkę kasyno, obracając sekretami najbogatszych i najbardziej wpływowych ludzi w Brytanii.

W budynku, w którym siedzieli, znajdowała się cenna kolekcja dzieł sztuki. Żona Crossa uprawiała piękne róże. A jednak nie podjął żadnego z tych tematów, tylko powiedział:

– West to nie jest zły wybór.

Spojrzała na niego ze zdziwieniem.

– Do czego?

– Nie do czego – poprawił ją – tylko dla kogo. Dla ciebie.

Żałowała, że nie siedzi przy oknie. Mogłaby wyskoczyć. Zastanawiała się, czy nie zignorować jego słów. Popatrzyła na Bourne'a i Temple'a z nadzieją, że też uznają tę wypowiedź za niedorzeczną.

Ale nadzieja okazała się płonna.

– Rzeczywiście. Całkiem niezły – uznał Bourne.

– I dorównuje jej władzą jak nikt inny.

– Oprócz nas – dodał Bourne.

– Racja – potwierdził Temple. – Ale my jesteśmy zajęci.

– Ale nie ma tytułu – wtrąciła się.

– I tylko dlatego uważasz, że to nie jest rozsądny wybór?

Nie to miała na myśli.

– Nie – odparła. – Ale byłoby dobrze, gdybyście pamiętali, że potrzebuję tytułu. I już go wybrałam. Langley nie będzie się mieszał do moich spraw.

Cross się roześmiał.

– Mówisz jak czarny charakter z romansu.

I tak się czuła.

Ponieważ nic nie powiedziała, Bourne dodał:

– Jest zdolny, bogaty, a Penelope uważa go za przystojnego. Nie mam pojęcia, dlaczego – mruknął pod nosem.

– Pippa też tak uważa – oznajmił Cross. – Muszę przyznać, że nie ufam dorosłym mężczyznom, którzy mają taki kolor włosów.

– Zdajesz sobie chyba sprawę, że nie powinieneś się wypowiadać o kolorze włosów – zauważył Temple.

Cross przejechał ręką po swoich rudych puklach.

– Nieważne. To nie mnie Chase uważa za przystojnego.

– Jestem tu z wami, gdybyście nie zauważyli – rzuciła Georgiana.

Ale najwyraźniej niewiele ich to obchodziło.

– To genialny przedsiębiorca i bogaty jak Krezus – ocenił Bourne. – Gdybym się zakładał, to postawiłbym na to, że kiedyś zasiądzie w Izbie Gmin.

– Ale się nie zakładasz – zauważyła Georgiana. Tak jakby to mogło zmusić go do milczenia.

– No i wyraźnie czuje do niej miętę – stwierdził Bourne.

– No cóż, w każdym razie do Anny.

– Prędzej czy później doda dwa do dwóch i odkryje, że Anna jest Georgianą. Zwłaszcza teraz, kiedy... – Bourne machnął dłonią w jej stronę – ... zakosztował tego nektaru.

Tego było już za wiele.

– Po pierwsze, niczego nie zakosztował. To był pocałunek. Po drugie, już wie, że Anna i Georgiana to jedna i ta sama osoba.

Wszyscy trzej zamilkli.

– Odebrało wam mowę? Cud nad cudy. Cały Londyn byłby zaszokowany, gdyby odkrył, że właściciele Upadłego Anioła jazgoczą jak przekupki na rynku.

– On wie? – Cross pierwszy odzyskał mowę.

– Owszem – przytaknęła.

– Chryste – jęknął Bourne. – Jak się dowiedział?

– A jakie to ma znaczenie?

– Ma, jeśli inni też wiedzą.

– Nikt więcej nie wie – zapewniła. – Nikt inny nie wpatruje się na tyle długo w twarz Anny. Interesują ich inne walory.

– Ale West patrzył na jej twarz i widział twarz Georgiany. I domyślił się prawdy – padło z ust Temple'a.

– Tak.

Poczuła się winna, tak jakby mogła odwrócić sytuację.

– Nie powinnaś była do tego dopuścić – odezwał się Bourne. – Jest za bystry. Nic dziwnego, że odkrył, iż Anna i Georgiana to jedna i ta sama osoba. To było nieuniknione. Prawdopodobnie wiedział to już w chwili, kiedy poprosiłaś go, żeby pomógł ci odbudować reputację.

Nie odpowiedziała.

– Ale nie wie o Chasie? – spytał Cross.

Wstała od stołu i podeszła do witrażu, który zastępował całą jedną ścianę pokoju. Był ogromny i złowieszczy, bo przedstawiał upadek Lucyfera. Skrupulatnie ułożone setki kawałków kolorowego szkła tworzyły postać olbrzymiego anioła – cztery razy większego niż przeciętny mężczyzna – który spadał z niebios. Gdy patrzyło się na witraż z kasyna znajdującego się poniżej, postać sprawiała wrażenie, jakby została strącona ze światłości w ciemność, z doskonałości w grzech.

Samozwańczy król, którego władzy nie zagrażał nikt prócz wszechmocnego. Georgiana westchnęła, zdając sobie nagle sprawę, jak bezsilny bywa ten, kto pod względem potęgi zajmuje drugie miejsce.

– Nie – zaprzeczyła. – I nie dowie się, kim jest Chase.

Tyle mogła obiecać.

– Nawet gdyby – dorzucił Temple – to można mu zaufać.

Georgiana od wielu lat pracowała wśród najgorszych przedstawicieli ludzkości. Znała dobrych i złych. Jeszcze dwa dni temu przyznałaby Temple'owi rację. Doszłaby do wniosku, że Westowi można zaufać.

Ale to się zmieniło, kiedy ją pocałował.

Wszystko przez to, że poczuła do niego pociąg tak silny, jak do innego mężczyzny przed wieloma laty. Do tego, któremu ufała całym sercem, w którym pokładała nadzieję i z którym wiązała przyszłość.

Do tego, który zdradził ją bez chwili wahania i wziął wszystko, co mu ofiarowała, sprawiając, że nigdy nie będzie mogła dać tego innemu mężczyźnie. I nigdy nie zapragnie mu tego ofiarować.

Nie wierzyła już teraz w swój instynkt. A to oznaczało, że musiała się oprzeć na innych umiejętnościach.

– Skąd wiesz? – zapytała Temple'a. – No, że można mu zaufać?

– Ufamy mu od kilku lat. Nigdy nas nie zdradził. Musisz go sowicie wynagrodzić aktami Tremleya... Nie mamy powodu sądzić, że ci nie pomoże.

– O ile nie odkryje, kim jest Chase – dodał Cross. – Teraz ma do niej słabość, ale będzie wściekły, jeśli poczuje, że został wystrychnięty na dudka.

Bourne skinął głową.

– Cóż, to prawda.

– Nie jestem mu nic winna – oświadczyła, a trzej mężczyźni spojrzeli na nią w identyczny sposób. – O co wam chodzi?

– Wie, że nie jesteś tylko Anną – przypomniał Cross.

– I mimo to nie jest w stanie utrzymać rąk przy sobie – przypomniał Temple. – Jeśli odkryje, że jesteś również Chase'em...

Nie podobały jej się te słowa ani przypuszczenie, że West jest bardziej związany z jej życiem, niż sobie wyobrażała. Nie podobało jej się też uczucie, jakie wywołała ta myśl. Czuła się tak już kiedyś i nie miała zamiaru przeżywać tego od nowa.

Przywołała na pomoc Chase'a, przypominając sobie cień, który przemknął przez twarz Westa, gdy mówił o Tremleyu. „Jedenaście lat". Przypomniała też sobie groźbę w jego głosie – że jeśli nie dostarczy mu informacji, to ujawni jej tajemnice. Był inteligentnym człowiekiem, a ona wiedziała, czego chce.

– Co o nim wiemy?

– O Weście?

Przytaknęła.

– Co jest w jego teczce?

– Nic – odpowiedział Cross z roztargnieniem, zbierając karty, żeby je potasować. – Ma siostrę. Cynthia West. Ładna dziewczyna. Chętnie przyjmowana w towarzystwie pomimo niskiego urodzenia, dzięki pieniądzom brata. Jest panną.

Georgiana skinęła głową. Wiedziała lepiej niż wspólnicy, co znajduje się w aktach spoczywających w jej sejfie.

– Nic więcej?

Na początku znajomości z Westem zajrzała kilka razy do jego teczki, ale przestała, gdy stał się jej sojusznikiem w walce z socjetą.

– Niewiele – odparł Cross. – Pierwsze fundusze otrzymał od anonimowego ofiarodawcy na założenie plotkarskiego szmatławca, który miał sfinansować pozostałe pisma. Od kilku lat szukam nazwiska tego ofiarodawcy, ale nikt nic nie wie na jego temat. Wiadomo tylko, że chodziło o pokaźną kwotę.

– Bzdury – rzucił Bourne. – Pieniądze zawsze zostawiają ślad.

– Nie te pieniądze – zaprzeczył Cross.

– A rodzinny majątek?

– Nie ma ziemi. I chyba nie ma nikogo oprócz siostry – powiedziała.

– A zatem znalazł tajemniczego dobroczyńcę – stwierdził Temple. – Tak jak my na początku.

To książę Leighton sfinansował kaprys swojej siostry, stawiając tylko jeden warunek – że nikt się o tym fakcie nie dowie. Georgiana zgodziła się z radością.

Spojrzała w ciemne oczy księcia Lamont.

– Z tego, co mówisz, wynika, że to człowiek bez tajemnic.

– Owszem, bez tajemnic, które mogłyby nas zainteresować.

Pokręciła głową.

– Każdy ma jakąś interesującą tajemnicę. A taki człowiek jak West musi mieć niejedną. Więc dlaczego nic o nich nie wiemy?

– Chyba nie chcesz ich szukać – mruknął Temple.

Nie spodobał jej się ten ton potępienia.

– Zakładając kasyno, umówiliśmy się, że ty zajmiesz się ringiem, Bourne stolikami, a Cross księgami rachunkowymi. A ja miałam zdobywać informacje, konieczne, żeby przedsięwzięcie się udało.

– Nie igraj z ogniem – włączył się Cross. – On ma wielkie wpływy.

– Tak jak ja.

– Ale jego władza rośnie, a Chase'a maleje. Twoje tajemnice cię zniszczą.

– West nie odkryje prawdy.

Nie przekonało to Crossa.

– Oni zawsze odkrywają prawdę.

– Jacy oni?

Zbył to milczeniem. I całe szczęście, bo wolała nawet nie podejrzewać, co miał na myśli.

– Nie drażnij lwa, Anno. Nie tego, który może być przyjacielem.

Zanim zasiedli do kart, myślała o tamtym pocałunku. Nie było w nim nic przyjacielskiego. Sprawił tylko tyle, że zaczęła go pragnąć, a wiedziała, że pożądanie nie musi iść w parze z zaufaniem. Tyle zdążyła się nauczyć od ostatniego, a zarazem pierwszego mężczyzny, któremu pozwoliła się pocałować.

Musiała się strzec przed Westem.

A może przed nim nie, podpowiadał wewnętrzny głos.

Może potrzebowała ochrony przed tym, jakie uczucia w niej budził.

Tak czy inaczej, jedno wiedziała na pewno.

– Obojętnie, czy jest przyjacielem, czy wrogiem, zna moje tajemnice. – Spojrzała na wspólników. – Więc i ja muszę poznać jego sekrety.

Pukanie do drzwi uchroniło ją przed kolejną serią pytań. Cross zaprosił przybysza do środka – tylko garstka ludzi wiedziała, że istniał pokój właścicieli, a każdemu z nich ufali bez zastrzeżeń.

Wszedł Justin, który od razu skierował się w jej stronę.

– Załatwione? – spytała.

Majordomus skinął krótko głową.

– Burlington, Montlake i Russell z radością wycofali się z ubiegania o jej rękę.

Bourne spojrzał z zaciekawieniem.

– O czyjej ręce mówimy?

– Czy nie starają się przypadkiem o córkę hrabiego Holborn? – zagadnął Temple.

Cztery głowy zwróciły się w stronę księcia. Georgiana wyraziła ich wspólną opinię:

– Twoje ostatnie zainteresowanie sprawami socjety jest strasznie denerwujące.

Temple wzruszył ramionami.

– Przecież starają się o nią, prawda?

Już nie, odkąd Mary Ashehollow nazwała Georgianę dziwką.

Nie odpowiedziała. Justin też milczał.

– Jest jeszcze coś – dodał po chwili.

Spojrzała na zegar i wiedziała bez pytania, jakie wieści przynosi.

– Lady Tremley, tak?

– Przy wejściu dla dam.

– Co ona tam robi? – zapytał Cross.

– Została zaproszona – wyjaśniła, a wspólnicy spojrzeli na nią wilkiem.

– Nie rozmawialiśmy o tej sprawie – zauważył Temple.

To prawda. Wysłała zaproszenie dwa dni wcześniej, jakąś godzinę po wyjściu Westa.

Nie powiedziała im całej prawdy w obawie, że mogą odrzucić żądanie dziennikarza, nie rozumiejąc, jak bardzo potrzebuje jego pomocy.

– Podjęłam decyzję w waszym imieniu.

– Ona jest niebezpieczna. I Tremley jest groźny – ostrzegł Bourne. – Jeśli chce przekazać jakieś informacje... jeśli on się dowie...

– Nie jestem dzieckiem – przypomniała mu. – Umiem dodać dwa do dwóch. Co z damą, o której mowa?

– Bruno mówi, że ma podbite oko – powiedział Justin.

– Aha. Zemsto, twe imię kobieta*.

– Jeśli jej mąż jest takim tchórzem, że musi bić żonę, to osobiście wymierzę tę zemstę – oznajmił Bourne.

– Pyta o Chase'a – dorzucił Justin.

– Dostanie Annę zamiast niego. – Odwróciła się i wygładziła suknię.

– Bądź ostrożna. Nie lubię, jak chodzisz w stroju dziwki, kiedy żadnego z nas nie ma w pobliżu.

– Nic się nie stanie.

– To, że dotąd nic się nie stało, nie oznacza, że zawsze tak będzie – odezwał się Bourne.

– Czy muszę wam przypominać, że to ja was ocaliłam tamtej nocy przed laty? – spytała.

– To nie jest ciemny zaułek na East Endzie.

Roześmiała się.

– W rzeczy samej.

– Chase – zwrócił się do niej imieniem, które jej nadał pięć lat temu, co przypomniało im tamtą historię. – To jest dużo bardziej niebezpieczne.

Uśmiechnęła się, zadowolona, że ta banda hultajów, których tu zebrała, tak się o nią martwi.

– Tak, ale to niebezpieczeństwo, które znam. Sama je stworzyłam.

– To nie znaczy, że któregoś dnia cię nie pochłonie.

– Możliwe – zgodziła się z nim. – Ale jeszcze nie dzisiaj. – Spojrzała na okno, na którym piękny, jasnowłosy anioł spadał do piekła. – Dzisiaj ja tu rządzę.

Po kilku minutach była już na dole, przy wejściu do części dla pań, gdzie w półmroku stał na straży Bruno, jeden z głównych ochroniarzy Upadłego Anioła. Obok niego stała lady Tremley, piękna dwudziestokilkuletnia kobieta. Tak podbitego oka Georgiana jeszcze nie widziała, mimo że klub słynął z odbywających się co noc walk na gołe pięści.

Skinęła Brunonowi i otworzyła drzwi do przedpokoiku tuż przy ciemnym wejściu.

---

* Parafraza kwestii z *Hamleta* Williama Szekspira, która w oryginale brzmi: „Słabości, twe imię kobieta".

– Milady – powiedziała cicho, wprawiając w zdumienie czekającą kobietę. – Zapraszam do środka.

Lady Tremley spojrzała z wahaniem, ale weszła za Georgianą do pomieszczenia i omiotła je wzrokiem. Wyglądało jak salonik dla dam przeznaczony na popołudniową herbatkę, a tymczasem była to jaskinia gier i plotek, w której kobiety oddawały się hazardowi na równi ze swoimi mężami.

Georgiana wskazała na sofę z błękitnym obiciem.

– Proszę.

Dama usiadła.

– Prosiłam o spotkanie z panem Chase'em.

Cóż, właśnie się z nim spotkała.

Georgiana usiadła naprzeciwko lady Tremley.

– Chase jest nieosiągalny, milady. Przesyła ukłony i ma nadzieję, że w zastępstwie porozmawia pani ze mną.

Markiza obrzuciła spojrzeniem głęboki dekolt sukni Georgiany, wysokość jej platynowej peruki, uczernione rzęsy i zobaczyła to, co widzieli wszyscy, gdy na nią patrzyli: wykwalifikowaną prostytutkę.

– Nie sądzę...

Rozległo się pukanie do drzwi. Georgiana otworzyła i odebrała paczkę od Brunona, który bez mówienia wiedział, co jest potrzebne właścicielom Upadłego Anioła. Zamknęła drzwi i podeszła do lady Tremley, podając jej lniany woreczek z lodem.

– Proszę przyłożyć do oka.

– Dziękuję.

– Znamy się tu na siniakach. – Georgiana usiadła. – I to wszelkiego rodzaju.

Siedziały w milczeniu, podczas gdy lady Tremley przykładała kompres. Georgiana już wiele razy odbywała takie spotkania i doskonale znała ten typ dam. Ta kobieta pragnęła czegoś więcej niż to, co przyniosło jej życie. Chciała czegoś, co ją rozbawi, wzbogaci i zajmie. Co da jej odrobinę radości i pozwoli przetrwać długie dni przyzwoitego życia. A biorąc pod uwagę podbite oko, także długie dni nieudanego małżeństwa.

Kluczem do sukcesu było cierpliwe czekanie, aż dama odezwie się pierwsza. To zawsze skutkowało.

Po kilku długich minutach lady Tremley oderwała kompres od oka i w końcu przemówiła:

– Dziękuję.

Georgiana skinęła głową.

– Nie ma za co.

– Przepraszam.

Zawsze zaczynały od tego samego: od przeprosin. Jakby miały wpływ na los, który im przypadł w udziale. Jakby nie zostały stworzone kobietami, przez sam ten fakt nie mając nic do gadania.

– Nie musi pani przepraszać – rzekła zgodnie z prawdą.

– Na pewno ma pani coś innego... – Dama zawiesiła głos.

Georgiana machnęła lekceważąco ręką.

– Nic ważnego.

Lady Tremley skinęła głową i odezwała się ze wzrokiem wbitym w spódnicę:

– W pierwszej chwili surowo panią osądziłam.

Georgiana się roześmiała.

– Nie pani pierwsza. – Poprawiła się na krześle. – Mam na imię Anna.

Markiza otworzyła szeroko oczy. Georgiana przywykła do tego, że przyzwoite damy były zaszokowane, gdy traktowała je jak równe sobie. To był pierwszy sprawdzian, pierwsza próba ich charakteru.

– Imogen – powiedziała dama i tym samym zaliczyła sprawdzian.

– Witaj w Upadłym Aniele, Imogen. Cokolwiek zostanie tu powiedziane, dowie się o tym tylko Chase.

– Słyszałam o tobie. Jesteś jego... – Zawiesiła głos i zamiast powiedzieć „dziwką", wybrała inne słowo. – Jego pełnomocniczką.

– Między innymi.

– Podobno jest tu klub dla kobiet.

– Obawiam się, że nie mamy tu kółka krawieckiego ani czytelniczego.

Lady Tremley rzuciła jej bystre spojrzenie.

– Nie jestem taka głupia, jak myślisz.

Georgiana zatrzymała wzrok na siniaku pod okiem damy.

– Wcale nie uważam, że jesteś głupia.

Lady Tremley zarumieniła się, ale Georgiana rozumiała, że nie ze wstydu. Jeśli ta kobieta tu przyszła, to już dawno musiała się wyzbyć wstydu z powodu zachowania męża. Powodowała nią raczej złość.

– Wiem, że muszę dostarczyć informację, abym została przyjęta.

– Nie wiem, od kogo o tym słyszałaś.

– Mam informacje, które spodobają się Chase'owi.

Lady Tremley nie przebierała w słowach.

– A skąd wiesz, że Chase już ich nie posiada? Jak zapewne słyszałaś, ma grubą teczkę na każdego ważnego człowieka w Londynie.

– Ale tego na pewno nie wie – stwierdziła dama, zniżając głos i zerkając na drzwi. – Tego nikt nie wie.

Georgiana jej nie uwierzyła.

– Nawet sam król?

– To by zrujnowało Tremleya. Na zawsze – ciągnęła z zadowoleniem. Uderzyło jej do głowy poczucie triumfu, jaki daje zemsta.

– Wiemy o tym, że twój mąż podkrada ze skarbca.

Lady Tremley szeroko otworzyła oczy.

– Skąd wiecie?

A więc to była prawda.

Skąd, u diabła, West o tym wiedział?

I jakim cudem ona mogła nie wiedzieć?

Opanowała się i znowu zaatakowała.

– Wiemy też, że płaci w ten sposób za broń dla wrogów.

Dama wyglądała tak, jakby ktoś spuścił z niej powietrze. I tylko lata praktyki sprawiły, że Georgiana nie zareagowała.

Nie wierzyła do końca Westowi, gdy o tym mówił. Ale jeśli to była prawda, to hrabia dopuścił się zdrady stanu. I zawiśnie na szubienicy, jeśli ta sprawa wyjdzie na jaw.

Na pewno byłby gotów zabić, aby zachować to w tajemnicy. Sądząc po siniaku na twarzy jego żony, nie miał żadnych oporów przed używaniem przemocy.

– Obawiam się – odezwała się znowu Georgiana – że aby uzyskać wstęp do Upadłego Anioła, musisz dostarczyć dowody. Jednak zanim zrobimy kolejny krok, milady, musisz być pewna, że chcesz je oddać z własnej i nieprzymuszonej woli Chase'owi. I Upadłemu Aniołowi. – Zrobiła pauzę. – Musisz zrozumieć, że kiedy te dowody znajdą się w naszych rękach w zamian za przyjęcie cię do klubu, mamy prawo ich użyć w dowolny sposób. I w dowolnym czasie.

– Rozumiem.

We wzroku markizy zobaczyła triumf.

Pochyliła się w jej stronę.

– Rozumiesz, że mówimy o zdradzie stanu?

– Rozumiem.

– Że będzie wisiał, jeśli to wyjdzie na jaw?

Triumf zamienił się w mroczną i zimną mściwość.

– Niech zawiśnie.

Georgiana uniosła brew, słysząc te bezwzględne słowa. Nie zdziwiło jej, że Tremley jest draniem. Jednak była zaskoczona, że jego żona zachowuje się niczym groźna Boudika*.

– Zatem mamy jasność. Czy ma pani dowody?

Markiza sięgnęła za stanik i wyjęła kilka podartych kawałków papieru o przypalonych brzegach. Rzuciła je Georgianie.

Georgiana ułożyła skrawki na czerwonym jedwabiu sukni. Przebiegła wzrokiem tekst i podniosła wzrok na żonę Tremleya.

– Skąd pani wiedziała...

– Mój mąż nie jest taki inteligentny, jak się wydaje królowi. Wrzuca korespondencję do ognia, ale nie czeka, aż listy spłoną.

– Zatem... – zaczęła Georgiana.

Imogen dokończyła zdanie:

– Mam tego dużo więcej.

Georgiana siedziała w milczeniu przez dłuższą chwilę, rozważając konsekwencje tego, co zrobiła ta kobieta. Tego, co było w wykradzionych listach. Pomyślała, że pomogą jej jeszcze tego wieczoru.

Dzięki nim zyska pomoc Duncana Westa, a co za tym idzie, zabezpieczy przyszłość swoją i córki.

Nowe informacje zawsze przyprawiały ją o dreszcz ekscytacji, ale te – szczególnie.

– Możesz być pewna, że wyrażam zdanie Chase'a, mówiąc: „Witamy na Drugiej Stronie".

---

* Boudika (ur. 22 roku n.e., zm. 61 roku n.e.; jej imię oznacza Zwycięstwo) – królowa Icenów zamieszkujących wschodnią Brytanię.

Lady Tremley uśmiechnęła się, co zdjęło z jej twarzy wyraz znużenia i przywróciło młody wygląd.

– Możesz zostać w klubie – dodała Georgiana.

– Mam ochotę się trochę rozejrzeć. Dziękuję.

– Nie chodzi o jeden wieczór, milady. Druga Strona to nie tylko miejsce do gry. Jeśli potrzebujesz schronienia, możemy ci je zapewnić.

– Nie potrzebuję.

Georgiana przeklęła w myślach świat, w którym się urodziły i w którym kobiety nie miały innego wyboru, jak zaakceptować codzienne zagrożenia. Największa ironia kryła się w tym, że gdy kobieta miała zrujnowaną reputację, nareszcie mogła czuć się wolna. Nie można było tego powiedzieć o przyzwoitych damach, które miały wysoką pozycję i dobrze wyszły za mąż. A zarazem źle, bo ich małżeństwa nie były udane.

Georgiana widziała już wiele razy kobiety w podobnej sytuacji, więc nie naciskała.

– Jeśli kiedykolwiek... – Przerwała, pozostawiając resztę zdania w zawieszeniu.

Lady Tremley nic nie powiedziała, ale wstała.

Georgiana otworzyła drzwi i wskazała na elegancko urządzony korytarz.

– Klub stoi przed tobą otworem, milady.

8

...Paradna godzina staje się coraz bardziej modna, odkąd bierze w niej udział lady G. – w tym tygodniu w towarzystwie uroczej panny P. Autor nie ma najmniejszych wątpliwości, że dzięki tym dwóm damom łagodne zbocza Hyde Parku będą wkrótce najmodniejszym miejscem paradowania...

...Oto jak upadają potęgi! Widziano, jak książę L. pchał wózek dziecinny przez Mayfair! Ponieważ człowiek ten znany jest z innych, bardziej gwałtownych czynów, żałujemy,

że nie było w pobliżu artysty, który uwieczniłby to wie-
kopomne wydarzenie na obrazie olejnym. Cóż za strata!...

Rubryka towarzyska „Kuriera Tygodniowego",
26 kwietnia 1833

*N*ie było nic gorszego niż plotkarskie gazety... chociaż przyniosły mu fortunę.

Duncan West siedział w swoim biurze na Fleet Street i przeglądał następny numer „Skandali".

To było jego pierwsze przedsięwzięcie, kiedy wiele lat temu przyjechał do Londynu. Zamierzał zbić kapitał na zainteresowaniu wyższych sfer modą i sprawami matrymonialnymi, skandalami i łajdactwem. I na rozpowszechnionym wśród gminu zainteresowaniu życiem wyższych sfer.

Taktyka zdała egzamin – brukowiec przyniósł mu mnóstwo pieniędzy, które mógł zainwestować w drugą, o wiele bardziej wartościową gazetę: „Wiadomości Londyńskie". Jednak nigdy nie przestało go zdumiewać, że skandale z wyższych sfer sprzedawały się lepiej niż poważne informacje i bawiły ludzi bardziej niż sztuka.

Wiedział, że jest hipokrytą, bo to właśnie tamtej gazecie zawdzięczał stworzenie prasowego imperium, ale nie mógł się przemóc, by nią nie pogardzać. Na ogół nie zajmował się zawartością szmatławca, powierzając to zadanie swojemu zastępcy. Ale w tym numerze główny artykuł do rubryki zatytułowanej *Skandal sezonu* napisał osobiście. To był pierwszy wystrzał w bitwie o to, by lady Georgiana Pearson zawarła odpowiednie małżeństwo.

Przebiegł tekst wzrokiem, szukając literówek i niezręcznych sformułowań: „W przeciwieństwie do wielu osób, które spotkał podobny los, ta dama przetrwała dzięki sprytowi, inteligencji i śmiałości".

Nie, żadne z trzech ostatnich słów nie było właściwe. I chociaż idealnie pasowały do Georgiany – wiedział, że nie zrobią wrażenia na socjecie. Ci ludzie mieli w głębokiej pogardzie cechy, które sprawiały, że ta dama była tak urzekająca.

Chciałby móc powiedzieć, że wszystkiemu winien był pocałunek. Pocałunek, którego nie powinien był inicjować, a już na pewno pozwalać, by wymknął się poza niewinne ramy.

111

Tylko że ta kobieta był zaprzeczeniem niewinności. I nie działo się tak wyłącznie z powodu przebrania Anny. Bardziej ponętna wydawała się Georgiana – ze świeżą twarzą i błyszczącymi oczami. Kiedy trzymał ją w ramionach, miał ochotę zedrzeć jej z głowy tę niedorzeczną perukę i rozpuścić jasne włosy, a potem kochać się z prawdziwą kobietą, ukrytą pod wypchaną poduszeczkami suknią.

Nie musiała wypychać gorsetu, skoro została obdarzona przez naturę idealnymi kształtami.

Usiłował skupić uwagę na gazecie, którą trzymał w ręce. Ale to i tak nie pomogło; nie mógł wyrzucić damy z umysłu, ponieważ była głównym tematem tego cholernego brukowca.

Czerwonym atramentem zamienił spryt na urok, inteligencję na elegancję, a śmiałość na wdzięk. To też pasowało do lady Georgiany, ale z pewnością nie opisywało jej tak dobrze jak poprzednie słowa.

A także wiele innych słów: piękna, fascynująca, niewiarygodnie pociągająca.

Położył roboczą wersję gazety na biurku i odchylił się w fotelu, zamykając oczy. Ta kobieta była niebezpieczna. Powinien powierzyć napisanie tego artykułu komuś innemu i już więcej się z nią nie widywać.

– Proszę pana... – rozległo się od drzwi.

Podniósł wzrok na Marcusa Bakera, swojego sekretarza i pomocnika do wszystkiego.

– Wejdź.

Mężczyzna położył na biurku stos gazet i plik kopert.

– Jutrzejsze wiadomości i dzisiejsza poczta – powiedział, po czym dodał: – Krąży plotka, że wicehrabia Galworth jest zadłużony w Upadłym Aniele na wiele tysięcy funtów.

– To nic nowego.

– Próbuje wydać swoją córkę za bogatego Amerykanina.

Spojrzał swojemu sekretarzowi w oczy.

– I co?

Baker wskazał dużą kopertę na biurku.

– Chase przesyła dowód, że wicehrabia ustawiał wyścigi konne.

– To już jest coś – uznał West i otworzył list, rzucając okiem na znajdujący się w środku plik papierów.

Nie do wiary, że Chase miał taką wiedzę.

– Galworth musiał bardzo rozzłościć Chase'a.

– Upadły Anioł nie lubi tych, którzy nie oddają długów.

– I dlatego zawsze bardzo uważam, żeby nie zaciągać długów w tym klubie – powiedział West leniwie, odkładając list z informacją. Sięgnął po leżącą na wierzchu stosu małą kopertę. Kiedy złamał pieczęć i przeczytał krótką wiadomość, poczuł nieprzyjemny ucisk w żołądku.

Rozumiem, że zawarłeś nową przyjaźń.

Gdzie jest mój artykuł? Robię się niecierpliwy.

Liścik był niepodpisany, jak wszystkie wiadomości skreślone ręką hrabiego Tremleya. Zwinął kartkę i przytrzymał ją nad płomieniem świecy. Zawsze czuł frustrację i gniew, kiedy dostawał liściki z żądaniami, które był zmuszony wypełniać. Ale te uczucia ustępowały, gdy patrzył, jak ogień pochłania brzegi kartki. Mógł odwlec napisanie artykułu na temat wojny o kilka dni, ale potrzebował dowodu od Chase'a, i to bardzo szybko.

Odwrócił się do Bakera, który jeszcze nie wyszedł.

– Coś jeszcze?

– Pańska siostra, sir.

– Co z nią?

– Jest tutaj.

Spojrzał na Bakera nierozumiejącym wzrokiem.

– Dlaczego?

– Bo obiecałeś zabrać mnie na przejażdżkę – oznajmiła jego siostra od drzwi.

Cynthia West była inteligentna i śmiała, a czasami, gdy miała na to ochotę, stawała się niesforna. Mógł o to obwiniać tylko siebie, bo od trzynastu lat, odkąd stał się bogatym człowiekiem, wciąż ją rozpieszczał. Cynthia uwierzyła, jak wiele innych młodych kobiet, że ma świat u stóp, i uznała to za zupełnie normalne.

A do tego świata zaliczała też brata.

– Do licha – jęknął. – Zapomniałem.

Weszła do pokoju, zdejmując pelerynę, i usiadła na krześle po drugiej stronie biurka.

– Spodziewałam się tego i dlatego tu jestem, zamiast czekać w domu, aż po mnie przyjedziesz.

– Trzy gazety idą wieczorem do druku.

– Więc nie powinieneś obiecywać mi przejażdżki. Źle to zaplanowałeś.

Zmrużył oczy.

– Cyntio…

Odwróciła się do Bakera.

– Zawsze jest taki irytujący?

Baker wiedział, że lepiej nie odpowiadać na to pytanie. Ukłonił się szybko i opuścił pokój.

– Bystry człowiek – stwierdził West.

Gdy drzwi zamknęły się za sekretarzem, Cynthia rzuciła:

– Myślę, że mnie nie lubi.

– Prawdopodobnie – przyznał, przerzucając papiery, które przyniósł Baker. – Cynthio, nie mogę…

– Mowy nie ma – stwierdziła. – Już trzy razy to przekładałeś. Właśnie jest paradna godzina, więc chcę poparadować. Chociaż raz. No chodź, Duncanie. Rozwesel swoją biedną, niezamężną starą pannę.

– Niezamężna stara panna to masło maślane – powiedział, celowo ją irytując.

– No to może zadowoli cię znudzona stara panna?

– Zabawianie cię nie należy do moich obowiązków. Najpierw muszę dostarczyć rozrywkę innym mieszkańcom królestwa.

– Przecież masz setkę podwładnych. Na pewno ktoś inny może sprawdzić pisownię czy co tam robisz po całych dniach.

– Robię trochę więcej.

Machnęła lekceważąco dłonią.

– Tak, wiem. Rządzisz zza tego biurka całym imperium.

– Istotnie.

– W każdej z twoich gazet jest rubryka towarzyska, a jedno pismo w całości dotyczy skandali. Przejażdżka po Hyde Parku w środku sezonu to wręcz sprawa zawodowa.

– Mylisz się.

– Przecież muszę pokazać się światu. Nie interesują cię moje perspektywy matrymonialne? Mam dwadzieścia trzy lata, na miłość boską. Siedzę na koszu!

– Ależ oczywiście, że mnie interesują. Pracują u mnie dziesiątki kawalerów. Wybierz sobie jednego, którego chcesz. Na przykład Bakera. To dobry pracownik.

114

Przycisnęła dłoń do piersi.

– Dobry pracownik! O mój Boże, serce mi zamarło.

– Ma wszystko na swoim miejscu i głowę na karku.

– Istotnie, to wielka zaleta.

– Nie wiem, czego pragną kobiety.

Georgiana Pearson, na przykład, była zainteresowana tylko tytułem. Machnął ręką w stronę drzwi.

– Wybierz sobie któregokolwiek mężczyznę w tym budynku, tylko nie każ mi dzisiaj jechać na przejażdżkę.

– Mam wielką ochotę zgodzić się na to, żeby zobaczyć, jak zmieniasz zdanie. – Zarzuciła pelerynę na ramiona. – Obiecałeś mi, Duncanie.

Przez chwilę zobaczył w niej znowu pięcioletnią dziewczynkę, którą osiemnaście lat temu wsadził na konia, obiecując, że zabierze ją w bezpieczne miejsce – takie, w którym czeka ich lepsze życie. Takie, w którym będą silni.

A on dotrzymywał obietnic.

Po godzinie byli już w Hyde Parku i przesuwali się powoli w ścisku powozów i jeźdźców. Rotten Row* – trakt o trafnej nazwie, zdaniem Duncana – był zapchany tłumem arystokratów oraz ziemian, którzy przyjechali na sezon do Londynu i znudzeni bezbarwnymi zimami na swoim pustkowiu, rozpaczliwie szukali tego, co nadawało życiu rumieńców – plotek. Tłoczyli się na słynnym trakcie w Hyde Parku o paradnej godzinie – jak nazywali tę porę Cynthia i cała socjeta – po to, by ich tam widziano i by mogli się bulwersować skandalami.

West skinął głową hrabiemu Stanhope, który przejechał obok powozu na oszałamiającym czarnym wierzchowcu.

– Milordzie.

– West. Widziałem pana wstępniak w „Wiadomościach Londyńskich". Ten, który zachwalał Factory Act**. Dobrze pan to ujął. Dzieci nie powinny pracować dłużej niż dorośli.

– Dzieci w ogóle nie powinny pracować – odparł West. – Ale uznam tę ustawę za rozsądny krok w dobrym kierunku i mam nadzieję, że siła

---

* *rotten* (ang.) – zgniły, zepsuty.
** Ustawa przyjęta w 1833 roku przez brytyjski rząd. Jej celem była poprawa warunków pracy dzieci w fabrykach.

naszych połączonych głosów nie odstraszy tych, którzy byliby skłonni przyjąć nasz punkt widzenia. – Hrabia był znany z płomiennych przemówień, które wygłaszał w Izbie Lordów.

Stanhope się roześmiał.

– Proszę pomyśleć, jakie szkody moglibyśmy wyrządzić, gdyby ubiegał się pan o miejsce w Izbie Gmin.

Zerwał się nagły wiatr, jakby wszechświat znał prawdę. West nigdy nie będzie mógł się ubiegać o miejsce w Izbie Gmin. Nie będzie mu wolno rozmawiać z hrabiami, jeśli jego sekrety wyjdą na jaw, a w którymś momencie tak się stanie. Bo tajemnica przestaje nią być, gdy pozna ją druga osoba. A w jego przypadku tak właśnie było.

– Aż za duże, milordzie.

Hrabia najwyraźniej wyczuł zmianę tonu rozmowy, bo dotknął brzegu kapelusza i ruszył przed siebie.

West i jego siostra jechali w milczeniu, aż zerwał się kolejny podmuch wiatru i Cynthia postanowiła poprawić bratu humor.

– Jaki piękny dzień na przejażdżkę – odezwała się wesoło.

– Wiszą szare chmury i może padać.

– Przecież mamy kwiecień, Duncanie. Niebo jest prawie błękitne.

– Jak to możliwe, że jesteś taka oderwana od rzeczywistości, skoro jesteśmy rodzeństwem?

– Powiedziałabym raczej, że mam pogodne usposobienie. Myślę, że bogowie uśmiechnęli się do ciebie, zsyłając ci młodszą siostrzyczkę.

Bogowie nie mieli nic wspólnego z jej narodzinami. Ale wciąż dobrze pamiętał ten dzień, gdy usmarowany dziegciem, z bąblami na dłoniach, poszedł do pralni, gdzie jego matka leżała w kącie na prowizorycznym posłaniu ze starych koców i trzymała na ręku niemowlę.

Wspomnienie nawiedziło go bez ostrzeżenia. „No dalej, Jamie, weź na ręce siostrzyczkę".

Wziął od matki tobołek z kwilącym noworodkiem. Dziewczynka była owinięta w koszulę pana przeznaczoną do reperacji. Ledwo było ją widać. „Będzie zły, że zniszczyłaś jego koszulę".

W oczach matki czaił się smutek, gdy odparła: „Nie martw się nim".

Odwinął koszulę, aby lepiej się przyjrzeć tej małej istotce. Miała brązowe włoski i najbłękitniejsze oczy, jakie w życiu widział.

Odgonił wspomnienie, aby go nie przytłoczyło.

– Wyglądałaś jak goblin.

– Wcale nie!

– Może i nie. Chyba bardziej jak staruszek – byłaś czerwona i pomarszczona, jakbyś za długo była na słońcu.

– Mówisz okropne rzeczy.

– Wyrosłaś z tego. – Wzruszył ramionami i dodał, ale tak, by nikt nie usłyszał: – Kiedy pierwszy raz wziąłem cię na ręce, obsiusiałaś mnie.

– Na pewno na to zasłużyłeś! – rzuciła nadąsana.

– Na szczęście, z tego też wyrosłaś – dodał z uśmiechem.

– Zaczynam myśleć, że nie powinnam cię zabierać na tę przejażdżkę – zauważyła. – Nie jest tak miło, jak się spodziewałam.

– W takim razie osiągnąłem cel.

Spojrzała na niego z ukosa, ale po chwili jej uwagę przykuły dwie damy, które jechały przed nimi. Rozmawiały z głowami pochylonymi ku sobie, co było nieomylnym znakiem, że plotkują jak najęte.

– Bądź cicho. Te dwie damy na pewno mówią coś ciekawego.

– Wiesz, że twój brat ma nieograniczony dostęp do najważniejszych plotek z wyższych sfer? Dostajesz co najmniej trzy plotkarskie gazety na tydzień.

– A co to za zabawa czytać to samo, co reszta świata? Podjedźmy bliżej i udawaj, że rozmawiamy.

– Przecież rozmawiamy.

– No tak, ale jak coś mówisz, to ich nie słyszę. Więc udawaj.

Na piaszczystym trakcie roiło się od arystokratów i ziemian, a wszyscy zjawili się tu z tego samego powodu, co Cynthia. Cały ten przeklęty tłum poruszał się w żółwim tempie, podsłuchiwanie rozmów było więc dziecinnie łatwe. Plotki, które krążyły na Rotten Row, nie były zbyt cenne po części dlatego, że wszyscy już je słyszeli. Mimo to zwolnił, aby siostra mogła posłuchać, o czym rozmawiają damy, które teraz jechały obok, bo sam nie był ani trochę zainteresowany ich konwersacją.

– Słyszałam, że ma na oku Langleya – oznajmiła pierwsza.

– To by była wspaniała partia, ale nie sądzę, aby chciał się wżenić w taką rodzinę – stwierdziła druga.

– To nie jest taka zła rodzina – zaoponowała pierwsza. – Jest siostrą Leightona, a Ralston jest jej szwagrem.

West poczuł nagły przypływ zainteresowania.

– Rozmawiają o lady Geor...

Podniósł rękę, a Cynthia natychmiast się uciszyła.

– Co z tego, że mają tytuły. Jak się pomyśli o całej reszcie... ta księżna wciąż wywołuje skandale.

– Ale wszyscy ją przyjmują – zauważyła pierwsza.

– Oczywiście. W końcu to księżna. I do tego bogata. Ale to nie znaczy, że ludzie sobie życzą jej obecności. Włoska krew. I katoliczka. No i ten bękart.

– Co za straszna kobieta – wyszeptała Cynthia, pochylając się w ich stronę.

Tylko lata praktyki powstrzymały Westa przez zrobieniem tego samego. Tą straszną kobietą była lady Holborn, złośliwa plotkarka i niegodziwe babsko, jeśli opinie na jej temat mówiły prawdę. Towarzyszyła jej lady Davis, gość niezbyt ceniony w arystokratycznych domach, choć w porównaniu z tą pierwszą wydawała się uosobieniem świętości.

Dobrze się stało, że usłyszał, co się mówi o Georgianie. Przecież obiecał, że pomoże jej wyjść za mąż. Rozpoznanie opinii na jej temat pomoże mu lepiej odegrać rolę w tej sztuce.

I to był jedyny powód, dla którego zainteresował się rozmową tych dam.

Hrabina Holborn dodała:

– Ta kobieta ma zrujnowaną reputację. Jest przegrana, bez względu na nazwisko. Żaden mężczyzna nie miałby pewności, czy jego dziedzic jest rzeczywiście jego dzieckiem. I do tego jeszcze paraduje po Hyde Parku z tą swoją nieślubną córką, niewiele lepszą od matki. To obraźliwe. Spójrz tylko na nie...

Więc Georgiana tu jest.

– Co za straszna kobieta – powtórzyła Cynthia.

Rozmowa stopniowo cichła, gdy nabierali szybkości. Westa już to nie obchodziło. Przeszukiwał wzrokiem park. Powiedziały, że tu jest. Z córką.

Nagle poczuł nieodpartą ochotę, by poznać dziewczynkę.

Rozglądał się wokół, sprawdzając, czy nie ma jej za nimi. I wtedy jego wzrok przyciągnęła ciemnoszafirowa suknia z dala od tłumu. Odetchnął z ulgą i dopiero w tym momencie zdał sobie sprawę, że przez cały czas wstrzymywał oddech. To oczywiste, że nie spacerowała z resztą towarzystwa. Nie chciała być częścią tego świata.

Stała na niewielkim wzniesieniu za drzewami, z niedużą dziewczynką przy boku. Obie trzymały konie za wodze, a za ich plecami rozpościerała się tafla jeziora Serpentine. Były pogrążone w rozmowie. Przyglądał im się przez długą chwilę, aż dziewczynka powiedziała coś, z czego Georgiana się roześmiała. Swobodnie, bez cienia strachu. Jak gdyby nie były wystawione na spojrzenia połowy Londynu.

Tej połowy, której akceptacja była konieczna, żeby mogła wyjść dobrze za mąż.

West zaczął się zastanawiać, co ją tak rozbawiło.

Nie spuszczając z niej oka, zaparkował pojazd na skraju traktu i wysiadł.

– Czy chciałabyś poznać osobę, o której plotkowały tamte dwie? – zapytał siostrę.

Cynthia zapytała z nieukrywanym zdziwieniem, siedząc jeszcze w powozie:

– A ty ją znasz?

– Owszem – odparł, przywiązując wodze do słupka i schodząc z wydeptanej ścieżki na trawę. Ruszył w stronę wzgórza, po którym spacerowała Georgiana. Pragnął, żeby tam została, żeby uwiązała te piękne konie i postała na trawie, aż do niej dotrze.

Cynthia, która go dogoniła, musiała mocno przyspieszyć kroku.

– Rozumiem.

Rzucił jej kose spojrzenie.

– Co rozumiesz?

– Jest bardzo ładna.

– Nie zauważyłem.

– Na pewno?

– Nie.

Dawniej potrafił kłamać bez wysiłku. Jeszcze tydzień temu.

– Nie zauważyłeś, że lady Georgiana Pearson, ta jasnowłosa, smukła i urocza istota, do której pędzisz na złamanie karku…

Zwolnił kroku.

– Wcale nie pędzę.

– Do której pędziłeś na złamanie karku – poprawiła się. – Nie zauważyłeś, że jest ładna?

119

– Nie – zaprzeczył, z rozmysłem nie patrząc na siostrę, bo nie chciał zobaczyć w jej oczach zrozumienia i zaciekawienia.

– Rozumiem – odpowiedziała.

Boże, uchroń go przed siostrami.

9

...W razie pożaru pamiętajcie, że konie wicehrabiego Galwortha nie ułatwią wam ucieczki. Nigdy nie biegną tak szybko, jak się zakłada...

...Tymczasem okropne i nieodpowiednie przezwisko lady G. coraz mniej do niej pasuje. W tym sezonie nie wywołała nawet cienia skandalu i, prawdę mówiąc, piszący te słowa jest tym trochę rozczarowany...

"Skandale", 27 kwietnia 1833

*P*owiedz mi, dlaczego spacerujemy tutaj, a nie tam, gdzie wszyscy?

Georgiana popatrzyła na Caroline, zdziwiona jej pytaniem. Całe popołudnie przechadzały się brzegiem jeziora Serpentine i nie było w tym nic dziwnego – robiły to dziesiątki razy, kiedy Caroline przyjeżdżała do miasta.

Ale nigdy, odkąd Georgiana wystawiła się na pokaz na matrymonialnym targowisku. Aż do dzisiaj Caroline nie pytała, dlaczego właśnie tutaj, a nie na Rotten Row.

Georgiana uznała, że powinna mieć przygotowaną odpowiedź. Caroline miała prawie dziesięć lat, a dziewczynki w tym wieku zaczynają rozumieć, że świat nie istnieje tylko dla ich przyjemności. Wyłącznie dla przyjemności arystokracji. Przebywając więc tak blisko miejsca, gdzie kręciły się jej całe tłumy, musiała w końcu o to zapytać.

– Chcesz pospacerować tam, gdzie wszyscy? – spytała, unikając odpowiedzi na pytanie córki i marząc, by ta zaprzeczyła. Obawiała się, że nie dałaby rady znieść ich spojrzeń, gdyby udały się na przejażdżkę po głównym trakcie, ani ścierpieć ukradkowych szeptów. Nie tylko na własny temat, ale przede wszystkim tych, które dotyczyłyby Caroline.

– Nie chcę – stwierdziła Caroline i odwróciła się, żeby popatrzeć na przesuwający się tłum. – Tylko się zastanawiałam, dlaczego ty nie chcesz tam być.

Bo wolałabym spędzić popołudnie w gnieździe rozjuszonych os, pomyślała Georgiana.

– Ponieważ wolę być tutaj. Z tobą.

Caroline rzuciła jej spojrzenie pełne niedowierzania. Georgiana była pod wrażeniem uczciwości wypisanej na ładnej, szczerej twarzyczce córki.

– Matko…

To przez nią rozumiała więcej, niż powinny rozumieć dzieci. To ona była odpowiedzialna za to, że Caroline wydawała się zbyt dojrzała jak na swój wiek. Bez swojej winy została wplątana w skandal, który ciągnął się za matką.

– Nie wierzysz mi?

– Wierzę, że chcesz spędzić ze mną popołudnie, ale nie wierzę, że to z tego powodu tam nie idziemy. Przecież jedno drugiego nie wyklucza.

Po chwili zastanowienia Georgiana oznajmiła:

– Jesteś taka inteligentna, że może ci to zaszkodzić.

– Nie – odparła Caroline z namysłem. – Jestem taka inteligentna, że tobie może to zaszkodzić.

Georgiana się roześmiała.

– Znowu mnie pokonałaś.

Przez kilka minut spacerowały w milczeniu.

– Dlaczego chcesz wyjść za mąż? – zapytała w końcu dziewczynka.

Georgianę aż zatkało ze zdziwienia.

– Ja…

– Napisali o tym w porannej gazecie.

– Nie powinnaś czytać gazet.

Caroline rzuciła jej kpiące spojrzenie.

– Dawałaś mi gazety, zanim jeszcze nauczyłam się czytać. „Porządne damy czytają gazety". Tak mówiłaś, prawda?

Znowu ją przyłapała.

– Ale nie powinnaś czytać tego, co wypisują o mnie. – Po chwili ciągnęła: – A skąd wiedziałaś, że to o mnie?

– Przecież to jest tak napisane, żeby było oczywiste. Lady G.? Siostra księcia L.? Która ma córkę pannę P.? Prawdę mówiąc, czytałam o sobie.

– No dobrze – odparła Georgiana, zastanawiając się, co powinna powiedzieć matka. – Tego też nie powinnaś robić.

Caroline spojrzała na nią, a w jej bystrych niebieskich oczach odmalowały się zrozumienie i ciekawość.

– Nie odpowiedziałaś na moje pytanie. Dlaczego chcesz wyjść za mąż? I czemu właśnie teraz?

Wiedziała, że musi coś powiedzieć, ale nie miała pojęcia co. Nigdy nie okłamała Caroline i nie chciała tego zmieniać właśnie teraz, kiedy dziewczynka postawiła najtrudniejsze pytanie w swoim życiu.

Na szczęście Bóg się nad nią ulitował, dostrzegła Duncana Westa, który wspinał się na wzniesienie.

Jej wybawiciel.

Zaparło jej dech w piersiach. W popielatych spodniach, śnieżnobiałej koszuli i granatowej marynarce wyglądał doskonale.

Z jego ruchów przebijała pewność siebie, jakby przez całe życie nie zrobił fałszywego kroku i mógł mieć świat u swych stóp na jedno skinienie.

Georgiana urodziła się jako córka i siostra najbardziej wpływowych książąt w Brytanii, ale ten mężczyzna, chociaż nie był arystokratą – ani nawet dżentelmenem – wydawał się mieć władzę równą ich władzy. A nawet większą.

Pewnie dlatego tak bardzo ją pociągał.

Chociaż z drugiej strony... władza nie powinna jej interesować, bo sama miała jej dosyć.

A jednak na jego widok mocno biło jej serce. Obawiała się, że inni mogą to usłyszeć, zawołała więc z ożywieniem:

– Panie West!

Caroline spojrzała na nią dziwnie, zaskoczona tym nagłym wybuchem entuzjazmu.

Nie przejęła się reakcją córki, ale zainteresowała ją kobieta, która trzymała Westa pod ramię. To była Cynthia, jego siostra, młodsza o dziesięć lat. Powiadano, że jest rozpieszczona przez brata i bardzo ekscentryczna, ale czarująca.

– Lady Georgiano – powiedział West, po czym złożył głęboki ukłon w kierunku Caroline. – A to jest panna Pearson, jak się domyślam?

Caroline zachichotała.

– Dobrze się pan domyśla, sir.

Mrugnął do dziewczynki i się wyprostował.

– Pozwolą panie, że przedstawię moją siostrę. Panna West.

Cynthia dygnęła grzecznościowo.

– Milady.

– Te ceremoniały są naprawdę niepotrzebne – stwierdziła Georgiana.

– Ale przecież jest pani córką księcia, prawda?

– Owszem – przyznała Georgiana – ale…

– Rzadko korzysta z tego przywileju – wtrąciła się Caroline.

Georgiana spojrzała na rodzeństwo Westów.

– Człowiek powinien zawsze zabierać ze sobą dziewięciolatkę, żeby kończyła jego myśli.

Cynthia rzuciła zupełnie poważnie:

– Zgadzam się z panią. Też by mi się jedna przydała.

– Jestem pewna, że moja matka z przyjemnością mnie wypożyczy – oceniła Caroline, a jej słowom towarzyszył zbiorowy wybuch śmiechu. Georgiana poczuła się niezmiernie szczęśliwa, że dziewczynka ma taki bystry umysł. Sama nie wiedziała, co powiedzieć Duncanowi Westowi, zważywszy, że pod koniec ich ostatniego spotkania stała przed nim z obnażoną piersią.

Zarumieniła się na samo wspomnienie i przycisnęła dłoń w rękawiczce do policzka, czując, że zdradzieckie ciepło ogarnia całą twarz. Spojrzała na Westa, mając nadzieję, że tego nie zauważył.

Ale jego ciepłe brązowe oczy zatrzymały się na policzku, którego dotykała.

Opuściła dłoń.

– Miło nam państwa widzieć. Czemu zawdzięczamy tę przyjemność? – zapytała zbyt piskliwie i surowszym tonem, niżby należało. Siostra Westa otworzyła szerzej oczy, podobnie jak Caroline.

Duncan zignorował jej ton i oznajmił:

– Przejeżdżaliśmy w pobliżu i zauważyliśmy panie z daleka. Pomyślałem, że to lepszy pomysł niż snucie się po Rotten Row przez następną godzinę.

– Myślałam, że lubi pan się snuć po Rotten Row. Czy to nie jest doskonałe źródło materiału do pańskiej gazety?

– Ha! – wtrąciła się Cynthia. – Tak jakby Duncana obchodziły plotki.

– A nie obchodzą? – zapytała Caroline. – To po co pan je publikuje?

– Caroline – napomniała ją Georgiana matczynym tonem. – Skąd ty w ogóle wiesz, że pan West jest wydawcą gazet?

– Porządne damy czytają gazety. Nie omijam nawet tej części, w której wymieniają skład redakcji. – Spojrzała na Westa. – Pan się nazywa Duncan West.

– Istotnie.

– Nie jest pan taki stary, jak sobie wyobrażałam.

– Caroline! – przerwała jej Georgiana. – To niestosowne.

– Wcale nie uważam tego za niestosowne. – Uśmiechnął się do jej córki, a Georgianie wcale nie spodobało się odczucie, które ją w tym momencie ogarnęło: mdlący ucisk w żołądku. – Uznam to za komplement.

– I słusznie – zgodziła się Caroline. – Myślałam, że jest pan dosyć stary, bo ma pan tyle różnych gazet. Jak pan to zrobił? Miał pan utytułowanego brata?

W głowie Georgiany zadźwięczały ostrzegawcze dzwoneczki – Caroline wiedziała, że Upadły Anioł został powołany do istnienia po części dzięki jej wujowi Simonowi. Nie chciała, by West zaczął dociekać, dlaczego dziewczynka postawiła takie pytanie.

– Caroline, już dosyć.

Cynthia jej przerwała:

– Gdybyśmy tylko mieli brata z tytułem… Wszystko byłoby łatwiejsze.

Nie bądź taka pewna, chciała powiedzieć Georgiana, ale ugryzła się w język.

– Skoro nie wolno pytać o tamto, to mogę przynajmniej zapytać, dlaczego pan publikuje plotki, skoro ich nie lubi?

– Nie – zaprzeczyła Georgiana. – Nie zadajemy wścibskich pytań.

– Ale on zadaje, prawda? Jest reporterem.

Boże, uchroń ją przed dziewięcioletnimi dziewczynkami, rozwiniętymi nad wiek.

– Trafiła w sedno, lady Georgiano. Jestem reporterem – powiedział West.

I przed trzydziestotrzyletnimi mężczyznami, którzy są nieprzyzwoicie przystojni.

– Widzisz? – powiedziała Caroline.

– Pan tak mówi z grzeczności – odparła Georgiana.

– Nic podobnego – zaprotestował.

– Ależ tak – upierała się Georgiana, żałując w duchu, że nie została dzisiaj w domu. Zwróciła się do córki: – Ty też mogłabyś czasem spróbować. Co mówiłyśmy o towarzyskich imprezach?

– Przecież to nie jest impreza.

– Ale zasady są podobne. Co mówiłyśmy?

Caroline zmarszczyła czoło.

– Że nie wolno mówić o piciu z wydrążonej czaszki?

Zaległa wymowna cisza, którą po chwili przerwał śmiech Westów. W końcu Cynthia oświadczyła:

– Och, panno Pearson. Jest panienka bardzo dowcipna!

Caroline uśmiechnęła się promiennie.

– Dziękuję.

– Proszę mi opowiedzieć o tych pięknych koniach, dobrze? Panienka musi być doskonałą amazonką.

W ten sposób zmieniono temat, a Caroline odciągnięto od towarzystwa, zanim została skrzyczana albo zamordowana przez własną matkę. Georgianie zawirowało w głowie, gdy pomyślała niejasno, że Cynthia celowo zostawiła ich samych. Nie była przyzwyczajona tak łatwo oddawać pole.

Zatęskniła za klubem.

Odwróciła się do Westa, który nadal się uśmiechał.

– Picie z wydrążonej czaszki?

Machnęła niecierpliwie ręką.

– Lepiej nie pytaj.

– Jak sobie życzysz.

– Teraz widzisz, dlaczego potrzebuję męża. Jest nad wiek rozwinięta, co może jej nie wyjść na dobre.

– Wcale tak nie myślę, naprawdę. Jest czarująca.

Uśmiechnęła się lekko.

– Bo nie należysz do socjety. – Gdy spoważniał, zrozumiała, że palnęła głupstwo. Dodała: – I nie musisz z nią mieszkać.

– Zapominasz, że mam siostrę, która też jest ekscentryczna.

To określenie doskonale by pasowało do Caroline.

– Powiedz mi, czy dżentelmeni szukają żon wśród ekscentrycznych kobiet?

– Nie wiem. Nie jestem dżentelmenem.

Poczuła ukłucie, obce jej, ale doskonale rozpoznawalne. Poczucie winy.

– Nie chciałam… – zaczęła.

– Wiem – odparł. – Ale masz rację. Nie urodziłem się dżentelmenem, Georgiano. I lepiej o tym nie zapominaj.

– Ale dobrze odgrywasz tę rolę – powiedziała.

Istotnie, wyglądał w każdym calu jak dżentelmen. Dobrze też odegrał rolę dżentelmena, gdy ocalił ją przed oślizłym, wstrętnym Pottle'em. I przez wszystkie minione lata nigdy, ani razu, nie potraktował jej tak, jak traktuje się kobiety lekkich obyczajów.

– Tak sądzisz? – spytał od niechcenia, gdy ruszyli za Caroline i Cynthią, które rozmawiały z coraz większym ożywieniem. – Uważasz, że dobrze udawałem dżentelmena, mimo że tak obcesowo potraktowałem cię w kasynie? Mimo że prawie rozebrałem cię do naga?

Byli w miejscu publicznym, w samym środku Hyde Parku. Postronny obserwator nie dostrzegłby w ich zachowaniu nic niestosownego. Nikt by się nie domyślił, że po tych słowach oblała ją fala ciepła, jakby znów byli w ciemnej alkowie w jej kasynie.

Nie spojrzała na niego, obawiając się, że zauważy jej reakcję.

– I chciałem zrobić znacznie więcej – dodał miękkim głosem.

Ona też tego chciała.

– Może jednak nie jesteś takim dżentelmenem, na jakiego wyglądasz.

– Zapewniam cię, że nie ma tu miejsca na „może".

Była pewna, że jeśli ktoś ich obserwował, domyśliłby się, co on powiedział. I jaką przyjemność jej to sprawiło. Spojrzała na jezioro, udając, że rozmawiają na inny temat. Jakikolwiek.

– To kim jesteś w taki razie?

Nie odpowiedział od razu. Obserwował ją badawczo. W końcu musiała popatrzeć mu w oczy. Przytrzymał jej wzrok przez jedno uderzenie serca. Dwa. Dziesięć.

– Myślałem, że wiedziałaś od pierwszego spotkania. Jestem skończonym łajdakiem.

I w tej chwili rzeczywiście nim był. Ale wcale jej to nie przeszkadzało. Prawdę mówiąc, zapragnęła go jeszcze bardziej.

Szli w milczeniu za jego siostrą i jej córką, które maszerowały wzdłuż krętego brzegu jeziora. Zastanawiała się, o czym on myśli. Miała nadzieję, że powie to na głos. Albo lepiej nie powie.

Odezwała się pierwsza.

– Żona mojego brata mało nie utonęła w tym jeziorze.

– Pamiętam to – odparł bez wahania. – Twój brat ją uratował.

To był początek miłości na wieki. Takiej, która nie miała tragicznego zakończenia, tylko szczęśliwe.

– Przypuszczam, że o tym napisałeś.

– Możliwe – zgodził się. – Jeśli dobrze pamiętam, „Skandale" były wtedy najpopularniejsze ze wszystkich moich gazet.

– Po ostatniej rozmowie z Caroline doszłam do wniosku, że nadal są bardzo popularne.

– Naprawdę?

– Tak. Jak się pewnie domyśliłeś, czyta plotkarskie rubryki.

– Jak wszystkie dziewczęta w Londynie – zauważył z uśmiechem.

– Tak, ale większość dziewczynek w jej wieku nie czyta o tym, że ich matka szuka męża.

– Tak?

– Wyczerpujący komentarz.

– Coś mówiła na ten temat?

– Zapytała, dlaczego chcę wyjść za mąż. I czemu teraz.

Dziewczęta były dość daleko od nich. Znajdowali się w miejscu publicznym, ale sam na sam. Dwuznaczna sytuacja, jak wszystko, co dotyczyło Georgiany w ostatnim czasie.

Wolała nie myśleć, co mogłoby się zdarzyć, gdyby została zupełnie sama z Duncanem Westem.

Szli chwilę w milczeniu, zanim spytał:

– I co odpowiedziałaś?

Spojrzała na niego z oburzeniem.

– Ty też?

Wzruszył ramionami w sposób, który zaczynała już rozpoznawać.

– Wiesz, że robisz tak, kiedy chcesz dać komuś do zrozumienia, że nie interesuje cię, co ta osoba ma do powiedzenia?

– Może mnie nie interesuje. Może po prostu jestem uprzejmy.

– Od kiedy to za uprzejme uważa się zadawanie wścibskich pytań? – zapytała. – Nie zrozumiałeś lekcji, którą dopiero co dałam córce?

– Masz na myśli tę o piciu z wydrążonych czaszek? – Roześmiała się, zaskoczona, a na jego ustach pojawił się przelotny uśmiech. Potem dodał: – No cóż, jak zauważyła twoja córka, jestem reporterem.

– Jesteś magnatem prasowym – poprawiła.

– Ale z zamiłowania reporterem. – Uśmiechnął się znowu.

Nie mogła się powstrzymać, by nie odpowiedzieć uśmiechem.

– Ach… I rozpaczliwie poszukujesz historyjek.

– Nie wszystkie mnie interesują. Ale twoja i owszem.

Oboje wydawali się zdziwieni tymi słowami, zwłaszcza Georgiana. Czy naprawdę tak myślał? Czy naprawdę interesowała go jej historia? Czy chodziło mu tylko o informacje, które obiecała? O zapłatę, którą otrzymywał, ilekroć wyświadczył Upadłemu Aniołowi przysługę?

I dlaczego tak bardzo jej zależało, aby poznać odpowiedzi?

Po głowie krążyło jej mnóstwo pytań. Przerwał ten zamęt, mówiąc:

– Ale dzisiaj wystarczy mi odpowiedź na pytanie Caroline, dlaczego chciałaś wyjść za mąż.

– Jest wiele powodów, dla których powinnam to zrobić.

– Powinnam to nie to samo, co chcę.

– Nie czepiajmy się słówek.

– Ale to ważne. Nie powinienem był całować cię wczoraj, ale bardzo chciałem.

Zatrzymała się. Te słowa nie tylko ją zdziwiły, ale obudziły znacznie potężniejsze uczucie: pożądanie. Ich spojrzenia się spotkały i dostrzegła ciepły płomień w brązowych oczach.

– Nie możesz… – Zawahała się. – Nie możesz mówić o tym, jak gdyby nigdy nic. I w dodatku w publicznym miejscu. Podczas paradnej godziny.

– To najbardziej idiotyczne określenie czwartej po południu, jakie można sobie wyobrazić – zauważył, zmieniając charakter rozmowy. Jakby nie wypowiedział przed chwilą słowa „całować" w miejscu, gdzie przelewały się tłumy londyńskiej arystokracji.

– Powiedz mi to, Georgiano. – To imię w jego ustach było jak pieszczota, chociaż w ich zachowaniu nie było nic niestosownego. – Dlaczego chcesz wyjść za mąż? – spytał cicho i czule.

– Przecież wiesz. Potrzebny mi tytuł.

– Dla Caroline.

– Tak. Potrzebna jej ochrona, a porządny tytuł ją zapewni. Z twoją pomocą dostanie ten tytuł, a dzięki niemu, mam nadzieję, zyska również przyszłość.

– I spodziewasz się, że Langley będzie przyzwoitym ojcem?

Wypowiedział te słowa tak lekko, że prawie by przeoczyła fakt, że szukały one odpowiedzi na pytanie, które zadawała sobie przez całe dorosłe życie.

– Jeśli jej się poszczęści, to tak.

– Uczciwe podejście, ale to dotyczy Caroline. A co z tobą?

– Ze mną?

– Sedno sprawy tkwi w samym pytaniu, Georgiano. Dlaczego ty chcesz wyjść za mąż?

Nagły podmuch wiatru przyniósł jego zapach – mieszankę drewna sandałowego i czegoś jeszcze, co skojarzyło jej się z czystością, czegoś bardzo męskiego. Prawdopodobnie to ten zapach skłonił ją do powiedzenia prawdy:

– Bo nie mam innego wyboru.

Prawdziwość tych słów zdumiała ją. Miała ochotę je cofnąć. Żałowała, że nie dodała czegoś bardziej zuchwałego i cynicznego. Ale stało się. Odkrył jej słabości. Chociaż była jednym z najbardziej wpływowych ludzi w Brytanii, który nocą sprawował rząd dusz, tutaj, w blasku dnia, pozostawała tylko kobietą z jej prawami. I z jej nic nieznaczącą władzą.

W blasku dnia, jako matka nieślubnej córki, potrzebowała pomocy. Nie drążył tematu, stawiając zamiast tego pytanie:

– Dlaczego teraz?

Pytał ją o to już wcześniej – tamtej nocy, kiedy spotkali się na balkonie podczas balu u Worthingtonów. Tamtej nocy, kiedy poznał Georgianę. Wtedy nie odpowiedziała, ale teraz odparła bez wahania, patrząc na idącą daleko w przodzie Caroline:

– Bo nie mogę jej dać wszystkiego, czego potrzebuje.

– Mieszka z twoim bratem. Przypuszczam, że niczego jej nie brakuje.

Kiedy popatrzyła znów na córkę, wspomnienia niemal ją przytłoczyły.

– Nie chodzi o to. Zasługuje, żeby mieć własną rodzinę.

– Opowiedz mi – poprosił miękko, a ona pożałowała, że nie są w innym miejscu, gdzie mogłaby się wtulić w jego ciepłe ramiona i zrobić to, czego chciał.

– Zaraz po Nowym Roku – odpowiedziała – pojechałam do rezydencji brata, żeby ją odwiedzić.

Zgromadzeni tam ludzie nie zaszczycili jej nawet przelotnym spojrzeniem. Bardziej interesował ich niespotykany w środku zimy ciepły dzień niż ekscentryczna ciotka, która często pojawiała się o dziwnych porach, ubrana w bryczesy i wysokie buty.

Ale Caroline ją zauważyła.

– Zdziwiła się na mój widok.

– Nie odwiedzasz jej zbyt często?

Georgianę zalało poczucie winy.

– Ta rezydencja… jest tak daleko od Mayfair.

– Na drugim końcu świata. – Trafił w sedno. Była zachwycona, że tak szybko ją zrozumiał, i zła na niego. – I co się stało?

Próbowała wyjaśnić, ale pomyślała, że ta historia jest zbyt prosta. I może nieistotna.

– Nic szczególnego.

Nie zadowolił się tą odpowiedzią.

– Co się stało? – powtórzył.

Wzruszyła ramionami, mając nadzieję, że ukryje tym gestem wstyd, który budziło w niej to wspomnienie.

– Myślałam, że ucieszy się na mój widok, ale ona była zakłopotana. Zamiast podbiec do mnie z uśmiechem, zamrugała i zapytała: „Co tu robisz?"

Odetchnął głęboko. Pomyślała, że to oznacza zrozumienie, ale bała się na niego spojrzeć. Bała się spytać.

– To mnie zaszokowało. Przecież jestem jej matką. Czy nie powinnam jej odwiedzać? Czy moje miejsce nie jest przy niej? – Pokręciła głową. – Byłam wściekła. Nie na nią, tylko na siebie.

Przystanęła i zatopiła się we wspomnieniach. Przypomniała sobie uśmiech Caroline, taki, jakim powitałaby obcą osobę.

– Nigdy… – zaczęła i zamilkła. Nic nie powiedział, czekając cierpliwie. Bez wątpienia właśnie ta nieskończona cierpliwość sprawiła, że był takim dobrym reporterem. Przerwała milczenie. – Nigdy nie czuję się tak, jakbym należała do tego świata.

Bo nie należała.

Ruszyli znowu przed siebie.

– Ale to nie znaczy, że nie możesz do niego wrócić.

– Najpierw muszę tego chcieć.

Zrozumiał, co ma na myśli.

– Niszczy cię bitwa między tym, czego człowiek pragnie, a tym, czego powinien pragnąć.

– Ona zasługuje na to, żeby mieć rodzinę – powtórzyła. – Szanowaną rodzinę. I dom. I... – Zatrzymała się, zastanawiając się nad dalszym ciągiem zdania. – No, nie wiem – dodała, szukając czegoś, co świadczyłoby o normalności. – Kota. To, co mają zwykłe dziewczęta.

Zabrzmiało to dość idiotycznie.

Ale on tak nie uważał.

– Caroline nie jest zwykłą dziewczynką.

– Ale mogłaby być. – „Gdyby nie ja", zawisło w powietrzu.

– I myślisz, że tytuł Langleya jej to umożliwi?

Tytuł był tylko środkiem do celu. Czy nie rozumiał tego?

– Tak – potwierdziła.

– Bo Chase cię nie chce, prawda?

Ostatnie słowa padły z zaskoczenia i nie były miłe. Wyczuła w nich gniew. W jej imieniu.

– Nawet gdyby Chase mnie chciał.

– Nie mów, że nie jest arystokratą, do tego bogatym i wpływowym. W przeciwnym razie jego tożsamość nie byłaby trzymana w takiej tajemnicy, prawda?

Nie odpowiedziała. Ujawnienie czegokolwiek byłoby zbyt ryzykowne.

– Mógłby ci dać wszystko, czego szukasz, ale nawet teraz go bronisz. Mimo że każe ci chodzić po Hyde Parku pod okiem tych wszystkich wilków.

– To nie tak – szepnęła.

– No więc go kochasz. Ale nie wolno ci wierzyć, że to nie jest jego wina. To przez niego masz związane ręce. To on powinien się z tobą ożenić. Wesprzeć cię całą swoją władzą i potęgą.

131

– Gdyby mógł... – Wymknęły jej się te słowa, ale miała nadzieję, że nie wyczuł w nich fałszu.

– Ma żonę?

Nie odpowiedziała. Nie mogła.

– Nie powiesz mi, to jasne. – Uśmiechnął się lekko. – Jeśli tak, to jest draniem. A jeśli nie... – Nie dokończył.

– To co? – naciskała.

Zwrócił wzrok na nieruchomą taflę jeziora. Przez chwilę myślała, że nie odpowie, ale w końcu się odezwał:

– Jeśli nie, to jest głupcem.

Wstrzymała oddech. Spojrzał jej w oczy.

– Ostatnio coraz trudniej mi znieść myśli o nim.

– Nawet gdyby nie miał żony, i tak go nie chcę – odpowiedziała, nienawidząc tych słów, kłamstw, które mnożyła. Że Chase istnieje, że jest tajemniczym, wpływowym człowiekiem, od którego widzimisię zależy los ich obojga.

– Jasne, przecież chcesz Langleya – powiedział.

Chcę ciebie. Zdusiła w gardle te słowa.

– To dobry wybór. Jest miły i przyzwoity. I ma tytuł – dodał.

– To też – przyznała.

Szli przez dłuższą chwilę w milczeniu.

– Co to za wybór, jeśli na liście znajduje się tylko jeden mężczyzna? – powiedział w końcu. Kiedy się nie odezwała, dodał: – Powinnaś mieć wybór.

Ale nie miała.

I nie miał znaczenia fakt, że coś zakłóciło wewnętrzną równowagę Chase'a – Anny – Georgiany do tego stopnia, że teraz szantaż zaczął wydawać się jej obrzydliwy. Ale może się okazać jedynym sposobem.

Ale w tej chwili miała wybór. West jej pragnął, i to z wzajemnością.

Mogła zdobyć to, co powinna, na całe życie... albo to, czego pragnęła – na krótką chwilę.

Ale może da się te sprawy połączyć.

Dlaczego nie miałaby wykorzystać tej chwili z Westem? Był idealnym partnerem – znał jej tajemnice, ale nie całą prawdę. Wiedział, że jest Anną i Georgianą; wiedział, dlaczego szuka męża, i chciał jej w tym pomóc. Poczuła się wolna na myśl, że może wybrać jego, zanim będzie musiała wybrać innego.

Nagle wszystko stało się jasne.

– Masz kochankę? – wyrzuciła z siebie tak bezpośrednio, że sama oniemiała. Gdzie się podziała Anna? Gdzie się ukryła najsłynniejsza kurtyzana w Londynie? A co ważniejsze, gdzie się podział potężny i zawsze pewny siebie Chase?

Miała ochotę rzucić się do jeziora.

Uniósł wysoko brwi, ale na szczęście jej nie wyśmiał, choć z pewnością miał na to ochotę.

– Nie, nie mam.

Skinęła krótko głową i szli dalej brzegiem jeziora.

– Pytam, bo nie chciałabym... się mieszać.

Dlaczego słowa przychodzą z takim trudem?

Zbyt badawczo jej się przyglądał. Widziała to kątem oka. Będzie wpatrywał się w nią jeszcze uważniej, kiedy wreszcie wydusi to z siebie.

Ta myśl wcale jej nie pomogła.

– Na miłość boską, lady Georgiano, ja przecież chcę, żebyś się w to mieszała.

Wzięła głęboki oddech. Teraz albo nigdy. Musi to wykrztusić.

– Proponuję pewien układ. Nie na długo, by to było głupie. I niegodziwe.

I niebezpieczne. Dłuższy związek z Duncanem Westem skończyłby się tym, że pragnęłaby więcej, niż było jej wolno.

– Mów dalej – rzucił tylko.

Zatrzymała się i odwróciła do niego. Starała się zachowywać tak, jak przystało na właścicielkę najlepszego w Londynie klubu dla panów.

– Powiedziałeś, że chciałbyś mnie całować.

– To chyba było jasne.

Zignorowała falę ciepła, która zalała ją po tych słowach.

– Owszem. I chciałbyś też robić inne rzeczy.

Jego oczy pociemniały.

– Wiele innych rzeczy.

– W takim razie proponuję, abyśmy zrobili te rzeczy.

– Naprawdę?

Poczuła wstyd, ale pokryła go bezczelnością.

– Tak. Nie masz przecież kochanki. Ja też nie mam nikogo.

To go zaszokowało.

– Cóż, mam nadzieję.

Przechyliła głowę na bok i powiedziała głosem Anny, czując przypływ siły, skoro propozycja już padła:

– Nie widzę powodu, by tego nie robić, dopóki nie zwiążę się z Langleyem. Oczywiście, z zachowaniem dyskrecji.

– Oczywiście.

– Myślę, że się sprawdzisz.

– Jako kochanek?

– Nie kpij. Przecież nie będę cię nazywać swoim panem.

Tym razem na chwilę odebrało mu mowę. Ku jej radości.

– Zdaje się, że powinienem się obrazić.

Roześmiała się, czując nagle, że ta rozmowa coś w niej wyzwoliła.

– Panie West, niech pan da spokój, nie jestem delikatnym kwiatuszkiem. Czy sam pan nie powiedział, że powinnam mieć wybór?

Spojrzał spod przymrużonych powiek.

– Miałem na myśli długoterminową przyszłość.

– Wybrałam już długoterminową przyszłość. A teraz wybieram najbliższą – oświadczyła, robiąc krok w jego stronę. Zniżyła głos do szeptu: – Wybieram ciebie.

Uśmiechnęła się do niego.

– Biorę milczenie za zgodę. Mogą to być, powiedzmy, dwa tygodnie?

– Pod jednym warunkiem – oznajmił, odwracając się plecami do wiatru, który dął od jeziora.

– Słucham.

– Będziesz tylko w moim łóżku, nie w jego.

Chase.

– Zgoda.

Wydawał się zdziwiony, że bez wahania zgodziła się na ten warunek. Pomyślała nawet, że może zrobiła to zbyt szybko.

Myślał, że jest kobietą Chase'a.

Nie powinna się aż tak przejmować, że jej nie ufa. Przecież kłamała nawet wtedy, gdy mówiła mu prawdę.

A mimo to się przejmowała. Bo chciała, żeby ten związek był prawdziwy.

– Nie jesteśmy… – zaczęła.

Przerwał jej.

– Zgadzam się.

Ogarnęła ją ulga.

– Zaczynamy jutrzejszej nocy – dodał.

Ulga zamieniła się w pożądanie.

– Ja… – zaczęła, ale znowu jej przerwał.

– I to ja przejmuję nad tym kontrolę.

Te słowa wywołały dreszcze emocji, ale powiedziała sobie w duchu, że nie pozwoli mu rządzić.

– To był mój pomysł.

– Zapewniam cię, że wpadłem na ten pomysł dużo wcześniej niż ty.

Zawołał siostrę, która od razu się odwróciła, i wskazał na powóz. Oddała Caroline wodze konia Georgiany i ruszyła w stronę pojazdu. West spojrzał znowu na Georgianę i powtórzył:

– Przejmuję nad tym kontrolę.

– Niewiele mnie to obchodzi.

– Obiecuję, że będzie inaczej.

I ruszył w dół wzniesienia.

– Panie West! – zawołała za nim, chociaż nie wiedziała, co chce powiedzieć. Pragnęła tylko, żeby się odwrócił. By mogła jeszcze raz na niego spojrzeć.

Spełnił jej pragnienie.

– Biorąc pod uwagę rezultat naszej rozmowy, powinnaś mnie nazywać Duncanem, nie sądzisz?

Duncan. To się wydawało zbyt osobiste, nawet po tym, co mu zaproponowała. A może właśnie dlatego. Dobry Boże, złożyła mu niedwuznaczną propozycję. Ni mniej, ni więcej.

– Duncanie!

Uśmiechnął się leniwie, ukazując zęby.

– Podoba mi się.

Na jej policzki wypłynął niechciany rumieniec. Uniósł kącik ust.

– I to też mi się podoba. Nie ma teraz w tobie nic z Anny. Żadnego fałszu.

Zdawał się wiedzieć o niej zbyt wiele. I widzieć za dużo.

Szukała w głowie słów, które pozwoliłyby jej odzyskać nad nim władzę.

– Gdzie się podziewałeś, zanim przyjechałeś do Londynu?

Znieruchomiał. Zrozumiała to w jedyny możliwy sposób – jej pytanie wprawiło go w konsternację. Ona, ponieważ wciąż musiała odróżniać prawdę od kłamstwa, miała wyostrzony instynkt i domyśliła się, że coś kryje się w jego przeszłości.

– W Suffolk.

Nie miał zamiaru czekać na kolejne pytanie.

– Do zobaczenia jutro wieczorem – powiedział, nie zostawiając czasu na odmowę.

Skinęła głową w nerwowym oczekiwaniu.

– Do jutra.

Odwrócił się i odszedł. Odprowadzała go wzrokiem, gdy szybko zmniejszał dystans między sobą a siostrą, która była już w połowie drogi do powozu. Jutro wieczorem...

Co ona narobiła?

– Matko? – Głos Caroline wyrwał ją z zamyślenia. Georgiana spojrzała na córkę, która stała kilka kroków od niej, trzymając wodze obu koni.

Zmusiła się do uśmiechu.

– Możemy wracać? Spacer skończony?

Caroline spojrzała na oddalające się plecy Westa – Georgiana nawet w myślach nie potrafiła go nazywać Duncanem, bo wydawało jej się to zbyt osobiste – a potem na matkę.

– Skończony.

Wyjdzie za mąż za innego mężczyznę, by ofiarować Caroline dostęp do świata, na który zasługuje. Możliwości, na które zasługuje. Ale chyba nie będzie nadużyciem zafundować sobie kilka chwil przyjemności, zanim to się stanie?

Co jej to szkodziło?

10

...Nasza gazeta pragnie podzielić się z czytelnikami wiadomością z wiarygodnego źródła. Otóż pewien zubożały

lord interesuje się pewną damą z bardzo dużym posagiem. Chociaż nie możemy potwierdzić planów wspomnianego lorda, to jednak wiemy z całą pewnością, że przed kilkoma dniami spędzili ze sobą kwadrans na ciemnym balkonie. Jesteśmy przekonani, że lord L., który zachowywał się jak dżentelmen w każdym calu, już wkrótce będzie mógł pozwolić sobie na więcej...

...Prawdę mówiąc, niewiele jest małżeństw, które podziwiamy tak jak markiza i markizę R. Już od ponad dziesięciu lat są nierozłączną parą, a ich wzajemne uwielbienie chyba nigdy nas nie znuży. Krążą plotki, że nawet szermierkę ćwiczą razem...

Rubryka towarzyska „Tygodnia w Brytanii", 29 kwietnia 1833

Artykuły odniosły zamierzony skutek.

U Beaufetheringstone'ów Georgiana zatańczyła z pięcioma potencjalnymi konkurentami do jej ręki, w tym trzema zubożałymi łowcami posagów, markizem z dziada pradziada i hrabią o niepewnym urodzeniu. A miała przed sobą jeszcze drugą połowę balu.

W przerwie orkiestry stała z wicehrabią Langleyem przy stole z napojami na drugim końcu pokoju i czekała niecierpliwie na pierwsze dźwięki muzyki – aby mogła z nim zatańczyć i zrobić tym samym kolejny krok na drodze do bezpiecznej przyszłości z tytułem wicehrabiny.

Niewykluczone, że pomogła w tym obecność właścicieli Upadłego Anioła, którzy też zostali wezwani na pomoc, chociaż ich wsparcie nie mogło być oficjalne. Fakt, że się zjawili, wydawał się jednak prawdziwym cudem, gdyż markiz Bourne i hrabia Harlowe bardzo nie lubili wypełniać towarzyskich obowiązków. Mimo to stali spokojnie na sali jak milczący wartownicy.

A może stało się tak za sprawą ich żon – równie wpływowych jak mężowie. Należały do nowego pokolenia arystokracji. Szczypta skandalu nie zaszkodzi ich idealnemu wizerunkowi.

O powodzeniu Georgiany mogła zaś zadecydować każda z tych rzeczy. Mogła, ale West wiedział, co było przyczyną.

Stało się tak dzięki artykułom w jego gazecie.

Nie był tylko pewien, czy powinien się cieszyć z tego sukcesu. Wydawało mu się wprost niewiarygodne, że Georgiana potrzebowała jego wsparcia. Miała przecież przy boku całą kolekcję lordów i dam – osób, które potrafiły żeglować po wzburzonych wodach socjety i same przebyły trudną drogę do społecznej akceptacji. Ale nie istniało na świecie bardziej niebezpieczne połączenie niż kobieta niezamężna i skandal.

Śledził ją wzrokiem, gdy uniosła kieliszek do ust, wypiła łyk szampana i uśmiechnęła się do swojego towarzysza. West wyobraził sobie, jak spija resztki alkoholu z jej błyszczących wilgocią warg.

Chociaż minęło kilka dni od ich pocałunku, wciąż czuł smak jej ust i za każdym razem, gdy o niej pomyślał, pragnął rozpaczliwie, by bal wreszcie dobiegł końca i zaczęła się ich noc.

Langley ujął jej łokieć i poprowadził ją do tańca.

W jednej chwili West poczuł antypatię do wicehrabiego.

Zaczynały go denerwować jego nic nieznaczące uśmiechy, doskonale skrojony frak i nieskazitelny fular. A także sposób, w jaki się poruszał, jakby został stworzony do życia w tym świecie, może nawet dla tej kobiety. I chociaż ta myśl była całkowicie irracjonalna, nie miało to znaczenia, bo Langley rzeczywiście był do tego stworzony.

Denerwował go nawet sposób tańczenia wicehrabiego. Płynął po parkiecie z wdziękiem, jak dżentelmen w każdym calu. Irytował go uśmiech Georgiany, gdy wirowali po parkiecie – nie musiała nawet zadzierać głowy, zauważył złośliwie, bo Langley był dokładnie tego wzrostu co ona.

Powstrzymywał się z całej siły, by nie patrzeć na nich wilkiem. Nie podobało mu się, że tworzą taką ładną parę i że bez trudu można wyobrazić ich sobie razem.

A także ładne dzieci, które będą mieli.

Tak jakby obchodziły go ich dzieci.

Napotkała jego wzrok. Poczuł falę ciepła. Wyglądała dziś pięknie, wydawała się bardziej promienna niż większość obecnych na balu kobiet. W świetle kandelabrów bił od niej blask, a jedwabna suknia lśniła, gdy Langley wirował z nią po sali. Złote pukle muskały miejsce, w którym smukła kolumna szyi stykała się z ramieniem.

Skinął głową w jej stronę. Zarumieniła się i od razu odwróciła oczy. Miał ochotę uczcić ten sukces. Pragnęła go, mógł się o to założyć.

Dziś w nocy oboje dostaną to, czego chcą.

Tak bardzo pragnął jej dotykać. Nie mógł myśleć o niczym innym, odkąd wyszeptała do niego w parku: „Wybieram ciebie". Chryste, miał ochotę wziąć ją na ręce, zanieść do najbliższego zagajnika, rozebrać do naga i wielbić każdy centymetr jej ciała. I niech diabli wezmą świat, w którym się urodziła, i ten, który sobie wybrała.

„Wybieram ciebie".

I nie miał dla niego znaczenia fakt, że prawdopodobnie mówiła te słowa jakiemuś tuzinowi mężczyzn przed nim. Z pewnością znała ich moc i posługiwała się nimi z zawodową wprawą.

Od momentu, gdy to usłyszał, był jej. Od razu zaczął sobie wyobrażać, na ile sposobów mógłby ją posiąść. Pragnienie uruchomiło w nim prymitywną żądzę – chciał mieć ją całą.

Dziś w nocy będzie jego.

– Dostałeś moją wiadomość?

Zamarł, słysząc nad swoim ramieniem głos Tremleya. Nie odwrócił się do hrabiego.

– Tak.

– Nie zamieściłeś artykułu, o którym rozmawialiśmy.

– Byłem zajęty.

– Hazard i imprezy towarzyskie to nie są zajęcia.

– Są, jeśli wydajesz pięć najbardziej popularnych gazet na świecie.

– A wszystko to dzięki komu?

Na te słowa musiał się odwrócić. Spojrzał Tremleyowi w oczy, ale nic nie powiedział.

– Nie lubię być ignorowany – mówił dalej Tremley. – Lepiej o tym pamiętaj.

Każde słowo budziło w Weście złość, ale wiedział, że markiz chce wywołać konflikt.

– Teraz cię nie ignoruję.

– Bo wystarczy jedno moje słowo, a wszyscy ci ludzie z radością będą patrzyli, jak zawiśniesz.

West wiedział, że to prawda, i złościło go to jeszcze bardziej. Zdawał sobie sprawę, że nie liczyły się powody, dla których zrobił to, co zrobił, nie liczył się skutek jego działań, nie liczyła się władza, którą miał jako magnat prasowy, skoro i tak nie był jednym z nich.

I nigdy nie będzie.

Odsunął na bok tę myśl i zwrócił wzrok na salę balową, udając, że obchodzi go świat, który nigdy nie będzie jego światem.

– Czego chcesz?

Mijała ich właśnie grupa młodzieńców – prawdopodobnie zamierzali grą w karty zabić czas na balu, do którego zmusiły ich matki. Kilku z nich odwróciło się w stronę Tremleya i Westa, pogrążonych w rozmowie, i skinęło głową, nie dostrzegając nic dziwnego w tej scenie.

Obaj mężczyźni piastowali ważne stanowiska – Tremley był doradcą króla Williama, a West magnatem prasowym, z którego zdaniem liczyła się większość ludzi z wyższych sfer. Tylko jeden mężczyzna miał porównywalne wpływy.

I właśnie o nim Tremley chciał porozmawiać.

– Chcę Chase'a.

West się roześmiał.

– Jakoś mnie to nie śmieszy – syknął Tremley.

– Chcesz Chase'a?

– Właśnie.

– Tak jak cała reszta świata.

Tremley uśmiechnął się półgębkiem.

– Może i tak, ale reszta świata nie trzyma cię w garści.

Niestety, to była prawda. Od dziesięciu lat West przekazywał Tremleyowi informacje o członkach wyższych sfer, co było formą zapłaty za to, by tamten nie ujawniał tajemnic z jego przeszłości. Z ich wspólnej przeszłości.

Każda informacja, którą mu przekazał i którą wydrukował, powoli go zabijała. Rozpaczliwie pragnął wyrwać się z rąk tego niegodziwego człowieka. To dlatego szukał informacji, które go wyzwolą.

Przez te lata nauczył się nie ujawniać wściekłości i frustracji, które w nim wzbierały, gdy tylko Tremley był w pobliżu.

– Dlaczego Chase?

– Daj spokój – powiedział Tremley. – W Londynie jest tylko dwóch ludzi, którzy mają władzę porównywalną z moją. Jeden z nich je mi z ręki. – West zacisnął pięści, a Tremley dodał: – A drugim jest Chase.

– To za mało, żebym się za nim uganiał.

Tremley roześmiał się zimno.

– To zabawne. Myślisz, że masz wybór? Okazał zainteresowanie moją żoną, a ja nie lubię, jak mi ktoś grozi.

– Chase nie jest jedynym człowiekiem, który może ci zagrozić.

– Chyba nie masz na myśli siebie? – Ponieważ Duncan nie odpowiedział, hrabia mówił dalej: – Nic mi nie możesz zrobić, Jamie.

Duncan poczuł niepokój, słysząc swoje imię, nieużywane od wielu lat. Miał nieodpartą ochotę zniszczyć tego wymuskanego arystokratę. Musiał się jak najszybciej dowiedzieć, jakie informacje przekazała lady Tremley w zamian za członkostwo w klubie.

Wziął głęboki oddech i odzyskał spokój.

– Myślisz, że nie szukałem już Chase'a? Myślisz, że nie wiem, jak dobrze by się sprzedała taka rewelacja? Pochlebia mi twoje zaufanie, ale nawet ja nie jestem w stanie uzyskać dostępu do Chase'a.

– Ale ta dziwka może.

Obraźliwe słowo trafiło Westa niczym piorun, doprowadzając go do furii. Gdyby nie byli otoczeni tłumem wirujących par, bez wahania zdzieliłby hrabiego w tę wymuskaną facjatę.

– Nie wiem, o kim mówisz.

– Potrafisz być naprawdę męczący – westchnął hrabia, udając zainteresowanie tańczącymi parami. – Dokładnie wiesz, o kim mówię. O kobiecie Chase'a. Tej, której się pozbył i którą przekazał tobie.

West znieruchomiał. Tremley wyrażał się o Georgianie jak o taniej, zużytej i niechcianej rzeczy.

Na miłość boską, przecież była córką księcia.

Ale nie dla Tremleya. I nie dla reszty Londynu.

– Nie ma sensu temu zaprzeczać – mówił dalej hrabia. – Wiele osób widziało, jak zaciągnąłeś ją do alkowy w kasynie. Słyszałem, że Lamont cię nakrył z głową pod jej spódnicą. A może to ona klęczała przy twoim rozporku?

Miał ochotę krzyczeć ze złości. Gdyby ktoś inny ośmielił się tak do niego mówić, West wdeptałby go w ziemię. A potem przez całe lata znęcałby się nad nim za pomocą pióra.

Ale Tremleyowi nic nie groziło z jego strony. West doskonale wiedział, w jaki sposób ten gniew został wykorzystany w przeszłości, co było jego przyczyną i do czego doprowadził.

I chociaż miał ochotę stłuc go do krwi, warknął tylko:

– Lepiej uważaj, w jaki sposób wyrażasz się o damie.

– Ho, ho, to ona już jest damą? Ta kurwa – położył nacisk na wulgarne słowo – musi być naprawdę doskonała w łóżku, skoro tak wysoko ją cenisz. – Popatrzył na Westa. – Nie obchodzi mnie, co z nią robisz. Ważne, że była i pozostanie dziwką Chase'a. A ty masz się dowiedzieć, kim on jest.

Pewnego dnia zniszczę tego człowieka, pomyślał West. I będzie to dzień mojego triumfu.

Hrabia sprawiał wrażenie, jakby odczytał tę niewypowiedzianą myśl.

– Czujesz do mnie odrazę, prawda? – powiedział, mierząc Westa badawczym spojrzeniem. – Nie możesz ścierpieć, że mam nad tobą władzę. Że mogę cię zrujnować jednym słowem. Że trzymam cię w garści. Na zawsze.

To, co West czuł do Tremleya, było znacznie silniejsze niż odraza.

– Na zawsze to bardzo długo.

– Przekonasz się o tym na własnej skórze, jeśli prawda o tobie wyjdzie na jaw. Powiadają, że w więzieniu czas się dłuży.

– A jeśli nie zdołam ustalić jego tożsamości?

Tremley odwrócił się, a West pospieszył za jego wzrokiem, którym omiótł tłum arystokratów, by odnaleźć żonę wśród tańczących par. West zauważył, że kobieta ma żółty cień wokół oka. Po chwili zdał sobie sprawę, że Tremley nie patrzy na swoją żonę. Gdy partner obrócił ją w tańcu, za jej plecami ukazała się inna para. Hrabia wpatrywał się w tę drugą kobietę.

To była Cynthia.

– Ładna z niej panna.

Ta pogróżka zmroziła Westowi krew.

– Nie mieszaj jej do tego. Taką mieliśmy umowę.

– Która nadal obowiązuje. Przecież to biedactwo nie zna prawdy o swoim idealnym bracie, prawda?

Słowa były perfekcyjnie wycelowaną pogróżką. West nie patrzył na hrabiego. Gdyby to zrobił, nie mógłby się prawdopodobnie powstrzymać przed wymierzeniem ciosu. W milczeniu słuchał słów Tremleya.

– Szkoda by było, gdyby dowiedziała się prawdy. Co by pomyślała o swoim nienagannym braciszku?

To była idealna groźba i łatwa do zrealizowania. Nie zagrażała wprawdzie przyszłości Westa, ale wystarczała, by Tremley miał go w garści.

I nie musiał przy tym użyć ostatecznego szantażu, którym nieustannie trzymał go w szachu.

Nie groził, że ujawni tajemnice Westa.

Groził, że ujawni sekrety Cynthii.

West zagotował się ze złości, ledwo panując nad sobą.

– Pewnego dnia cię zniszczę.

Tremley uśmiechnął się drwiąco.

– Chroni mnie sam król. A ty możesz liczyć tylko na moją łaskę.

Duncan poczuł się znowu jak doprowadzony do ostateczności chłopiec, dla którego jedynym ratunkiem jest bójka i który rozpaczliwie chce wygrać. Chłopiec tak desperacko pragnący innego życia, że gotów jest nawet je skraść.

Nie odpowiedział.

– Sam widzisz – rzucił hrabia i odszedł.

Musiał się dowiedzieć, co Chase wie o Tremleyu.

I to zaraz.

Za dużo wypiła.

Nie planowała tego i sama była zaskoczona. Umiała przecież pić. I pijała szkocką z najlepszymi z nich.

Ale tej nocy przesadziła z szampanem. A ten trunek, jak wie każdy, kto urodził się po Marii Antoninie, wnikał w człowieka i wywoływał nieprzewidywalne skutki w organizmie.

W każdym razie wypiła go za dużo. A miała przecież tańczyć. Potem zaś robić zupełnie inne rzeczy. Z Duncanem Westem.

Rzeczy, o które go prosiła.

I przerażała ją myśl, że zrobi je niewłaściwie.

Ale tym będzie się martwiła później. Teraz musiała tylko zatańczyć.

Całe szczęście, że wicehrabia Langley tak doskonale radził sobie w tańcu.

Nie powinno jej to dziwić, skoro odebrał tak staranne wychowanie – był czarujący i zabawny, a do tego znakomicie prowadził konwersację – ale Georgiana przy każdym obrocie wciąż od nowa się zdumiewała, że hrabia nie robi ani jednego fałszywego kroku, tym bardziej że – zważywszy na jej obecny stan – nie mogła być zbyt pomocna.

Chyba jeszcze nigdy nie tańczyła z tak zwinnym mężczyzną.

Kiedyś lubiła tańczyć i tego wieczoru też mogłaby czerpać z tego radość, gdyby nie wypiła za dużo szampana. A zrobiła to dlatego, żeby nie myśleć nieustannie o innym mężczyźnie, który w dodatku wcale nie tańczył.

Duncan West nie ruszył się ze swojego posterunku w końcu sali balowej od godziny, kiedy to zjawił się w rezydencji Beaufetheringstone'ów. Stał tam jak słup soli, a gdy tylko tam spojrzała, od razu napotykała jego wzrok.

Kiedy ich spojrzenia się spotkały, poczuła skurcz żołądka z podniecenia. Jutrzejsza noc przypadała właśnie dziś.

„Przejmuję nad tym kontrolę".

Na wspomnienie tych słów i kryjącej się w nich obietnicy poczuła rumieńce na policzkach. Odwróciła wzrok.

Dobry Boże, możliwe, że popełniła błąd, składając mu taką śmiałą propozycję. A teraz będzie musiała sobie z tym poradzić.

Nigdy jeszcze jej się nie zdarzyło, żeby czegoś pragnąć i jednocześnie się tego bać.

– Dlaczego tak panią interesuje Duncan West?

W dodatku nie potrafiła tego ukryć.

Skierowała wzrok na lorda Langleya, udając zdziwienie.

– Milordzie?

Langley uśmiechnął się z sympatią.

– Nie brak mi spostrzegawczości.

– Nie wiem, co pan ma na myśli.

– Pani zaprzeczenia sprawiają, że sytuacja wydaje się jeszcze ciekawsza. – Wykonał z nią kolejny obrót, co dało jej czas na zebranie myśli. Nie czekając na jej odpowiedź, zagadnął: – Przypuszczam, że chodzi o wdzięczność.

– Milordzie?

– Zwraca uwagę towarzystwa na pani zalety i dobrze się z tego wywiązuje. – Lord uśmiechnął się z dezaprobatą pod swoim adresem. – Przypuszczam, że kiedy wykona to zadanie, nie zaszczyci mnie już pani nawet spojrzeniem.

Wyglądało na to, że Langley widział więcej, niż jej się wydawało.

– Śmiem wątpić, milordzie – odparła. – To raczej pan zniża się do tego, żeby się ze mną pokazywać.

– Jest pani w tym bardzo dobra.

– Ale w czym?

– W wywoływaniu wrażenia, że to pani chce mnie złapać.

– Bo chcę – odparła bez ogródek.

Uśmiechnął się. Dostrzegła w tym ironię, której inni nie widzieli. Cóż, Chase potrafił rozpoznać ironię.

– Ale dlaczego? Jestem zubożałym arystokratą. Ledwie mnie stać na te buty, które mam na nogach.

Spojrzała na jego buty.

– Są doskonale wypolerowane, ale może dziurawe. – Gdy się roześmiał, dodała: – Milordzie, to ja jestem zubożała, ale nie w dosłownym sensie. I tego nie da się tak łatwo naprawić.

– Zatem powinienem być wdzięczny, że mam tytuł?

– Ja bym była. – Słowa wypłynęły, nim zdążyła pomyśleć i zdała sobie sprawę, że można je odebrać na wiele niestosownych sposobów. – Nie chciałam...

– Wiem, co pani miała na myśli – stwierdził z uśmiechem.

– Nie sądzę. Chodziło mi o to, że wiele osób chętnie by się z panem zamieniło.

– Zna pani kogoś takiego? – zapytał z drwiącym grymasem.

Jej wzrok powędrował ponad jego ramieniem do miejsca, w którym połyskiwały w tłumie złociste włosy Duncana Westa – był tak wysoki, że wybijał się ponad innych. Zastanawiała się, czy kupiłby sobie tytuł, gdyby miał taką możliwość.

Gdyby miał tytuł...

– Obawiam się, że nie.

– Rozumiem – oznajmił. – A zatem przyznaje pani, że tytuły nie są wcale takie wspaniałe.

– Wiąże się z nimi dużo wymagań i zobowiązań – przyznała.

– Nie byłem na to przygotowany – rzucił smętnie.

– Niech diabli wezmą dalekich, bezpłodnych kuzynów – palnęła i szybko zasłoniła usta dłonią, jakby chciała zatrzymać te słowa.

Roześmiał się tak głośno, że przyciągnął wzrok tańczących obok par.

– Nie jest pani tym, na kogo wygląda, lady Georgiano.

Przypomniała sobie o teczce w swoim gabinecie. Gdy pomyślała, że może będzie musiała jej użyć, aby zdobyć Langleya, ogarnęło ją poczucie winy. Uśmiechnęła się do niego.

– Pan również, milordzie.

Nagle zamilkł. Zastanawiała się, czy zdaje sobie sprawę, co mogą znaczyć jej słowa. Co ona wie i czego użyje, jeśli będzie do tego zmuszona.

Jej spojrzenie znowu powędrowało do Westa, który wciąż stał w tym samym miejscu, jakby zapuścił korzenie. Jednak tym razem miał towarzystwo.

Tremley.

Tydzień wcześniej nie zwróciłaby uwagi na ich rozmowę, ale teraz... Zauważyła, że Tremley uśmiecha się samymi ustami, a jego spojrzenie pozostaje zimne, natomiast West jest dziwnie usztywniony i wyraźnie podenerwowany.

Ogarnął ją nagły niepokój, ale kolejna figura tańca wymagała obrotu. Westchnęła, zła na ten świat, w którym podporządkowanie się zwyczajowi było ważniejsze niż zaspokojenie ciekawości.

Znaleźli się teraz na końcu sali, obok drzwi, które wychodziły na zatłoczony balkon. Langley spojrzał na nią i spytał:

– Może zaczerpniemy świeżego powietrza?

Czyżby zauważył, że szampan uderzył jej do głowy?

Pomyślała, że dobrze się stało, bo na zewnątrz przynajmniej nie będzie wciąż szukała wzrokiem Duncana Westa.

Langley wyprowadził ją na dwór, gdzie chyba z pół tuzina gości odgrywało rolę przyzwoitek. Położyła dłonie na kamiennej poręczy, wdychając chłodne powietrze z nadzieją, że przestanie jej się kręcić w głowie.

– To wyczerpujące, prawda? – stwierdził Langley. – Takie odgrywanie ról?

Dostrzegła w jego wzroku zrozumienie. On też grał. W każdej minucie.

– Raczej tak – odparła z uśmiechem.

Oparł się plecami o balustradę i powiedział, wskazując na grupę kobiet na drugim końcu balkonu, które wymieniały szeptem jakieś uwagi:

– Mówią o nas.

Popatrzyła w ich stronę.

– Na pewno się zastanawiają, jak mi się udało zaciągnąć pana w to ustronne miejsce.

– I czy zobaczą coś bulwersującego.

– Biedne dziewczęta – westchnęła. – Nie doczekają się.

– Biedne dziewczęta? – Udał obrażonego. – To mnie trzeba współczuć!

Roześmiała się, wiedząc, że nie mówi poważnie. Szepczące panny spojrzały na nich bardziej otwarcie. Cóż, może poślubienie Langleya nie będzie takie złe. Może okaże się dobrym kompanem. Był czarujący i zabawny. Uprzejmy i inteligentny.

Ale zupełnie jej nie pociągał.

I nie było szansy, żeby kiedyś to się zmieniło.

Właśnie dlatego uznała go za idealnego kandydata. W końcu to pociąg fizyczny wpędził ją przed laty w kłopoty.

Bez tego było jej lepiej, a wydarzenia ostatniego tygodnia tylko to potwierdziły. Nie potrzebowała wrażeń, które wywoływał w niej Duncan West – czuła się o niebo lepiej bez nich. To te odczucia sprawiały, że miał nad nią taką irytującą władzę.

Nie będzie myślała o Weście, do licha. Ani o tym, co miało się stać tej nocy. O własnej obietnicy, że podda się jego woli. Bo dlaczego nie miała się poddać? Tylko ten raz. Dlaczego miała sobie odmawiać chwili przyjemności? Przecież potem odejdzie spokojnie i zacznie nowe życie jako wicehrabina Langley, czyż nie?

Najpierw jednak wicehrabia Langley musi ją o to poprosić.

Na balkon wyszła jeszcze jedna dziewczyna. Georgiana od razu poznała Sophie, córkę hrabiego Wight, jej bohaterkę z poprzedniego balu.

Była sama – najwyraźniej została odrzucona przez przyjaciółki, zapewne przez to, że broniła Georgiany. Wydawała się zagubiona. Biedactwo!

Georgiana odwróciła się do Langleya, chcąc już zakończyć to sam na sam.

– Powinien pan z nią zatańczyć – oznajmiła. – To słodka dziewczyna. Przyda jej się wsparcie.

– Wsparcie zubożałego wicehrabiego?

– Przystojnego i uprzejmego dżentelmena. – To były jej przeprosiny, chociaż o tym nie wiedział. Wskazała głową Sophie. – Niech pan z nią zatańczy. Nic mi nie będzie. Lepiej mi na świeżym powietrzu.

Rzucił jej znaczące spojrzenie, jakby chciał jej dać do zrozumienia, że dostrzegł, iż się upiła.

– Nic dziwnego.

– Przepraszam.

– Nie ma za co przepraszać. Sam nie raz i nie dwa musiałem dodawać sobie kurażu przed spotkaniem z socjetą. – Ukłonił się i przycisnął usta do jej dłoni w rękawiczce. – Jak sobie życzy moja pani.

Podszedł do Sophie, która wydawała się z początku zdumiona, a potem wyraźnie uradowana jego zainteresowaniem. Georgiana odprowadziła ich wzrokiem – wrócili na salę i od razu zaczęli tańczyć. Przystojny wicehrabia i dziewczyna wiotka jak kwiat stanowili dobraną parę.

Georgiana odwróciła od nich wzrok i poszukała w ciemności czegoś stabilnego, na czym mogłaby oprzeć wzrok.

– Tam mnie nie ma.

Przeszył ją dreszcz. Próbowała to ukryć, ale bez powodzenia. Odwróciła się i dostrzegła Duncana, który stał jakiś metr od niej.

Żałowała, że tak daleko.

– Tak się składa, że wcale cię nie wypatrywałam.

Napotkał jej wzrok.

– Nie?

– Nie. A skoro to ty przyszedłeś do mnie, to chyba raczej ty mnie szukałeś.

– Może i szukałem.

Z trudem się powstrzymała, by nie okazać, jak bardzo ją to cieszy.

– Musimy skończyć z tymi spotkaniami na balkonach.

– Przyszedłem ci powiedzieć, że czas się zbierać – oznajmił.

Te słowa dobiegły z ciemności, wywołując w niej nerwowy zamęt i niecierpliwe oczekiwanie. A także strach.

– Odejdź – poprosiła, starając się opanować lęk. Miała ochotę na kolejny łyk alkoholu.

– Wybieram się do klubu – oznajmił, przysuwając się tak blisko, że w świetle padającym z sali balowej mogła dostrzec jego twarz. – Mam wiadomość dla Chase'a – dodał z niezmąconą powagą.

Znieruchomiała, rozczarowana. Myślała, że przyszedł po nią, a tymczasem chodziło mu o Chase'a.

W jej głowie zrodziła się niejasna myśl, że przecież to jedno i to samo, ale nie mogła poświęcić jej wiele czasu.

– Chase'a tu nie ma.

– Skąd wiesz?

Zawahała się. Nie podobał jej się ten kierunek rozmowy.

– Nie wiem.

– Wiesz, ale nie ma czasu o tym dyskutować. Czas się zbierać.

– Jest dziesiąta. Bal się dopiero zaczął.

– Połowa balu za nami, a poza tym mamy umowę.

– Nasz umowa nie obejmuje zanoszenia wiadomości Chase'owi – odpowiedziała zbyt opryskliwym tonem. – Nie jestem gotowa do wyjścia. Tańczę.

– Tańczyłaś z sześcioma mężczyznami, a nawet dziewięcioma, jeśli liczyć Crossa, Bourne'a i twojego szwagra.

– Obserwowałeś mnie?

– Oczywiście, że obserwowałem. I pozwoliłem ci na kwadrans sam na sam z Langleyem.

– Pozwoliłeś mi?

– Owszem. A dziewięć tańców na jeden wieczór to zupełnie dosyć.

Nie mogła powstrzymać słów, w których pobrzmiewała irytacja:

– Uważaj, bo pomyślę, że jesteś zazdrosny.

Jego oczy stały się ciemne jak mahoń. I zniewalające.

– Zapomniałaś? Tylko ja i nikt inny, tak?

– Nie. Umówiliśmy się, że ty, ale nie Chase.

Mahoń jeszcze pociemniał.

– W takim razie dodaję nowy punkt do umowy.

Takiego Duncana Westa jeszcze nie widziała – był skupiony, emanował siłą i władzą. A także pożądaniem.

Pożądaniem, które byłoby odwzajemnione, gdyby sobie na to pozwoliła. Gdyby nie był taki denerwujący.

– Mogłeś ze mną zatańczyć – zauważyła cicho, podchodząc jeszcze bliżej.

Zrobił krok w jej stronę, zmniejszając dystans między nimi do zera.

– Nie, nie mogłem – wyszeptał.

– Dobry Boże!

Georgiana odwróciła się gwałtownie na te słowa. Kilka stóp od niej stał Temple z żoną przy boku.

– Chryste, Temple, zawsze zjawiasz się nie w porę – mruknął Duncan, po czym się ukłonił. – Wasza Książęca Mość.

Mara, księżna Lamont, uśmiechnęła się, ale Gerogianie nie spodobał się ten wszystkowiedzący uśmiech. Całkiem jakby żona Temple'a przeniknęła ich intencje. I zapewne tak było.

– Panie West. Lady Georgiano.

– Musicie mieć przyzwoitkę.

– Przecież widzi nas połowa Londynu – zdziwiła się.

– Stoicie na ciemnym balkonie na oczach połowy Londynu – poprawił Temple, podchodząc bliżej. – I dlatego potrzebujecie przyzwoitki. Popatrz na niego.

Posłusznie skierowała spojrzenie na Westa.

– Jest bardzo przystojny, prawda?

– Ja...

Temple przerwał jej i rzucił dziwne spojrzenie.

– No dobrze. Pomińmy tę sprawę, chociaż sądzę, że przyzwoitka nie słuchałaby żadnych wyjaśnień. Chodzi mi o to, że ma taką minę, jakby chciał cię uprowadzić.

– Ty też masz taką minę – zauważyła.

– Ale tylko dlatego, że chcę uprowadzić własną żonę. A ponieważ jesteśmy małżeństwem, wolno nam robić rzeczy, które ludzie robią na ciemnych balkonach.

– Williamie – odezwała się księżna. – Nie zawstydzaj ich. I mnie.

Spojrzał na żonę.

– Jakoś ci to wynagrodzę. – W jego słowach pobrzmiewała mroczna obietnica. Georgiana przewróciła oczami, a Temple zwrócił się ponownie do żony: – Sama powiedz, czy nie ma takiej miny, jakby chciał ją uprowadzić.

Mara przyglądała im się przez chwilę, a Georgiana miała ochotę wygładzić suknię, ale się powstrzymała.

– Raczej tak.

– No i dobrze – przyznała Georgiana. – Bo ma taki zamiar.

– Wielki Boże – westchnął Temple.

– Chciałem zrobić to dyskretnie – oburzył się Duncan.

– No cóż, teraz już nigdzie nie pójdzie – odparł Temple. Spojrzał na Georgianę i skinął głową w stronę sali balowej. – Wracamy.

Zamrugała.

– Ale dokąd?

– Zamierzam z tobą zatańczyć.

– Ale ja nie chcę – oznajmiła kapryśnym tonem. – Nie macie przypadkiem innych planów?

– Miałem. Później ci powiem, jak bardzo mnie denerwuje fakt, że jestem zmuszony je zmienić.

– Nie musisz ze mną tańczyć – szepnęła. – West może to zrobić.

– Naprawdę nie mogę – zaprzeczył szczerze Duncan.

– Dlaczego? – zapytała, zdumiona jego odmową.

– Nie mam tytułu – rzucił. – Nie powinni cię widzieć, jak ze mną tańczysz.

Głupi wykręt.

– Ale to ty pomagasz naprawić moją reputację.

– Razem z innymi – zauważył.

– Czy do innych zaliczasz Temple'a?

– Wasza Książęca Mość – odezwali się Temple i Duncan jednocześnie.

Georgiana pokręciła głową zmieszana.

– Po co to? Nie jestem księżną.

Cała trójka patrzyła na nią tak, jakby oszalała i jakby dopiero zrozumieli, w czym rzecz.

– Chryste – powiedział Duncan.

– Jesteś pijana? – zapytał Temple.

– Możliwe.

Mężczyźni spojrzeli na siebie, a potem na nią.

– Jak mogłaś się upić?

– Chyba wypijając za dużo alkoholu – odpowiedziała przytomnie.

Mara parsknęła.

– Ale dlaczego?

– Lubię szampana.

– Nie cierpisz szampana – zauważył Temple.

– Czy Maria Antonina ma coś wspólnego z szampanem? – Oni będą to wiedzieć.

– Wymyśliła kieliszek do szampana – odrzekł.

– Tak! Kieliszek o kształcie jej piersi! – zawołała w nagłym olśnieniu.

– Chryste – mruknął Temple.

– Proponuję nie używać słowa „pierś" w miejscu publicznym – odezwał się Duncan kpiącym tonem. – Może nam powiesz, dlaczego tyle wypiłaś?

– Byłam zdenerwowana! – wyjaśniła obronnym tonem, uświadamiając sobie natychmiast, do czego się przyznała. Na twarzy Duncana pojawił się uśmieszek samozadowolenia. Do licha. – Nie przez ciebie. Jest wielu mężczyzn, którzy mnie denerwują.

– Jezu, Anno, zamilcz wreszcie.

– Nie mów tak na nią – odezwał się Duncan ostrzegawczym tonem.

– Tak ma na imię.

– Tutaj ma na imię inaczej. – Duncan i Temple mierzyli się wzrokiem, przekazując sobie coś bez słów. W końcu Temple skinął głową.

– Williamie – zaczęła cicho Mara. – Tylko pogarszamy sytuację. Nie powinieneś zachowywać się...

– ...tak grubiańsko – zakończyła Georgiana.

Mara przechyliła głowę.

– ...tak, jakbyś ją dobrze znał.

Miała rację. Książę Lamont w opinii ogółu nie znał Georgiany na tyle dobrze, aby ją besztać na balkonie.

Temple zgodził się ze zdaniem Mary, co za każdym razem nieodmiennie zdumiewało Georgianę. Ten potężnie zbudowany mężczyzna był przy żonie potulny jak baranek. Spojrzał na Duncana.

– Jej reputacja nie może ucierpieć. Dopilnuj tego.

– Wszyscy wiedzą, że interesuję się nią z przyczyn zawodowych – przypomniał West. – Pomyślą, że dziękuje mi za pomoc w uzyskaniu akceptacji socjety.

– Jeszcze tu jestem – odezwała się, wściekła, że wszyscy jakby zapomnieli o tym drobiazgu.

Temple zastanawiał się przez chwilę, po czym skinął głową.

– Jeśli zrobisz coś, co zaszkodzi jej reputacji...

– Wiem. Będę musiał stanąć przed Chase'em.

– Zapomnij o Chasie. Będziesz musiał mnie stawić czoła. Odwieź ją do domu.

Uśmiechnęła się do Duncana.

– Dziś wieczorem nie będzie żadnych wiadomości dla Chase'a. Będziesz musiał rozmawiać ze mną, tylko ze mną.

Duncan zignorował te słowa i podał jej ramię.

– Milady?

Wsunęła rękę pod jego ramię i pozwoliła się poprowadzić kilka kroków wzdłuż balustrady, po czym się zatrzymała.

– Poczekaj. – Odwróciła się do Temple'a. – Wasza Książęca Mość… – Uniósł pytająco brwi. Podeszła do niego, trzymając Duncana pod ramię, i powiedziała cicho: – Chodzi o córkę hrabiego Wight. Sophie.

– Co z nią?

– Tańczy właśnie z Langleyem, ale zasługuje na to, żeby zatańczyć z kimś znaczniejszym. Z markizem Eversley na przykład. – Eversley od kilku lat należał do Upadłego Anioła, był bogaty jak Krezus i nieprzyzwoicie przystojny. To hulaka nad hulaki, ale zrobi to, o co poprosi go Temple.

– Załatwione – rzucił książę i wrócił z Marą na bal.

To był dobry uczynek na zakończenie wieczoru. Georgiana odwróciła się do Duncana, który zapytał:

– Lady Sophie?

Nieznacznie wzruszyła ramieniem.

– Była miła dla Georgiany.

W jego oczach pojawił się błysk zrozumienia.

– I dlatego Anna chce ją wynagrodzić.

– Czasami dobrze jest być dwiema osobami.

– Trudno mi w to uwierzyć.

– Nie potrzebuję opiekuna – stwierdziła tak cicho, że tylko on mógł to usłyszeć.

– Najwyżej kogoś, kto ci powie, kiedy przestać pić.

– Gdybym się nie denerwowała przez ciebie, to bym nie piła.

– Ach, więc jednak przeze mnie.

– Oczywiście, że tak. Przez ciebie i to twoje „przejmuję nad tym kontrolę". To mnie złości.

Natychmiast spoważniał.

– Nie powinno.

– Co na to poradzę?

– Teraz też się denerwujesz?

– Tak.

- Rozczarowujesz mnie. Myślałem, że jesteś dobrze przygotowana do takiej sytuacji.

To z powodu Anny myślał o niej jak o prostytutce, doświadczonej w sprawach cielesnych. Tylko że ona wcale nie miała doświadczenia. Umowa, którą zawarli, wystarczająco szarpała jej nerwy, a na samą myśl, że odkryje jej kłamstwo, ogarniało ją nerwowe drżenie.

- Zwykle to ja mam kontrolę – stwierdziła zgodnie z prawdą.

Spojrzał ponad jej ramieniem, by sprawdzić, czy nikt nie stoi na tyle blisko, aby podsłuchać ich rozmowę.

- I co? Lubisz to? Lubisz mieć kontrolę?

Zrobiła z tego sposób na życie, prawda?

- Owszem.

- Sprawia ci to przyjemność? – padło ciche i grzeszne pytanie.

- Tak.

- Nie sądzę.

Nie podobało jej się, że tak łatwo ją przejrzał. I że w jego słowach jest więcej prawdy, niż sama chciała przyznać. Wydawało się, że zna ją lepiej niż ktokolwiek inny.

- Zatańcz ze mną – szepnęła.

- Już powiedziałem, że taniec ze mną ci nie pomoże.

- Nie dbam o to. Należy mi się taniec.

Pokręcił głową.

- Nie tańczę.

- W ogóle?

- W ogóle.

- Dlaczego?

- Bo nie umiem.

To wyznanie powiedziało jej o nim więcej, niż się spodziewała. Nie potrafił tańczyć dlatego, że nie urodził się dżentelmenem. Urodził się w innym świecie. Wśród pospolitych ludzi. Tam, gdzie trzeba pracować, aby do czegoś dojść i zostawić za sobą tamten świat.

Ale przez to wydał jej się znacznie bardziej interesujący.

- Mogę cię nauczyć – zaproponowała.

- Wolę, żebyś mnie nauczyła innych rzeczy.

- Na przykład jakich?

– Chcę się nauczyć, gdzie lubisz być całowana.

– Uważaj, bo pomyślę, że chcesz mi zawrócić w głowie – odparła z uśmiechem.

– Już ci zawróciłem w głowie.

Wiedziała, że to prawda, i spoważniała aż do punktu, w którym zaczynał się smutek. Ukryła myśli pod maską flirtu.

– Jesteś strasznie pewny siebie.

Milczał przez dłuższą chwilę. Zastanawiała się, o czym myśli, aż w końcu rzucił:

– Jak Langley?

Od razu pojęła, co ma na myśli. Pytał, czy Langley będzie się starał o jej rękę.

– Być może – odpowiedziała, żałując, że przywrócił ją do rzeczywistości.

– To mi ułatwi zadanie. Dzięki gazecie sprawa może nabrać tempa.

Milczała.

– To porządny tytuł. Czysty – zauważył. – I jest przyzwoitym człowiekiem.

– Owszem. Jest inteligentny i czarujący. Biedny, ale to żaden wstyd.

– Dzięki tobie to się zmieni.

– Owszem. – Wygięła usta w drwiącym uśmiechu. – On jest zdecydowanie lepszy ode mnie.

– Dlaczego tak mówisz?

– Mogę powiedzieć prawdę? – zapytała, zdając sobie sprawę, że musi być nieźle wstawiona, skoro mu to proponuje. Zazwyczaj uciekała się do kłamstw.

– Niczego bardziej nie pragnę – odpowiedział. Odniosła wrażenie, że ma na myśli nie tylko tę chwilę. I to miejsce.

Znowu ogarnęło ją poczucie winy, które tej nocy zbyt często ją nawiedzało.

– Chcę tylko, żeby była szczęśliwa.

Wiedział, że mówi o Caroline.

– Tak? To dużo trudniejsze, niż dobrze wyjść za mąż.

– Nie jestem pewna, czy to się uda, ale szacunek ludzi zwiększy jej szanse na szczęście... czymkolwiek ono jest.

Nie odrywał od niej oczu. Czuła na sobie jego spojrzenie. Wiedziała, że ma zamiar pytać dalej, nieważne, czy mogła odpowiedzieć. Mimo to następne pytanie wprawiło ją w zdumienie:

– Co się wydarzyło? Co przyniosło ci w darze Caroline?

„Przyniosło ci w darze Caroline".

Jak pięknie to ujął. Istnienie Caroline było przez te wszystkie lata kwitowane na dziesiątki sposobów, od eufemizmów do brudnych obelg. Ale nikt nigdy nie wyraził tego tak dobrze i tak prosto. Tak właściwie. Caroline była darem, wcieleniem doskonałości i niewinności. Nieświadomym klęsk, jakie sprowadziła na swoją matkę, jej rodzinę i cały świat.

Nic dziwnego, że człowiek, który słynął z umiejętności dobierania słów, tak dobrze to określił.

I że ona, stojąc obok niego w ciemnościach, chciała powiedzieć mu prawdę o tym, jak została zrujnowana. A nawet przez kogo. Chociaż to ostatnie nie miało znaczenia.

– Historia stara jak świat – odpowiedziała po prostu. – Podejrzane typki mają niszczycielski wpływ na zbuntowane panny.

– Kochałaś go?

Zaniemówiła. Mógł ją spytać o tyle innych rzeczy. Wszystko już słyszała, a w każdym razie tak jej się wydawało. Ale tego prostego i uczciwego pytania nikt jej dotąd nie zadał.

Udzieliła mu najprostszej i najbardziej uczciwej odpowiedzi:

– Chciałam. I to rozpaczliwie.

11

...Owszem, ma uroczą córkę, no i nie ulega wątpliwości, że reputacja lady G. jest obecnie nienaganna. Czy mamy ją winić za grzeszek z odległej przeszłości, zwłaszcza że jego owoc ma w sobie tyle życia i wdzięku? Na tych stronach zawsze znajdzie się miejsce dla lady G. Ale czy znajdzie się również w sercach londyńskiej arystokracji?

...Lady M. nie otacza ostatnio tłum wielbicieli na towa-
rzyskich imprezach. Gdzie się podziało jej trio adoratorów?
Być może dama ta zbyt długo zwlekała z decyzją. Hrabia H.
na pewno hojną ręką dokłada do posagu, nawet teraz, gdy
piszemy te słowa...

Rubryka towarzyska „Wiadomości Londyńskich",
30 kwietnia 1833

Mogła zareagować na wiele sposobów: zaprzeczyć, odmówić udzielenia odpowiedzi, pokryć zakłopotanie uśmiechem, zrobić unik albo odpowiedzieć pytaniem.

Ani przez chwilę nie wyobrażał sobie, że powie prawdę.

I że mogła kochać mężczyznę, który zrujnował jej życie.

Nie spodziewał się też, że ta prawda tak bardzo go dotknie, że będzie żałował, iż nie może wymazać z jej pamięci tamtego człowieka.

A raczej go zastąpić.

Odrzucił tę myśl. Przez dwanaście lat – a nawet dłużej – Duncan zrywał z kobietami, które domagały się od niego zaangażowania uczuciowego. Unikał jakichkolwiek związków, które mogły w nim wywołać pragnienie czegoś trwalszego niż tylko przelotna znajomość. Odpowiadały mu jedynie porozumienia zawarte za obopólną zgodą, które służyły wyłącznie przyjemności obu stron.

Trwały związek nie był mu pisany.

Nie obciążyłby drugiej osoby tajemnicami, które wisiały mu nad głową, stwarzając nieustanne zagrożenie; tajemnicami, których ujawnienie mogło w każdej chwili zrujnować mu życie. Nie chciał, aby jego przeszłość kładła się cieniem na kimkolwiek, żeby ktoś musiał cierpieć z powodu kary, jaka niewątpliwie dotknie go w przyszłości.

Unikanie trwałych związków i uczuć to była jedyna szlachetna rzecz, jaką w życiu zrobił.

I właśnie dlatego nie powinno go obchodzić, czy lady Georgiana Pearson kochała mężczyznę, który był ojcem jej córki. To nie miało żadnego znaczenia ani dla jego obecnego życia, ani dla przyszłości. Człowiek ten stałby się ważny dla Duncana tylko w jednym wypadku – gdyby poznał jego nazwisko i mógł je zamieścić w swojej gazecie.

Nie, nie powinno go to obchodzić. A więc nie obchodziło.
Jednak obchodziło. Odrobinę.

– Co się z nim stało?

– Zupełnie nic. Nie miał zamiaru ze mną zostać.

– Żyje?

Widział, że zastanawia się, czy nie skłamać.

– Tak.

– Kochasz go?

Odetchnęła, jakby chciała dać mu do zrozumienia, że ta rozmowa zaszła
za daleko i że nie zamierza na to pozwalać. I w gruncie rzeczy miała rację.

– Dlaczego nie umiesz tańczyć? – zapytała cicho, wpatrując się
w ciemność.

Pytanie go zirytowało, zwłaszcza że skierowało rozmowę na inne tory.

– Dlaczego to ma dla ciebie znaczenie?

– Przeszłość zawsze ma znaczenie – oznajmiła po prostu i spojrzała
na niego ze spokojem. Jak gdyby dyskutowali o pogodzie. – Chciałabym
nauczyć cię tańczyć.

Ledwie wypowiedziała te słowa, na balkon wysypała się hałaśliwa
grupa hulaków, którzy na chwilę zasłonili ich przed oczyma pozostałych.
Niewiele się zastanawiając, Duncan postanowił wykorzystać tę okazję do
ucieczki. Chwycił Georgianę za łokieć, po czym bez słowa pociągnął ją
w ciemność na skraju balkonu, skąd kamienne stopnie schodziły do ogrodu.

Zaprowadził ją za narożnik domu, w samo serce ciemności. Gdyby nawet ktoś ich tam zobaczył, to i tak miał pewnie własne sekrety do ukrycia.

Kiedy znaleźli się w ciemnym ogrodzie, spytała:

– Jak wrócimy?

– Nie wrócimy – odparł.

– Musimy. Zostawiłam pelerynę. I przyzwoitkę. No i muszę dbać
o reputację. A ty obiecałeś, że mi w tym pomożesz.

– Zabieram cię do domu.

– Łatwiej powiedzieć, niż wykonać.

– Mam powóz i wiem, gdzie znajduje się rezydencja twojego brata.

– Nie mieszkam tam – wyznała, opierając się o ciemną ścianę budynku. – Mieszkam w klubie.

– Nie – zaprzeczył. – To Anna mieszka w klubie.

– Nie tylko ona.

– Masz na myśli Chase'a. – Nie odpowiedziała, więc dodał: – On też mieszka w klubie?

– Spędza tam większość nocy – stwierdziła, a on musiał ugryźć się w język, aby powstrzymać ciętą ripostę.

Wyczuła jego złość.

– Dlaczego tak cię denerwuje moje życie?

– Bo nie musi tak wyglądać. Nie musisz spędzać nocy w kasynie i przekazywać wiadomości Chase'a.

– Jego i twoich – zauważyła.

Obudziła w nim poczucie winy. Miała rację.

– Może to bez znaczenia, ale mam doskonały powód, by przekazać mu dziś wiadomość. I nie zamierzałem cię prosić o jej dostarczenie.

– Co to za wiadomość?

Nie mógł jej powiedzieć, że jego siostra jest w niebezpieczeństwie. Nie mógł dopuścić do tego, by się domyśliła, że jego znajomość z Tremleyem nie jest powierzchowna. Gdyby Chase się dowiedział, ile dla niego znaczy teczka Tremleya, mógłby podbić cenę. A Cynthia znalazłaby się w jeszcze większym niebezpieczeństwie.

– To nie ma znaczenia. Chodzi mi o to...

– Chodzi ci o to, że według ciebie na tej ścieżce, której nie wybrałam, czeka na mnie życie przy herbatce i ciasteczkach. Chodzi ci o to, że Chase rujnuje mi przyszłość.

– Tak właśnie uważam.

Roześmiała się.

– Więc chyba zapomniałeś, co robi socjeta z młodymi kobietami, które znalazły się w takiej sytuacji jak ja.

– Mogłabyś to przetrwać – uznał.

– Nie, nie mogłabym – rzuciła tak lekkim tonem, jakby nie ciążyło nad nią żadne fatum.

– Mogłaś to zrobić lata temu... wyjść za mąż.

– Mogłam, ale nienawidziłabym takiego życia. – Przerwała. – A jeśli powiem, że sama dokonałam takiego wyboru? Że chciałam tak żyć?

– Nie uwierzę ci. Nikt nie chce być wykluczony. Padłaś ofiarą wpływowego człowieka, który już za długo trzyma cię w garści i nawet teraz nie chce ci dać całkowitej wolności.

– Mylisz się. Sama wybrałam takie życie – wyjaśniła i prawie jej uwierzył. – Chase mnie ocalił.

Nienawidził słów tej kobiety, która pogrążyła się zbyt głęboko i której zanadto zależało, by dostrzec prawdę. Kobiety, która...

Chryste. Czy to możliwe, że ona kocha Chase'a?

Ta myśl podsunęła następną.

Czy to możliwe, że Chase jest ojcem Caroline?

Ogarnął go płomienny gniew. Mógł ją zapytać, ale i tak by się nie przyznała. A ta teoria wiele by wyjaśniała – dlaczego wybrała takie życie, dlaczego mieszka w klubie, dlaczego ochrania Chase'a.

Nie zasłużył na to, by go broniła.

Powinien pokazać twarz w świetle dnia i poddać się osądowi, jak wszyscy.

Zaklął brzydko.

– Chcę... – Nie dokończył zdania.

Nie zrozumiała.

– Czego chcesz?

– Mam ochotę rozszarpać go na kawałki za to, jak cię traktuje.

– Chase?

– A któż by inny?

– Ale przecież jesteście... przyjaciółmi.

Wszystko się w nim wzburzyło na te słowa.

– Nic podobnego. Wyświadczamy sobie przysługi, żeby dostać to, czego chcemy.

– A czego ty chcesz?

Chcę ciebie, pomyślał.

Ale nie powiedział tego głośno. Chyba nie to chciała usłyszeć.

– Chcę sprzedawać gazety. A czego chce Chase?

– Skąd miałabym to wiedzieć?

– Bo znasz go lepiej niż ktokolwiek. Mówisz w jego imieniu. Przekazujesz mu wiadomości. I... – Kochasz go. – Chryste, przecież z nim żyjesz.

– Anna z nim żyje – powtórzyła słowa wypowiedziane kilka minut wcześniej.

Rozgniewały go te słowa.

– Ona nie istnieje.

– Jest tak samo realna jak każdy z nas – stwierdziła. Chciałby winić alkohol za to stwierdzenie, ale nie mógł.

– Jak możesz tak mówić? To ty ją stworzyłaś. Kiedy jesteś nią, porzucasz własne życie.

– Kiedy jestem nią, żyję pełnią życia. Bez wahań i z przyjemnością.

– To nie ty masz z tego przyjemność – odparł wściekły. Sprawiała przyjemność Chase'owi i niezliczonym mężczyznom, z którymi była, odkąd rozpoczęła tę grę.

Była damą, córką księcia i siostrą księcia. Przewyższała go pod tyloma względami. Nigdy nie byłby w stanie jej dorównać. A jednak sprzedała siebie i zaakceptowała życie pod butem potężnego tchórza.

– Przyjemność jest całkowicie po mojej stronie – zapewniła, a powietrze między nimi nagle zgęstniało, nabrzmiałe obietnicą.

– Raczej nie wiesz, co to prawdziwa przyjemność – powiedział, wiedząc, że ją rozdrażni. Pragnął tego.

Otworzyła szeroko oczy i zmieniła się w uwodzicielską Annę.

– Myślisz, że jej nie znam?

Powstrzymał pragnienie, by przyciągnąć ją do siebie.

– Myślę, że przyzwyczaiłaś się sprawiać przyjemność innym. I myślę, że najwyższy czas, abyś się przekonała, że… kiedy ja przejmę kontrolę, to tylko po to, żeby sprawić przyjemność tobie.

Patrzył, jak te słowa ją odmieniają. Otworzyła szerzej oczy i rozchyliła wargi, aby nabrać tchu, którego nagle jej zabrakło. Wyraz jej twarzy doprowadził go do drżenia; miał ochotę krzyczeć z pożądania. Chciał czuć swoją władzę nad nią.

Nie dał jej czasu na odpowiedź. Musnął palcami jedwabistą skórę jej policzka.

– Chciałabyś tego? – wyszeptał. – Chciałabyś, żebym przejął kontrolę nad twoją rozkoszą? Żebym cię nią otulił? Żebym dawał ci ją wciąż od nowa, aż nie mogłabyś już tego znieść? Aż zaczęłabyś tęsknić za moim dotykiem i zapomniała o innych?

Wstrzymała oddech, gdy pieszczotliwie przesunął palcami po jej szyi, a potem pochylił się i przycisnął usta do miękkiej, białej skóry podbródka.

– Powiedz mi – wyszeptał w jej szyję, słysząc jej drżący oddech, ledwie nad sobą zapanował.

– Co mam ci... – Nie dokończyła, bo nadmiar szampana i zmysło-
wych wrażeń zamącił jej umysł. Odchrząknęła i zaczęła od nowa: – Co
mam ci powiedzieć?

– Czy tego byś chciała?

– Tak – szepnęła ledwie dosłyszalnie.

– Powiesz mi czego? – prowokował ją. Wiedział, że ona nie może
myśleć, a jej stan przepełniał go męską dumą.

– Chciałabym... – Znowu się zawahała.

Przesunął ustami w dół jej szyi, kąsając delikatną skórę na ramieniu.

– Czego?

– Wszystkiego. Chciałabym wszystkiego.

Otworzyła oczy. W ciemności nie widział ich koloru, ale dostrzegł
intensywność spojrzenia. Uniosła dłoń i wplątała palce w jego włosy.
Nie odrywała wzroku od oczu Duncana i przez jedną zapierającą dech
chwilę zastanawiał się, czy przypadkiem to ona nie kontroluje sytuacji.

– Zrób to – szepnęła. – Proszę.

– Co mam zrobić?

Ich usta były tak blisko siebie, że niewiele brakowało do pocałunku.
Nigdy nie pragnął nikogo i niczego tak bardzo, jak tej kobiety.

– Zrób wszystko. – Jej palce zanurzyły się głębiej, przyciągając go
do siebie. – Pokaż mi wszystko.

Niczego bardziej nie pragnął, niż zbadać każdy centymetr jej doskonałego ciała. Podniósł ją z ziemi i przycisnął do ściany domu, dając to
wszystko, o co prosiła.

Westchnęła. Jej miękkie, słodkie usta rozchyliły się rozkosznie. Zawładnął nimi, co wywołało jęk oczekiwania.

Rozpaliła go do czerwoności. Przytulił ją mocniej i pogłębił pocałunek.

Kołysał się lekko, dając im obojgu przedsmak tego, co mogliby czuć,
gdyby to była inna noc.

Odurzony tą myślą oderwał się od niej, ale poczuł bolesną tęsknotę,
gdy przywarła do niego, nie chcąc go puścić.

Zapamiętał się na chwilę i zagarnął jej usta mocno, bez wahania.

Zabrał rękę z jej uda i oderwał wargi od jej ust. Zetknęli się czołami
i oboje próbowali złapać oddech. W końcu się odezwał ledwie słyszal-
nym szeptem:

– Pokażę ci wszystko, ale nie tej nocy. Za dużo wypiłaś, żebyś mogła docenić to, co zamierzam ci dać.

– Wcale za dużo nie wypiłam – odezwała się z oburzeniem.

Pragnęła go. Świadczyło o tym przyspieszone tętno, ciepły oddech na jego szyi i palce, które kurczowo wczepiły się w jego ubranie.

– Właśnie że tak.

– To bez znaczenia.

Odsunął ją na tyle, żeby mogła widzieć jego przystojną twarz.

– To ma ogromne znaczenie. Chcę ci ofiarować prawdziwą rozkosz, coś, czego nigdy wcześniej nie zaznałaś, coś, za czym będziesz potem tęsknić. – Zrobił krok w jej stronę, a jego słowa otuliły ich jak grzech. – I chcę, żebyś to czuła tylko z mojego powodu. Bez żadnych wątpliwości, Georgiano.

Zamknęła oczy, gdy wypowiedział jej imię, ściskając jej dłoń tak mocno, jakby potrzebował tego dla utrzymania równowagi.

– Nie pragniesz Georgiany. Pragniesz Anny. Tej, która wie wszystko o namiętności.

– Dokładnie wiem, której z was pragnę – oznajmił, pochylając się i kładąc głowę we wgłębieniu na styku szyi i ramienia, tam, gdzie mógł poczuć zapach wanilii i Georgiany – niebezpieczny i oszałamiający. I jej własny. – Pragnę Georgiany.

Odsunął się i spojrzał jej w oczy.

– Ojciec Caroline...

Odwróciła wzrok i nagle wyglądała tak samo, jak ta dziewczyna sprzed lat.

– To chyba nie najlepszy moment na rozmowę o nim, nie sądzisz?

– Przeciwnie – zapewnił. – To najlepszy moment, żeby ci powiedzieć, że był głupcem.

– Dlaczego? – zapytała.

Nie czekała na komplement. W tym pytaniu nie było nic nieszczerego. I jego odpowiedź również była szczera:

– Bo gdybym mógł cię mieć w swoim łóżku każdej nocy, to skorzystałbym z takiej okazji. Bez wahania.

Pożałował tych słów w tej samej chwili, w której je wypowiedział – gdy dotarło do niego ich znaczenie. Gdy zrozumiał, jaką władzę jej dają. Ale ona tylko wtuliła się w niego, jakby te słowa ją przyciągnęły.

Ale gdy się odezwała, była w niej już tylko uwodzicielka:

– Masz okazję tej nocy, ale nie chcesz z niej skorzystać.

Słowa wywołały zamierzony skutek.

– Dlatego że jestem dżentelmenem.

Wydęła kapryśnie usta.

– Szkoda. Obiecałeś mi łajdaka.

Pocałował ją szybko.

– Jutro dostaniesz swojego łajdaka – odparł półgłosem prosto w jej usta, po czym się odsunął. Jeszcze chwila i nie dałby rady się opanować. A obiecał Temple'owi, że odwiezie ją do domu. – Musimy iść.

– Nie chcę – rzuciła ze szczerością, która go do reszty zauroczyła. – Chcę tu zostać. Z tobą.

– W ogrodzie Beaufetheringstone'ów?

– Tak – odparła cicho. – W jakimkolwiek miejscu, gdzie nie dochodzi światło.

– Masz jakiś problem ze światłem? – zapytał.

– Mam problem z rzeczami, które nie lubią ciemności.

Zrozumiał te słowa i kryjące się w nich uczucia, choć wolał tego nie przyznawać nawet sam przed sobą. Wziął ją za rękę.

– Nie możemy tu zostać. Mam coś do załatwienia. – Chwilę stała w milczeniu, nie przejmując się jego słowami i wpatrując w ich złączone dłonie. – Georgiano – przywołał ją w końcu do rzeczywistości.

Podniosła na niego wzrok.

– Szkoda, że mamy rękawiczki.

Na samą myśl o dotyku jej nagich dłoni poczuł pokusę trudną do opanowania.

– Bardzo się cieszę, że mamy rękawiczki, bo bez nich nie mógłbym ci się oprzeć.

– Dokładnie wiesz, co powiedzieć kobiecie. Może jednak jesteś łajdakiem.

– Przecież ci mówiłem, że jestem.

– Tak, ale łajdacy to notoryczni kłamcy. Nie mam pewności, czy powinnam ci wierzyć.

– Ciekawa zagadka. Jeśli ktoś twierdzi zgodnie z prawdą, że jest łajdakiem, to czy istotnie nim jest?

– Może łajdakiem z manierami dżentelmena.

Pochylił się do niej i szepnął:

– Tylko nikomu nie mów, bo mi zepsujesz reputację.

Roześmiała się, sprawiając mu tym przyjemność. Posmutniał, gdy jej śmiech uciekł z wiatrem w ciemność ogrodu. Po długiej chwili milczenia odezwała się:

– Mówiłeś, że masz wiadomość dla Chase'a.

Właśnie, Chase.

Duncan unikał pytania jej o teczkę Tremleya z bardzo prostego powodu. Nie mógł zrozumieć ani zmienić jej przywiązania do Chase'a, więc tym bardziej nie chciał, by przebywała w pobliżu właściciela Upadłego Anioła, jeśli nie musiała.

Nie chciał, by przebywała obok niego, nawet jeśli musiała.

Zdobędzie tę teczkę w inny sposób, nie korzystając z jej usług.

– To bez znaczenia.

– Nie wierzę. Zauważyłam, jak wyglądałeś, kiedy do mnie przyszedłeś. Powiedz mi, o co chodzi. Ja... – Zawahała się. Był ciekaw, co chciała powiedzieć. Zanim spytał, dodała: – Przekażę Chase'owi wiadomość od ciebie. Daj mi ją.

– Nie. Nie chcę cię w to wciągać.

– W co?

W ten zamęt.

W pogróżki Tremleya.

Wystarczyło, że jego siostra była w niebezpieczeństwie, bo Cynthię mógł ochronić. Nad Georgianą nie miał takiej kontroli. I nie mógł mieć pewności, czy Chase by ją ochronił, gdyby zaszła taka potrzeba.

Nie mógł jej w to mieszać.

Pokręcił głową.

– Już czas, byś zaczęła trzymać się z dala od niego.

– Od Chase'a? – spytała. – Łatwiej powiedzieć, niż wykonać.

Przygnębiły go te słowa i smutek kryjący się w jej słabym uśmiechu.

– Pomogę ci.

Zrobiłby wszystko, co w jego mocy, aby odebrać ją Chase'owi i przerwać tę nieograniczoną i nieuzasadnioną władzę, jaką nad nią miał.

– Twoje gazety mi pomogą – zauważyła. – Anna będzie musiała zniknąć, kiedy Georgiana wyjdzie za mąż.

165

To on jej pomoże, a nie jego przeklęte gazety.

Ale tego nie musiała jeszcze wiedzieć.

Następnego ranka Georgiana starała się skupić na pracy, siedząc przy swoim olbrzymim biurku w klubie, kiedy Cross położył na blacie paczkę.

– To od Westa – powiedział. – Przyszło rano z jego biura.

Spojrzała na pakunek. Bezwiednie sięgnęła do owiniętej w papier paczki i zaczęła bawić się sznurkiem, który pomagał ukryć zawartość przesyłki przed wścibskimi spojrzeniami w jego i jej biurze. Jeśli sam ją obwiązał sznurkiem, musiał to zrobić bez rękawiczek. Przesunęła palcami wzdłuż luźnej końcówki sznurka. Ona też nie miała teraz rękawiczek.

I nie będzie ich miała dziś wieczorem, kiedy West wypełni swoją obietnicę. A ona swoją.

Uświadomiła sobie, że zachowuje się jak dziewczątko i że Cross przygląda jej się tak, jak gdyby wyrosła jej druga głowa, więc szybko zabrała ręce od sznurka.

– Dziękuję – rzuciła, dając mu do zrozumienia, że może wyjść.

Udała, że nie widzi rozbawienia na jego przystojnej twarzy.

– Przyszedł też liścik. Do Anny.

Położył na paczce prostokąt sztywnego papieru w kolorze ecru. Z trudem się powstrzymała, by od razu nie rozerwać koperty. Pochyliła się nad pracą, aby dać Crossowi do zrozumienia, że jest nadzwyczaj zajęta, i ukryć przed nim zdradzieckie rumieńce. Wiedziała, że gdyby wspólnik nabrał jakichkolwiek podejrzeń, natychmiast poinformowałby pozostałych dwóch.

– Dziękuję.

Nie ruszył się z miejsca.

Starała się opanować rumieńce, ale bez powodzenia.

– Coś jeszcze?

Nie odpowiedział.

Nie miała wyboru i podniosła głowę. Z trudem powstrzymywał uśmiech. Spojrzała na niego wilkiem.

– Nie zawaham się kopnąć cię w tyłek.

Jego usta drgnęły.

– Ty i twoja armia?

– Masz do mnie coś jeszcze? Czy tylko zgrywasz głupka?

Cross uśmiechnął się szeroko.

– To drugie. Ciekawi mnie ta paczka. Temple mówi, że się za nim uganiasz.

– Temple jest żonaty. To oczywiste, że za nim się nie uganiam.

Roześmiał się.

– Myślisz, że jesteś bardzo sprytna.

– Bo jestem.

– Temple mówi, że wygłupiłaś się wczoraj w nocy. Kiedy ostatni raz piłaś szampana?

– Wczoraj w nocy – odpowiedziała, zakładając nogę na nogę. Miała na sobie spodnie z koźlej skóry. Sięgnęła po paczkę, udając, że nie myśli o nocy, która miała dopiero nadejść. Rozważała zupełnie poważnie, czy nie zamówić skrzynki szampana, żeby się do niej przygotować.

Otworzyła paczkę, bo wiedziała, że Cross nie wyjdzie, dopóki tego nie zrobi.

W środku była gazeta, o ile można było nazwać gazetą plotkarski szmatławiec Duncana Westa.

Cotygodniowe wydanie „Skandali" trafiło do Upadłego Anioła dwa dni wcześniej niż do domów w całym Londynie. Ale to nie była przesyłka do niej, tylko do człowieka znanego jako Chase.

I nie prezent, tylko usługa. Zgodnie z wcześniejszym żądaniem.

„Skandal staje się wybawieniem", głosił nagłówek na pierwszej stronie, a pod widniał podtytuł wydrukowany drobniejszą czcionką: „Lady G. poskramia socjetę i podbija serca arystokratów".

Cross się roześmiał, przechylając głowę, żeby przeczytać tytuł.

– Błyskotliwe. Powiem ci coś… Wiem, że nie podobał ci się tamten rysunek, ale porównanie do lady Godivy to był doskonały chwyt.

Udawała, że jej to nie obchodzi, i otworzyła liścik towarzyszący paczce.

– Lady Godiva protestowała przeciwko za wysokim podatkom.

Cross podniósł wzrok znad gazety.

– Kto by to pamiętał? Wszyscy pamiętają tylko, że była naga.

– I jak ma mi to pomóc w złapaniu męża?

Spoważniał.

– Uwierz mi, nagość pomaga.

– I pomyśleć, że do tej pory lubiłam cię najbardziej.

167

– I nadal lubisz mnie najbardziej. – Pochylił się w jej stronę. – Najważniejsze jest, że kiedy West się do czegoś zobowiąże, to dotrzymuje słowa. Spójrz, ile miejsca ci poświęcił. – Odwrócił stronę i powiedział: – Wychwala twoją urodę i wdzięk.

Wychwalanie nie było za darmo. Razem z gazetą przysłał liścik do Chase'a, domagając się zapłaty:

Dziewczyna dostała pochwalny pean.

Jesteś mi winien hrabiego.

List został skreślony mocnym, zamaszystym pismem, które wskazywało na tak władczy charakter, że Duncan nie musiał się nawet podpisywać.

Przeniosła wzrok z listu na teczkę Tremleya, która leżała na skraju biurka i czekała na dostarczenie, a następnie na pogrążonego w lekturze Crossa.

– Zasypuje czytelnika mnóstwem nazwisk utytułowanych dam i dżentelmenów, którzy zaakceptowali lady G. sercem i umysłem i przyjęli ją do swojego świata. – Podniósł wzrok. – Szkoda, że to nieprawda.

– Nie musi pisać prawdy. I tak jestem zainteresowana tylko jednym kandydatem na męża.

Cóż, powinna podziękować stwórcy, że lord Langley chciał w ogóle rozważać taką ewentualność. Brak zaproszeń i liścików wskazywał, że Georgiana była nadal zbyt bulwersującą kobietą dla męskiej części Londynu.

– Czyli Langleyem. – Cross nie ukrywał swojej pogardy dla jej planu.

– Masz coś przeciwko temu, żeby Langley wybrał mnie na swoją damę?

– Zupełnie nic. Poza tym, że on nie jest zainteresowany damami.

Spojrzała mu w oczy.

– Nie będziemy rozmawiać o jego teczce. Nigdy. I powiem to po raz ostatni: jego zainteresowania nie są ważne, bo nie zależy mi na jego zalotach.

– To może jest jakaś nadzieja dla Westa?

– Nie wyobrażasz sobie chyba, że zabiegam o zainteresowanie Westa.

– Nie wiem, co powinienem sobie wyobrażać, ale Temple chyba myśli…

– Temple ma otępiały umysł. Za długo występował na ringu.

Cross uniósł brwi, ale nie odpowiedział.

Odetchnęła głęboko.

– West jest… – zaczęła, szukając odpowiednich słów, które nadałyby sens temu wszystkiemu. Cały jej starannie zbudowany świat rozsypywał się w proch za każdym razem, gdy pojawiał się ten człowiek. Co więcej, wcale nie chciała, by sobie poszedł i zostawił ją w spokoju. Przeciwnie, pragnęła, aby jeszcze bardziej się do niej zbliżył.

O ironio, zachowywał się przy niej jak rasowy dżentelmen, chociaż znał jej tajemnice. Minionej nocy byli o krok od skandalicznych rzeczy. Ale się jej oparł.

Jakby była to najłatwiejsza rzecz pod słońcem.

Znowu poczuła na policzkach falę ciepła.

– West jest skomplikowany – zakończyła.

– W takim razie kompletnie nie pasuje do takiej nieskomplikowanej osoby jak ty. – Uśmiechnęła się, słysząc ten prowokacyjny ton. Ale była wdzięczna Crossowi, że nie zmuszał jej do dalszych wyjaśnień. Zamiast tego strzepnął pyłek ze spodni i dodał: – Nasi ludzie nic na niego nie znaleźli.

Odezwało się w niej poczucie winy, chociaż sama wcześniej prosiła, aby poszukali informacji o Duncanie Weście. Było to, zanim poznała jego siostrę. I zanim złożyła mu niedwuznaczną propozycję. Odsunęła na bok niechciane emocje. Wiele lat temu zaufała mężczyźnie i to ją zniszczyło. Nie popełni drugi raz tego samego błędu.

Starała się nie zwracać uwagi na niepokój brzmiący w jej głosie.

– Powiedz im, żeby dalej szukali.

Skinął głową i po chwili milczenia spytał:

– Pamiętasz, jak mnie znalazłaś?

– Oczywiście.

Żadne z nich nie zapomni tej nocy, kiedy Crossa wyrzucono z kolejnej jaskini hazardu, zbitego na kwaśne jabłko za to, że o jeden raz za dużo zasiadł do karcianego stolika. Gdy tylko Georgiana poznała jego historię, od razu wiedziała, że ma trzeciego wspólnika. Kiedy go znalazła, był pijany i na skraju destrukcji – na własne życzenie.

– Ocaliłaś mnie tamtej nocy.

– Sam też byś siebie ocalił.

– Nie. – Cross pokręcił głową. – Bez ciebie byłbym już martwy albo jeszcze gorzej. A Bourne i Temple skonaliby w jakimś zaułku na East Endzie. Każdego z nas ocaliłaś w taki czy inny sposób. – Zrobił pauzę. – I nie tylko nas. Każdą osobę pracującą w Upadłym Aniele. I większość naszej służby domowej… Wszyscy coś ci zawdzięczają.

– Nie rób ze mnie zbawiciela – mruknęła. – To do mnie nie pasuje.

– Ale taka jesteś. Każdy z nas został ocalony przez Chase'a. – Nic nie odpowiedziała, ale to go nie powstrzymało. – A może teraz to Chase potrzebuje pomocy?

Zmierzyła go szybkim spojrzeniem i odpowiedziała bez zastanowienia:

– Nie potrzebuje.

Odchylił się w krześle. Czekał przez dłuższą chwilę, a że nic nie powiedziała, dodał:

– Może nie. Ale nie myśl sobie, że będziemy stać bezczynnie, jeśli coś ci zagrozi. Pippa chciałaby, żebyś przyszła na kolację w przyszłym tygodniu. – Zrobił pauzę. – Z Caroline.

Uniosła brwi. Żona Crossa nieczęsto zapraszała gości na kolację. Uśmiechnął się, dostrzegając jej zdziwienie, a miłość do żony rozświetliła jego twarz, co poruszyło czułą strunę w sercu Georgiany.

– To nie będzie przyjęcie. Po prostu kolacja. I pewnie skończy się na tym, że wszyscy będziemy ubabrani ziemią.

To nie była metafora. Hrabina Harlow słynęła z zamiłowania do ogrodnictwa. Spotkania towarzyskie w Harlow House często kończyły się pracami w ogrodzie. Caroline to uwielbiała.

– Z przyjemnością przyjdziemy.

Spojrzała na drugi list, ten zaadresowany do Anny, który ją kusił z biurka. Bardzo chciała jak najszybciej go otworzyć, ale wiedziała, że lepiej tego nie robić w obecności Crossa.

Zrozumiał, o czym myśli.

– Otwórz. Nie przejmuj się mną – odezwał się z widocznym rozbawieniem.

Popatrzyła spod rzęs.

– Dlaczego tak cię to interesuje?

– Tęsknię za czasami, kiedy dostawałem potajemne liściki, które kończyły się schadzkami.

Umyślnie ją denerwował.

– To nie jest potajemny liścik, skoro przychodzi o wpół do dwunastej w południe.

– Jest potajemny, jeśli dotyczy zajęć, którym człowiek oddaje się tradycyjnie o wpół do dwunastej w nocy – zauważył.

– Ale nie dotyczy – ucięła, otwierając kopertę, żeby mu udowodnić, że się myli.

Wyjęła kartkę, na której skreślono trzy linijki tym samym charakterem pisma co list do Chase'a. I tym razem brakowało podpisu.

W moim domu. O jedenastej w nocy.

Bądź wypoczęta.

I trzeźwa.

Rumieniec oblał ją znowu.

Cross roześmiał się od drzwi.

– Nie dotyczy, co?

I zamknął drzwi przy wtórze jej przekleństw.

Gdy została sama, uważnie obejrzała kartkę luksusowego papieru, zbyt dobrego dla takiej wiadomości. A może właśnie idealnie dobranego.

West wydawał się typem człowieka, który lubi otaczać się luksusem.

Przysunęła papier do nosa, wyobrażając sobie, że poczuje zapach Duncana – mieszankę sandałowego drewna i mydła. Wiedziała, że zachowuje się niemądrze.

Potem przyłożyła papier do ust, rozkoszując się jego delikatnym dotykiem – był miękki i miły jak pocałunek.

Jak jego pocałunek.

Rzuciła list, jakby nagle zajął się ogniem. Nie mogła pozwolić, by ją to pochłonęło. Nie po to złożyła mu propozycję, aby wziął ją za drżącą i śmieszną kobietkę. Nie po to, by ją kontrolował.

Chciała posmakować życia, którym pozornie żyła od lat. Chciała zakosztować tego, o co ją oskarżano – zanim rozpocznie nowe życie, wychodząc za mąż za człowieka, z którym nigdy nie będzie dzieliła namiętności.

Nie mogła narzekać na jej brak, gdy była z Westem.

Ale niech ją piekło pochłonie, jeśli pozwoli, by przejął nad nią całkowitą kontrolę.

Sięgnęła po pióro.

Mogę się spóźnić.

Odpowiedź przyszła po godzinie.

Ale się nie spóźnisz.

12

...Nasza lady G., podobnie jak ta, do której została porów-
nana na haniebnym rysunku obwieszczającym jej powrót,
prezentuje się z dumnym bezpretensjonalnym urokiem.
I nie tylko my zauważyliśmy, że lord L. na każdej kolejnej
imprezie, w której biorą udział, kręci się coraz bliżej niej.

...Hrabia i hrabina H. zapewne nie unikną skandalu.
Na mieście krążą plotki o drzwiach zamkniętych na klucz
podczas ostatniej wystawy w Królewskim Towarzystwie
Ogrodniczym...

   „Perły i Pelisy. Magazyn dla Dam", początek maja 1833

*B*yła przed czasem.

  Duncan wyszedł z redakcji dwie godziny przed umówionym spotkaniem z Georgianą. Zatrzymał się na schodach i podniósł kołnierz płaszcza,
by ochronić się przed chłodem. Przenikliwy wiatr hulał po Fleet Street,
przypominając mieszkańcom Londynu, że chociaż według kalendarza
jest wiosna, to angielska pogoda ma to w nosie.

  Był nawet zadowolony z tej chłodnej aury. Miał przynajmniej dobry
pretekst, aby rozpalić tej nocy ogień na kominku i zaciągnąć zasłony wokół łoża. A potem położyć Georgianę Pearson na stercie futer i zrobić,
co tylko zechce, nie rozpraszając myśli i oczu światem zewnętrznym.

  Na samą myśl o niej zrobił się twardy. W jego wyobraźni pojawił się
obraz nagiej i otwartej przed nim Georgiany. Prawdę mówiąc, wizja ta towarzyszyła mu przez cały dzień, wzmagając pożądanie. Pragnął tej kobiety.

  I był gotów ją zdobyć.

  Wziął głęboki oddech i przywołał na pomoc całą siłę woli, aby ukoić bolesne pragnienie. Spotkają się dopiero za dwie godziny, albo nawet
później, jeśli jej błyskotliwa odpowiedź była zgodna z prawdą. Spóźni
się, dla zasady. Ale ukarze w ten sposób i siebie, i jego.

  Odwzajemnię się tym samym, pomyślał ze złośliwym uśmiechem.
Doprowadzę ją do szaleństwa, sprawię, że będzie mogła myśleć tylko
o mnie i o tym, jak rozpaczliwie mnie pragnie.

Nagle dostrzegł powóz stojący przy samych schodach.

Stapiał się z tłem. Czarny, bez żadnych znaków i oświetlenia, mimo że minęła dziewiąta i jak to jest pod koniec marca o tej porze, panowały ciemności. Nie zauważył eskorty. Tylko dwa czarne konie i woźnicę, który skulił się wysoko na koźle i udawał, że nic nie widzi.

To wszystko sprawiło, że Duncan podszedł do powozu, zamiast go minąć. Okna również były czarne – nie przez to, że w środku było ciemno, lecz dlatego, że zostały zamalowane.

To nie był zwyczajny powóz.

I wtedy zrozumiał. Drzwi się otworzyły, ukazując luksusowo urządzone wnętrze, obite czerwonym aksamitem, wypełnione złocistym światłem świec i kuszącymi cieniami. Jego wzrok spoczął na dłoni w czarnej satynowej rękawiczce, która przytrzymywała drzwi. Znieruchomiał, nie mogąc oderwać od niej oczu.

Z wnętrza dobiegły słowa, wypowiedziane miękkim głosem pełnym obietnic.

– Nie wpuszczaj zimna do środka.

Wsiadł do powozu i zajął miejsce naprzeciw niej. Drzwi się zamknęły i znaleźli się w absolutnej ciszy. Była ubrana jak Anna. Miała na sobie czarną suknię o rozłożystej spódnicy, która zajmowała całą ławkę, z ciasnym stanikiem i niskim dekoltem, ukazującym bujną obfitość pięknego, białego ciała. Cień osłaniał ją od linii szyi i ramienia w górę, tak że nie był w stanie dostrzec rysów twarzy.

Poprzedniej nocy powiedziała mu, że lubi ciemność. Teraz zrozumiał dlaczego. W ciemności była królową. I niech go licho weźmie, jeśli nie miał ochoty paść przed nią na kolana i ślubować wierność.

– Kazano mi się nie spóźnić.

Ogarnęła go fala ciepła po tych słowach, świadczących o wewnętrznej walce. Spodziewał się, że się spóźni. Był na to przygotowany. Dała mu swoją odpowiedzią jasno do zrozumienia, że nie pozwoli się kontrolować. Że spotkają się na równych prawach albo wcale.

Przeczytał to krótkie zdanie kilka razy, czując, że jeszcze nie spotkał kobiety, która by tak idealnie do niego pasowała. Przypomniał sobie o tym, gdy wpatrywał się w ciemność, czując lekkie kołysanie powozu pod stopami.

Odpisał jej, bo chciał wygrać ten pojedynek, a zarazem wcale tego nie pragnął.

Tak czy inaczej, spodziewał się, że się spóźni.

Ale się nie spóźniła, co nie oznaczało, że wygrał.

Co więcej, przyjechała przed czasem. Tak, mógłby się przyzwyczaić do tego, że tak dobrze do siebie pasowali.

– Zawsze stanowi pani wyzwanie, milady.

Po chwili poruszyła się, a szelest jedwabiu w ciemnym wnętrzu powozu wydał się głośny jak wystrzał. Obfita spódnica otarła się o jego nogę. Przypomniał sobie, jak otulała nogi Langleya w tańcu.

Zastanawiał się, co by czuł, gdyby otuliła jego nogi.

Dziś w nocy.

Te słowa przeniknęły go podstępnie jak dym opium. Odsunął je od siebie.

– Nie chciałabym pana znudzić, panie West – odpowiedziała.

Nic w tej kobiecie nie mogło go znudzić. Mógłby spędzić całe życie w tym powozie, nie widząc nawet jej twarzy, a nadal uważałby ją za fascynującą.

Bardzo chciał jej dotknąć. Nic nie mogło go powstrzymać. Nawet ona. Był tego pewien.

Ale nie chciał jeszcze kończyć gry, nie był do tego gotowy.

– Powiedz mi, co zamierzasz ze mną zrobić, skoro już tu jestem?

Wzięła z ławki płaską, owiniętą papierem paczkę.

– Mam dla ciebie przesyłkę.

Poczuł złość, że Chase wdarł się nawet w to spokojne miejsce, i to tej nocy, która niosła ze sobą tyle obietnic.

– Mówiłem ci, że nie chcę, żebyś się zajmowała dostarczaniem przesyłek od Chase'a.

Położyła sobie paczkę na kolanach.

– To znaczy, że jej nie chcesz?

– Oczywiście, że chcę. Ale nie chcę, żebyś to ty ją przynosiła.

Odwiązała sznurki.

– Nie masz wyboru.

– Ale ty masz – powiedział oskarżającym tonem, który wcale mu się nie spodobał.

174

Wzięła teczkę Tremleya i podała ją Westowi.

– Weź to – nakazała stanowczym tonem, w którym kryła się też inna nuta. Jakby smutek.

Zmrużył oczy.

– Wyjdź z cienia – poprosił.

Wzięła głęboki oddech i przez chwilę myślał, że nie spełni jego prośby, że ta noc skończy się tu i teraz. Że zatrzyma powóz i go wyrzuci. Że wycofa swoją propozycję romansu, który nie przynosi nikomu szkody.

Ponieważ nagle cała sprawa przestała być nieszkodliwa.

Wychyliła się do przodu i światło padło na jej piękną twarz.

Nie była umalowana.

Ubrała się w suknię typową dla Anny i miała na sobie jej perukę, ale tej nocy była Georgianą. Przyszła do niego z własnej woli, po noc pełną rozkoszy. Może nawet tydzień, a nawet dwa. Tyle, ile zajmie jej zdobycie męża i bezpiecznej przyszłości.

I życia innego niż to, które teraz wiodła, a w którym grała rolę posłańca między dwoma najbardziej wpływowymi mężczyznami w Londynie.

Podała mu teczkę i odezwała się:

– Zabierz to i nie zajmujmy się już interesami.

Spojrzał na paczkę. Zawierała tajemnice Tremleya, które musiał poznać, by ochronić swoją siostrę. I swoje życie. Tajemnice Tremleya były cenniejsze niż wszystko, co posiadał… były jego przepustką do przyszłości.

A jednak w głębi duszy miał ochotę wyrzucić tę przeklętą teczkę przez okno i powiedzieć woźnicy, by się nie zatrzymywał. Uprowadzić Georgianę jak najdalej od Chase'a. Uciec przed własnymi sekretami, które z każdym dniem dręczyły go coraz bardziej.

Czy zrobiłby to, gdyby nie musiał chronić siostry?

Położył sobie paczkę na kolanach. Georgiana na powrót ukryła twarz w cieniu.

– Ten wieczór dotyczy także interesów, czy tego chcemy, czy nie.

Nie mógł tego ścierpieć, ale tak było. Otworzył paczkę, ciekaw, co się w niej kryje. Wyjął plik papierów zapisanych znajomym pismem Chase'a. Uniósł pierwszą kartkę w stronę niedużej świecy, umieszczonej w stalowo-szklanym kandelabrze na ścianie powozu.

Podbieranie pieniędzy ze skarbca.

Odwrócił kartkę.

Listy od kilku wysokich rangą przedstawicieli imperium osmańskiego. Potajemne spotkania. Zdrada stanu.

Zamknął teczkę. Serce mu waliło. Oto miał dowód. Niezaprzeczalny, idealny dowód. Włożył kartki do koperty, w której je przyniosła, zastanawiając się nad skutkami tego, co przeczytał. Te informacje były bezcenne. Zniszczą Tremleya. Zmiotą go z powierzchni ziemi.

I zabezpieczą Westa ponad wszelką wątpliwość.

Wziął skrawek papieru, dołączony do przesyłki. Przeczytał tekst skreślony znajomym zamaszystym pismem.

Ani przez chwilę nie wierzyłem, że twoja prośba wynika z dziennikarskiej dociekliwości. Wiesz coś, o czym mi nie mówisz. Nie podoba mi się, że nie dzielisz się informacjami.

Cóż, West nie miał zamiaru dzielić się z Chase'em informacjami – ani na temat swojego powiązania z Tremleyem, ani na temat związku z Georgianą.

Nią także nie będzie się dzielił.

– Dobra robota – pochwalił.

– Mam nadzieję – powiedziała.

– Doskonała – ocenił. – To więcej, niż się spodziewałem.

– Miło mi słyszeć, że gra była warta świeczki.

I znowu mu przypomniała, że kupiła sobie jego pomoc. Trudno mu było to zaakceptować. Odsunął na bok tę myśl.

– No i jesteśmy tutaj. Sami.

– Sugerujesz, że zapłaciłam ci za towarzystwo? – rzuciła głosem, w którym wyczuwał uśmiech.

Poczuł, że nim manipuluje, że wszystko zostało starannie zaplanowane.

– Przysługa za przysługę – stwierdził, przywołując słowa z poprzednich rozmów. Jej słowa. I własne.

Nie widział twarzy Georgiany, ale czuł jej wzrok na sobie. Światło w powozie zostało tak umieszczone, aby dawać przewagę jednej stronie – tej, po której panowała ciemność. Ale gdy w końcu się odezwała, wyczuł, że jest poruszona.

– Ale nie tej nocy.

– A co z innymi nocami?

Przesunęła dłońmi po spódnicy, a szelest jedwabiu świadczył o nerwowości.

– Są takie noce, kiedy informacja jest zapłatą. Ale są i takie, kiedy otrzymuje się ją za darmo.

– Ale to też jest zapłata – zauważył. – Za artykuły w moich gazetach. Za każdy taniec z Langleyem. I z innymi.

– To łowcy posagów – zauważyła.

– Zgadza się – przyznał. – Niczego innego nie obiecywałem.

– Obiecałeś akceptację socjety.

– I będziesz ją mieć. Ale czy znajdziesz męża, który nie będzie łowcą posagów? Bardzo wątpię. Chyba że…

– Chyba że co?

Westchnął. Nienawidził umowy, którą zawarli. Nie mógł sobie wybaczyć, że go to skusiło. Ani wyrzec się możliwości, jakie obiecywała otaczająca ich ciemność.

– Chyba że chcesz, żeby poznali prawdę.

– Jaką prawdę? – spytała. – Jestem niezamężną matką. Córką księcia i siostrą księcia. Zostałam wychowana na arystokratkę, wytrenowana do życia w ich świecie jak koń wyścigowy wysokiej klasy. Moja prawda jest powszechnie znana.

– Nie – zaprzeczył. – Nie przez wszystkich.

– Nic o mnie nie wiesz – wypaliła gniewnie.

– Wiem, dlaczego mówisz, że lubisz ciemności.

– Dlaczego? – zapytała, jakby sama nie była już tego pewna.

– Łatwiej się w nich ukryć – odparł.

– Nie ukrywam się – upierała się. Zastanawiał się, czy zdaje sobie sprawę, że kłamie.

– Ukrywasz się tak samo jak my wszyscy.

– A przed czym ty się ukrywasz? Jakie jest twoje prawdziwe oblicze? – Chciała mu dokuczyć. Żałował, że nie widzi jej oczu, które wydawały się zdradzać więcej niż reszta ciała.

Bo przecież nie była wyłącznie kobietą, za którą chciała uchodzić. Nie była królową grzechu i nocy. Nie była wcale taka pewna siebie, jak udawała. W jej postawie wyczuwało się wahanie.

Ale mimo to nadal prowadzili tę grę, którą nawet lubił.

Rzecz w tym, że wolał przebłyski prawdy, które udawało mu się uchwycić.

Odłożył paczkę na ławkę i nachylił się w stronę Georgiany. Ujął jej stopę w pantofelku i oparł o swoje kolana. Przesunął palcami po jej kostce, czując z radością, jak mięśnie stężały od jego dotyku. Uśmiechnął się. Udaje, że jest spokojna i opanowana, ale jej ciało nie kłamie.

Zsunął czarny pantofelek. Miała na sobie czarne pończochy. Przesunął palcami po podeszwie stopy, patrząc z uwielbieniem, jak się wygina pod jego dotykiem.

– Masz łaskotki?

– Tak – przytaknęła na lekkim wydechu.

Nie przerwał eksploracji. Prześlizgnął się palcami po jedwabiu i dotarł znowu do kostki. Musnął jej łydkę, po czym wrócił tą samą drogą.

– Powiem ci prawdę. Chciałem to zrobić, odkąd po raz pierwszy zobaczyłem twoje pantofle, kiedy wsiadałaś do powozu po balu u Worthingtonów.

– Naprawdę?

W jej głosie pobrzmiewało zdziwienie. I pożądanie.

– Naprawdę – przyznał. – Pociągały mnie twoje srebrne pantofelki, ucieleśnienie niewinności i piękna. A potem oszołomiły mnie zupełnie inne pantofle, na niesamowicie wysokich obcasach. Prawdziwy symbol grzechu i seksu.

– Jechałeś za mną?

– Tak.

– Powinnam być na ciebie zła.

– Ale nie jesteś.

Przesunął rękę z powrotem na jej kostkę i w górę łydki, wyczuwając pod palcami szew pończochy. Miał ochotę podnieść jej spódnicę i zobaczyć długie, otulone czernią nogi. Chciał, by otoczyła go nimi w biodrach i w talii.

Pragnął jej.

– Prawda?

Westchnęła.

– Nie. Nie jestem zła.

– Podoba ci się, że to wiem. Że znam twoje dwie połowy.

- Powiedz mi jeszcze coś.
- Ale co? – zapytał.
- Jeszcze jedną prawdę – odparła.
- Chcę ci zdjąć pończochy. Chcę poczuć twoją skórę, delikatniejszą niż jedwab.

W powozie nagle zrobiło się gorąco jak w upalny dzień.

- Kolej na ciebie.
- Ale co mam zrobić?
- Wyjawić swoje sekrety.
- Nie wiem, od czego zacząć – stwierdziła z wahaniem.

Nic dziwnego. Otulały ją cienie, z których każdy chronił jakąś cząstkę jej osoby.

- Podpowiem ci – zaproponował i przesunął rękę w górę łydki aż do kolana, zataczając kółka koniuszkami palców. – Powiedz mi, co czujesz, kiedy to robię. Bez udawania.

Roześmiała się, kiedy ją połaskotał.

- Czuję... – Umilkła, więc przerwał pieszczotę i zabrał rękę. Wyciągnęła nogę, jakby chciała go przyciągnąć z powrotem. – Czuję się wtedy młoda.

Zdziwił się jej słowami.

- Co masz na myśli?

Westchnęła w ciemności.

- Nie przerywaj.

Nie miał zamiaru.

- Co masz na myśli, Georgiano?
- To, że... – Zawiesiła głos. Żałował, że nie są w jego domu. Potrzebował więcej przestrzeni. Pragnął widzieć ją całą i dotykać we wszystkich możliwych miejscach. Zaczerpnęła tchu. – Minęło dużo czasu... odkąd...

Wiedział, co chce powiedzieć. Odkąd była z innym mężczyzną. Innym niż Chase. Nie chciał, żeby kończyła to zdanie. Nie chciał, by padło teraz jego imię, w tej ciemności, gdy byli sam na sam.

Ale i tak dokończyła.

- ...odkąd tak się czułam.

Te słowa wytrąciły go z równowagi. Jej sposób mówienia, obietnice składane prostymi słowami – wszystko to sprawiało, że rozpaczliwie

179

jej pragnął. Ale kiedy wyznała swoje uczucia tonem, w którym pobrzmiewała całkowita szczerość, zdziwienie i zachwyt, jak mógł jej się oprzeć?

Jak miał się jej wyrzec, skoro już spróbował, jak smakuje?

Jak miał ją zostawić, gdy upłynie termin ich umowy?

W co on się pakuje?

Postawił jej stopę na podłodze.

– Proszę – szepnęła i pochyliła się do przodu, a na jej piękną twarz padło w końcu światło. – Nie przerywaj.

– Nie mam zamiaru – obiecał jej. I sobie też. – Chcę tylko wyjaśnić kilka rzeczy.

– Czy nie postawiłam sprawy dostatecznie jasno? Złożyłam ci w Hyde Parku niedwuznaczną propozycję. Przyjechałam po ciebie ubrana jak... – Zawahała się. – Jak kobieta, która robi te rzeczy.

Pomyślał, że często ubiera się w taki sposób.

– Nie obchodzi mnie, w co się ubierasz.

– Ale pończochy ci się najwyraźniej podobają – rzuciła oschle.

Na wspomnienie czarnego jedwabiu ze srebrnym szwem o mało nie jęknął.

– Bardzo mi się podobają.

Zarumieniła się. Patrzył na to zachwycony. Pochylił się, aż jego twarz znalazła się kilka centymetrów od jej twarzy. I jej ust.

– Robisz wszystko, żebym cię polubiła – stwierdziła.

Przyglądał jej się badawczo.

– Myślałem, że już mnie lubisz.

– Oczywiście, że lubię – odparła cicho. – Ale teraz kusisz mnie rzeczami, których nie mogę mieć.

Od razu zrozumiał, co ma na myśli, i posmutniał. Nie był dla niej odpowiednim mężczyzną. Nie mógł dać jej tytułu, a Caroline zapewnić bezpieczeństwa. W najlepszym razie jego pochodzenie było owiane tajemnicą. A tak naprawdę pochodził z nizin.

A ona nie znała całej prawdy.

Nie wiedziała, że nie jest tym, na kogo wygląda, ani tym, za kogo się podaje. Nie wiedziała, że nią manipulował, aby poznać sekrety Tremleya. Nie wiedziała, że jest kryminalistą. Złodziejem.

Nie wiedziała, że powinien siedzieć w więzieniu. Że może go czekać nawet gorszy los, jeśli prawda wyjdzie na jaw.

Ale mógł być odpowiednim mężczyzną na tę chwilę. Na krótki, przelotny romans, zanim oboje wrócą do rzeczywistości.

– Możesz to wszystko mieć dzisiejszej nocy – wymamrotał ochrypłym głosem, który nawet jemu wydał się obcy. – Każdą cząstkę mnie. Wszystko, czego chcesz.

Odchyliła się, uciskając uda Duncana, a jego wyobraźnia podsunęła mu nieprzyzwoite, cudowne pomysły.

Zaczęła ściągać rękawiczki.

– Chcę cię poczuć.

To nie były pomysły, tylko plany.

– Chcę cię dotknąć – dodała. Rzuciła długą, czarną jedwabną rękawiczkę w ciemność po drugiej stronie powozu i położyła dłoń na jego twarzy, wodząc palcami po linii szczęki. Jej wargi całowały miejsca, których wcześniej dotknęły palce. – Chcę cię pocałować.

Czuł, że straci rozum, jeśli ona zaraz tego nie zrobi.

Ale nie śmiał się poruszyć. W tej kobiecie, która stykała się z pożądaniem, grzechem i seksem, było coś zagadkowego. Spojrzenia, którymi go obdarzała, jej sposób mówienia, jej dotyk kazały mu się zastanawiać, czy kiedykolwiek poznała prawdziwą rozkosz.

I dlatego czekał, aż sama go pocałuje. Wiedział, że w końcu to zrobi. Tej nocy albo nigdy. To była jej chwila. Jej pożądanie.

Kiedy już będą w jego domu, przyjdzie kolej na niego. I da jej tyle przyjemności, ile będzie mógł.

Ale teraz musiała sama ją sobie wziąć.

Pochyliła się, jakby miała zamiar go pocałować, ale w ostatniej chwili się wycofała. Pomyślał, że wynalazła nowy, cudowny rodzaj tortury.

– Dwa tygodnie – przypomniała. – I ani dnia dłużej. Nie chcemy kłopotów. Ma być tak, jak zaplanowaliśmy.

Myślał wprawdzie o tym samym ledwie kilka minut wcześniej, ale i tak poczuł irytację, że w takiej chwili omawia szczegóły ich umowy.

Zgodził się bez wahania.

– Dwa tygodnie. A teraz pocałuj mnie już, do licha.

Na szczęście od razu go posłuchała.

Nigdy dotąd nie całowała mężczyzny.

Oczywiście, zdarzyło się kilkakrotnie, że ją całowano, choć nie zawsze tego chciała. Całował ją też Duncan i jego pocałunki były wspaniałe. Ale nigdy dotąd nie przejmowała kontroli i nie była stroną inicjującą pocałunek. Nawet z Jonathanem, kiedy szaleństwo młodości dodawało jej odwagi.

Przyjemność płynąca z całowania mężczyzny wręcz ją odurzyła. Wiedziała, że nigdy jej nie zapomni. Rozkoszowała się tym, że pozwolił jej dominować, że oparł się wygodnie o ścianę powozu, trzymając ręce na jej biodrach, aby pomóc jej utrzymać równowagę w jadącym pojeździe. Podobało jej się, że biernie przyjmował pieszczotę jej dłoni, a potem ust, pozwalając jej wszystkim kierować.

Pragnęła zrobić wszystko, aby go uwieść, bo przez te wszystkie lata, kiedy stroiła się jak Anna, nigdy nie próbowała uwieść mężczyzny.

A tymczasem on uwodził ją bez najmniejszego wysiłku. Nie musiał nawet jej dotykać.

Przylgnęła na chwilę ustami do jego warg, jakby zastanawiała się, co dalej robić. Potem koniuszkiem języka polizała jego wargi. Z gardła Duncana wydobył się głuchy pomruk.

Ścisnął mocniej jej biodra, a pocałunek stał się bardziej intensywny. Spojrzał jej w oczy i przygarniając ją do siebie, przejął całkowitą kontrolę nad pocałunkiem.

Jego ręce były wszędzie – ślizgały się po skórze i jedwabiu sukni, wplątywały w jej włosy.

– Poczekaj – poprosiła, odsuwając jego dłonie od swoich włosów. – Nie zdejmuj mi peruki. Jeszcze nie.

– Ale chcę to zrobić. Pragnę ciebie – wyznał.

– Ja też tego chcę – wyznała. – Ale jeśli ktoś zobaczy...

Musiała wejść do jego domu jako Anna, ubrana w czarną jedwabną suknię.

Jęknął na znak zgody i znów położył dłonie na jej biodrach. Uniósł nieco Georgianę i przytulił jeszcze mocniej, aby lepiej ją poczuć.

– Za dużo między nami tej sukni – zamruczał niskim głosem, przyciskając ją do siebie. I gdy w końcu idealnie dopasował jej miękkość do swojego sztywnego przyrodzenia, zakołysał się raz i drugi, po czym zagarnął jej usta wargami i językiem.

Ten szturm ją oszołomił i teraz ona wydała jęk. Było jej na przemian gorąco i zimno i rozpaczliwie zapragnęła, by ją posiadł tu i teraz.

Podniosła głowę, bo chciała go zobaczyć. Chciała zrozumieć tę chwilę, kiedy wydawało się, że wszyscy ludzie oprócz ich dwojga przestali istnieć. Otworzył oczy, gdy poczuł, że się odsuwa.

– Nie planowałam tego – szepnęła, wodząc palcami po jego twarzy.

– Spotkania w powozie? – zapytał.

– Tej rozkoszy – wyjaśniła.

Przyglądał jej się uważnie. Z trudem się powstrzymała, by nie zamknąć oczu z obawy, co on może w nich znaleźć.

– To ciekawe, bo ja zaplanowałem właśnie sprawienie ci przyjemności.

Przesunął dłonie wzdłuż jej ciała od ramion aż do bioder, wywołując dreszcze obiecanej rozkoszy, po czym powędrował w górę, do miejsca, gdzie ciasny stanik aż się prosił, by go rozluźnić.

Uwięzione w nim ciało błagało o jego dotyk.

By zaspokoić to pragnienie, dotknął kciukami czubków piersi, prężących się pod jedwabiem. Odrzuciła głowę. Przesunął ustami po odsłoniętym obojczyku, a następnie powtórzył pieszczotę językiem.

– Przestań – szepnęła.

Znieruchomiał w jednej chwili i oderwał się od niej. Zdziwił się, że zgasiła jego zapał. Przyjrzał się jej uważnie.

– Coś nie w porządku?

Owszem, ale nie o to chodziło.

Nie chciała takich myśli, bo przewracały jej życie do góry nogami. Pokręciła głową.

– Nie, nie – skłamała. – Pocałuj mnie.

Ale nie zrobił tego, bo powóz zwolnił. Pochylił się tylko w jej stronę i złożył leniwy pocałunek na jej dekolcie, który falował w szybkim oddechu.

– Obyśmy byli pod moim domem.

W jego głosie zabrzmiała taka desperacja, że musiała się roześmiać, tym bardziej że czuła to samo. Podniosła się z jego kolan, żałując tego w tej samej chwili. Miała ochotę zostać tam na zawsze.

– Jesteśmy. Pomyślałam, że lepiej przyjechać tutaj niż do klubu.

Pochylił się, by pomóc jej wygładzić suknię.

– I dobrze pomyślałaś. Nie chcę, żebyśmy spotykali się w klubie.

– Dlaczego? – zapytała, gdy podniósł jej stopę i wsunął na nią pantofelek.

– Nie chcę, by mnie tam z tobą widziano.

– Ale chcesz ze mną sypiać?

Znieruchomiał i wbił w nią spojrzenie pełne obietnic.

– Pozwól, że ci coś wyjaśnię. Nie chcę, żebyś tam przebywała. Wolę, żebyś trzymała się jak najdalej od tego miejsca. Jak najdalej od skandali, grzechu i występku. Mam pozostać jedynym łajdakiem w tym towarzystwie. Po drugie zapewniam cię, że nie ma mowy o spaniu.

Po tych słowach dreszcz przeniknął ją do głębi, zupełnie jakby wyszeptał je, wodząc ustami po jej nagiej skórze.

Delikatnie postawił jej stopę na podłodze powozu.

– Zabierz mnie do swojego domu – poprosiła.

Błysnęły białe zęby.

– Z przyjemnością.

13

...Prawdę mówiąc, niewiele gwiazd w tym sezonie świeci choć w połowie tak jasno jak nasza piękna lady G. Jest ona coraz bardziej pożądanym gościem na towarzyskich imprezach i nie mamy wątpliwości, że każdy kawaler do wzięcia pragnąłby zobaczyć, jak poradzi sobie na tej jedynej uroczystości, która odbywa się w kaplicy. Co do lorda L., ich znajomość wydaje się rozwijać...

...W mrocznych zakamarkach sal balowych dostrzegliśmy ostatnio biedną zagubioną owieczkę, lady S., która, kiedyś chętnie przyjmowana na salonach jako jedna z bezlitosnych piękności socjety, została teraz skazana na wygnanie za niepopełnione grzechy. Mamy jednak ogromną

nadzieję na poprawę jej pozycji, jako że ostatnio widziano,
jak tańczyła z markizem E...
Rubryka towarzyska „Kuriera Tygodniowego", 1 maja 1833

*D*om Ducana był ogromny, błyszczący od złota i pełen przepychu, urządzony zgodnie z najnowszą modą. Stojąc w wyłożonym marmurem głównym holu, podziwiała wysoki sufit oraz szerokie schody, które prowadziły na wyższe piętra.

– Pięknie tu – oceniła, odwracając się do niego. – Nigdy nie widziałam tak idealnie zaprojektowanego domu.

Oparł się o marmurową kolumnę i skrzyżował ramiona, nie odrywając od niej wzroku.

– Po prostu kawałek dachu nad głową.

Roześmiała się.

– Och, chyba jest czymś więcej.

– To tylko dom.

– Oprowadź mnie.

Nie ruszając się z miejsca, wskazywał ręką kolejne drzwi na drugim końcu holu.

– Pokój gościnny, pokój gościnny, pokój śniadaniowy. – Potem drzwi, które miała za plecami. – Poranny pokój Cynthii, kolejny pokój gościnny. – Zrobił pauzę. – Nie wiem, po co nam ich tyle. – Pokazał na długi korytarz, który prowadził do tylnej części domu. – Tam są kuchnie i basen. Na pierwszym piętrze jadalnia i sala balowa. – Spojrzał na nią uważnie. – A sypialnie musisz obejrzeć osobiście. Są naprawdę urocze.

Roześmiała się z jego niecierpliwości.

– Powiedziałeś: basen?

– Tak.

– Zdajesz sobie sprawę, że basen nie jest zwyczajnym urządzeniem w londyńskich domach?

– Chyba w ogóle nie ma drugiego w Londynie – powiedział. – Ale lubię czuć się czysty, więc dla mnie to idealny sport.

– Inni ludzie też lubią być czyści. I biorą w tym celu kąpiele.

Uniósł brwi.

– Ja też biorę kąpiele.

– Chciałabym to zobaczyć.

– Jak biorę kąpiel?

Roześmiała się.

– Nie. Chciałabym zobaczyć twój basen.

Poznała po jego oczach, że zastanawia się, czy nie odmówić. Oprowadzanie po domu nie było częścią planu na ten wieczór. Ale w końcu wziął ją za rękę i poprowadził ciemnym korytarzem i przez kuchnie.

Podszedł do zamkniętych drzwi, położył dłoń na gałce i odwrócił się, aby spojrzeć w oczy Georgianie. Otworzył drzwi i mogła wejść do słabo oświetlonego pokoju.

W pierwszej chwili zauważyła tylko mdłe światło pochodzące z kilku kominków na drugim końcu pomieszczenia, a dopiero potem uświadomiła sobie, że w pokoju jest bardzo ciepło.

– Poczekaj tu – poprosił cicho. – Zapalę lampy.

Stała w ciepłej ciemności, obserwując jego ruchy. Najbliższa lampa rzuciła nieduży krąg złocistego światła na ogromny pokój. Stała na brzegu basenu, którego tafla była ciemna, nieruchoma i kusząca. Nie zauważyła nawet, kiedy zrobiła kilka kroków w stronę tajemniczej wody. Duncan ruszył wzdłuż brzegu basenu, zapalając kolejne lampy, aż cały pokój ukazał się jej oczom.

Robił imponujące wrażenie.

Ściany, podłoga, a nawet sufit były wyłożone niebiesko-białą ceramiczną mozaiką, jakby niebo i fale zlały się w jedno. Lampy, osadzone na kunsztownie rzeźbionych marmurowych kolumnach, tworzyły złociste kule szkła. Podniosła wzrok na sufit. Na jego środku wbudowano szklane panele, przez które było widać usiane gwiazdami niebo nad Londynem.

Mogłaby patrzeć na ten sufit do końca świata.

A jeszcze był sam basen, w którego wodzie, ciemnej jak wino, odbijały się gwiazdy i lampy. Napotkała spojrzenie Duncana, który stał kilka metrów od niej, przy jednej z lamp. Był jak Posejdon, bóg tego miejsca, tak silny, że mógł wzburzyć wody jednym skinieniem.

– To jest… – Przerwała, nie mogąc znaleźć odpowiednich słów. – Oszałamiające.

Podszedł do niej.

– To moja słabość.

– Myślałam, że twoją słabością są karty.

– Tamto to praca. A tutaj jest przyjemność.

Przyjemność.

Co to słowo obiecywało? Zadumała się nad jego sensem. Od jak dawna nie myślała o przyjemności? Od ostatniego razu?

Uśmiechnęła się do niego.

– To musi być cudowna przyjemność.

– Cudowna przyjemność... – powtórzył, nie odrywając wzroku od jej oczu. – Na to wygląda.

Nie sądziła, że w pokoju może zrobić się jeszcze cieplej.

– Dużo tu kominków.

Obejrzał się przez ramię.

– Lubię pływać przez cały rok, a bez nich woda by wystygła.

Ten pokój z jego bogatym wyposażeniem musiał kosztować fortunę. Ogrzewanie i lampy to była czysta ekstrawagancja. Upadły Anioł chlubił się, że było w nim sześć obszernych pokojów, przeznaczonych tylko do spełniania zachcianek klientów. Ale czymś takim jak to nie mógł się pochwalić.

Czegoś takiego nie było w całym Londynie.

Spojrzała na niego.

– Dlaczego?

Zwrócił wzrok na ciemną wodę.

– Już ci mówiłem. Lubię pływać.

Wcale tego nie mówił. Powiedział, że lubi być czysty.

– Można popływać w innych miejscach.

– Najpiękniej jest tu nocą – stwierdził, ignorując jej słowa. – Wtedy otacza mnie tylko woda i gwiazdy. I na ogół nie zapalam światła.

– Wystarczy ci to, co odczuwasz? – zapytała.

– Odczucia są niedoceniane.

Przygarnął ją do siebie, otoczył ramieniem w talii i pocałował mocno i pożądliwie. Nie wiedziała, czy sprawiła to wysoka temperatura pokoju, czy ta pieszczota, ale jej myśli odpłynęły.

Odsunął się.

– Umiesz?

Dopiero po chwili zrozumiała to pytanie.

187

– Tak.

– Masz ochotę popływać?

Uśmiechnęła się i odparła:

– Nie spodziewałam się, że ten wieczór potoczy się w ten sposób.

– Ani ja. – Pocałował ją przelotnie. – Zdejmij tę piekielną perukę.

Spełniła życzenie Duncana, który tymczasem przyklęknął przy pierwszym kominku, by rozpalić większy ogień, a następnie zrobił to samo z drugim. Obliczyła, że obsłużenie wszystkich sześciu kominków zajmie mu kilka minut, usiadła więc i zdjęła buty, a potem pończochy i bieliznę. Wszystko ułożyła schludnie z boku. Pozostała w samej sukni.

Kreację zaprojektowano specjalnie dla Anny, nie dla Georgiany, więc aby ją zdjąć, nie potrzebowała pokojowej. Na piersi znajdowały się ukryte haftki i tasiemki, a gorset był wszyty w stanik – po to, by łatwo było wkładać i zdejmować suknię.

Chyba krawcowa, która wykonała to dzieło nowoczesnej sztuki szwalniczej, nie przewidziała, że suknia wyląduje na brzegu basenu.

Odwrócił się od ostatniego kominka i spojrzał na nią przez całą szerokość dużej sali. Stała bez ruchu, śledząc go wzrokiem, gdy wracał, wpatrzony w nią jak drapieżnik w swoją ofiarę. Dostrzegła, że jest boso. Musiał podobnie jak ona wykorzystać te kilka minut na zdjęcie butów. Po drodze pozbył się marynarki i rzucił ją na bok, po czym zajął się odwiązaniem fularu, którego długie końce swobodnie spłynęły na podłogę. Ani na chwilę nie oderwał od niej wzroku i rzeczywiście poczuła się jak ofiara drapieżnika.

Ofiara, która bardzo chciała zostać złapana.

Idąc w jej stronę, wyciągał koszulę ze spodni. Podziwiała swobodę, z jaką to robił.

– Czy oddawałeś się tu kiedyś takiej rozrywce? – zapytała bez zastanowienia i natychmiast pożałowała, że nie ugryzła się w język.

Cóż, tej nocy to było bez znaczenia. Ich związek nie miał trwać wiecznie.

I dlatego nie powinno jej obchodzić, czy przyprowadził kiedyś inną kobietę do tego okazałego, ekstrawaganckiego i absurdalnego pomieszczenia.

– Nie – usłyszała.

Ta odpowiedź i świadomość, że mówi prawdę, sprawiły jej bolesną przyjemność.

Duncan zdjął koszulę przez głowę, obnażając szczupły, muskularny tors, jak wyrzeźbiony z marmuru. Zaschło jej w ustach. Żaden mężczyzna nie powinien wyglądać jak klasyczna rzeźba. I żaden tak nie wyglądał.

Znowu przyszło jej na myśl porównanie z Posejdonem, ale odsunęła tę niemądrą myśl.

Nie mogła oderwać od niego wzroku.

Zrobiła to dopiero wtedy, gdy zaczął odpinać guziki przy spodniach. Przeniosła spojrzenie na jego twarz i wszystkowiedzące oczy, sprawiające wrażenie, jakby znał jej myśli. Jakby wiedział, że przed chwilą porównała go w duchu do Posejdona.

Co za nieznośny typ.

– Jesteś za grubo ubrana.

Starała się odsunąć wstyd. Zgodziła się na to, prawda? Zgodziła się na tę noc. Podobno była Anną, która miała doświadczenie w tych sprawach.

I nie miało znaczenia, że prawda była trochę inna.

No dobrze. Zupełnie inna.

Ale suknia o czymś świadczyła. To chyba oczywiste. Co prawda, w przypadku Duncana Westa więcej mówiło nagie ciało niż ubranie, ale nie w tym rzecz.

Wzięła głęboki oddech. Zebrała się na odwagę i jednym ruchem zrzuciła z siebie suknię, stając przed nim zupełnie nago.

Gdyby nie wstyd, roześmiałaby się na widok jego miny – był wyraźnie zaszokowany, że dała radę rozebrać się bez jego pomocy; wyglądał tak, jakby dostał porządny cios w głowę.

Ale na razie daleko jej było do śmiechu. Wstyd zagłuszył wszystko. Wstyd i zdenerwowanie. Była świadoma, że wystawiła na jego wzrok wszystkie swoje wypukłości, które zwykle ukrywała pod zwojami jedwabiu. Pożądanie mieszało się z przerażeniem.

Zrobiła więc to, co uczyniłaby w tej sytuacji każda szanująca się kobieta. Szybko wskoczyła do ciemnego basenu i zanurkowała, aby ukryć nagość.

Wypłynęła na powierzchnię kilka metrów od brzegu. Dzięki idealnej temperaturze wody było to jak orzeźwiająca letnia kąpiel. Odwróciła się w stronę miejsca, z którego skoczyła. Stał tam nadal i obserwował ją z rękami opartymi na biodrach.

Był nagi.

Starała się nie patrzeć. Naprawdę się starała.

Popłynęła dalej na plecach, zadowolona z panującego tutaj półmroku. Chyba nie mógł widzieć, że wpatruje się intensywnie w jego ciało.

– Miło jest?! – zawołał.

Wciąż zwiększając dystans między nimi, odpowiedziała z udawaną śmiałością:

– Owszem.

– Jeśli chcesz popływać – powiedział – zrób to teraz.

Te słowa wydały jej się dziwne; w końcu była w wodzie i właśnie to robiła.

– Dlaczego?

– Bo jak cię dogonię, przejdzie ci ochota na pływanie.

Słowa podziałały jak uderzenie pioruna, którego siłę wzmocniła jeszcze woda, dotykająca jej ciała w takich miejscach, jakich zwykle się nie obnaża w basenie, nawet tak zachwycającym jak ten. Przyglądała mu się w milczeniu i zachwycie. Ucieleśnienie doskonałości pochylające się nad wodą.

Do której zaraz wskoczy, by ją schwytać.

Może właśnie o to chodziło.

– Jakoś straciłam ochotę na pływanie – wyznała.

Nim dokończyła, był już pod wodą. Serce jej waliło, gdy czekała, aż się wynurzy, a cisza, która zapadła po tym skoku, napełniła jej serce niepokojem pełnym oczekiwania. Obserwowała ciemną jak atrament taflę wody, zastanawiając się, w którym miejscu się pojawi.

I nagle go poczuła. Najpierw jego palce musnęły jej brzuch, a potem dłonie ujęły ją w talii. Westchnęła głośno, gdy pojawił się tuż obok niej, jak Posejdon wynurzający się z oceanu.

– Jestem bardzo wdzięczny – wyszeptał prosto do jej ucha – temu, kto nauczył cię pływać.

Nie zdążyła się nawet zastanowić nad odpowiednią ripostą, bo już ją całował, unosząc jak piórko.

Jęknął, gdy ją poczuł, a ona westchnęła w odpowiedzi. Przycisnął ją do ściany basenu. Ta chwila nadchodzi, pomyślała. Chciała tego, i to rozpaczliwie, a on zamierzał jej to dać. Od wielu lat nie zbliżyła się do nikogo w ten sposób. Do żadnego mężczyzny. Wydawało jej się, że minęły wieki.

Rozkrzyżował jej ramiona na ścianie basenu.

– Nie miałem okazji ci się przyjrzeć – wymruczał tuż nad powierzchnią wody i musnął naprężone koniuszki piersi, które tęskniły do jego dotyku. – Zaszokowałaś mnie jak wszyscy diabli i uciekłaś.

– Jak widać, niezbyt daleko – zauważyła, a Duncan uwolnił jej dłoń i ujął nagą pierś. Uniósł ją ponad linię wody i przejechał kciukiem po nabrzmiałym sutku.

– Owszem, widać – powtórzył. – I znów jesteśmy razem w ciemności, a ja nie mogę na ciebie popatrzeć.

– Proszę – westchnęła, gdy pieścił kciukiem jej sutek. To ją zabijało.

– O co prosisz? – zapytał z ustami na jej piersi.

– Wiesz, o co – odparła, a Duncan się roześmiał.

– Wiem. I cieszę się, że jesteśmy tu sami. W końcu będę mógł cię zakosztować i nikt mnie nie powstrzyma.

Spróbowała go przyciągnąć i straciła równowagę w wodzie. Złapał ją bez wysiłku. Nie wiedziała, co powiedzieć, więc jęknęła tylko:

– O Boże, nie przerywaj.

Posłuchał jej, zajmując się najpierw jedną piersią, a potem drugą, aż pomyślała, że zaraz umrze, utonie w tym cudownym miejscu – i w nim. W końcu podniósł głowę – nie wiedziała, czy minęły wieki, czy jedno uderzenie serca – i słysząc, że z westchnieniem wymawia jego imię, zrozumiał, że jest gotowa na wszystko, co chciał jej dać.

Zagarnął ustami jej wargi i przyciągnął do siebie tak mocno, że między nimi nie pozostało miejsca na wodę, która chlupotała wokół ich ciał. Gdy skończył pocałunek, objęła jego ramiona, chcąc znaleźć punkt oparcia, odzyskać kontrolę i władzę.

Szukała w głowie słów, które zwiększyłyby dystans bez potrzeby fizycznego oddalenia.

– Skąd pomysł z basenem? – zapytała w końcu.

Szybko opanował zdziwienie.

– Lepiej, żebyś tego nie wiedziała – uznał ochrypłym głosem, a ona poczuła się nagle rozpustną kobietą.

– Ale chcę wiedzieć.

Zdjął długie pasmo mokrych włosów z jej ramienia i zaczął się nim bawić.

– Nie bywałem czysty jako dziecko.

Uśmiechnęła się, bo wyobraźnia podsunęła jej obraz jasnowłosego chłopca z szelmowską miną i bystrymi oczami.

– Jak większość dzieci.

Nie patrzył jej w oczy.

– Nie byłem brudny od zabawy – ciągnął beznamiętnie. – Musiałem pracować. Kładłem cegły. Smołowałem drogi. Czyściłem kominy.

Przeniknął ją chłód. Dzieci nie powinny być zmuszane do takich zajęć, a czyszczenie kominów to była wyjątkowo niebezpieczna, mordercza praca. Mali chłopcy musieli wspinać się w górę we wnętrzu komina, aby go wyczyścić – im byli mniejsi, tym lepiej. Nie mógł mieć wtedy więcej niż trzy, cztery lata, bo chłopcy w tym wieku byli najlepszymi kandydatami do tej tortury.

– Duncanie – szepnęła, ale sprawiał wrażenie, jakby jej nie słyszał.

– Nie było tak źle. Tylko wtedy, kiedy było ciepło, a kominy były za wąskie. Miałem szczęście.

Dziecko skazane na takie życie nie mogło być szczęśliwe.

– Mieszkałeś w Londynie? – Na pewno. Bez wątpienia w przytułku. Musiał znosić cierpienia zadawane przez to wielkie, rozwijające się miasto.

Nie odpowiedział, tylko pokręcił głową, jakby chciał wymazać to wspomnienie. Musiał ich mieć setki, jedno bardziej przerażające od drugiego.

– Nieważne. Nie dawano mi się potem wykąpać, bo następnego dnia i tak bym się pobrudził przy pracy. A kiedy w końcu pozwalano, to kąpałem się na szarym końcu i woda zawsze była zimna. I brudna.

Do jej oczu napłynęły łzy, gorące i niechciane. Na szczęście nie mógł wyraźnie widzieć jej twarzy, bo zasłaniał plecami światło z kominków.

Objęła go za szyję, wsuwając palce w jego jasne włosy, które teraz były miękkie, błyszczące i czyste.

– To już minęło – wyszeptała mu do ucha. – Minęło – powtórzyła.

Chciała go chronić. Tego chłopca, którym był, i tego mężczyznę, którym się stał.

To, co czuła...

Nie. Nie wolno jej o tym myśleć.

I na pewno się do tego nie przyzna.

Spojrzał na nią ze zdziwieniem, jak gdyby dopiero teraz przypomniał sobie o jej istnieniu.

– Minęło – powtórzył za nią. – Teraz mam basen o powierzchni dziewięćdziesięciu metrów kwadratowych, wypełniony czystą wodą. Ciepłą i cudowną.

Chciałaby go jeszcze o coś zapytać.

Ale wiedziała lepiej niż ktokolwiek inny, że kiedy mężczyzna taki jak Duncan West uważa rozmowę za skończoną, to nie ma sensu dłużej gadać. Zaczęła więc go całować, przesuwając dłoń aż do miejsca, w którym ją podtrzymywał, otwartą i przytuloną do niego. Pragnęła pieścić każdy centymetr jego ciała... a najbardziej pewną szczególną część. I już prawie zebrała się na odwagę, by to zrobić, kiedy podniósł ją i posadził na brzegu basenu.

– Poczekaj... – zaczęła, ale ją powstrzymał.

– Dziś wieczorem nie interesuje mnie basen – wyszeptał, wsuwając dłoń między jej uda i rozchylając, by pocałować w kolano. – Tylko coś zupełnie innego.

Wyczuła w jego słowach nerwowy pośpiech, jakby dotykanie jej, całowanie i kochanie się z nią mogło wymazać przeszłość. I rozmowę o niej.

Może zresztą tak było.

Poruszał prowokacyjnie palcami, aż rozwarła szerzej uda. Pocałował ją, a jego sprawne palce rozpalały ją do czerwoności.

– Coś zupełnie innego – powtórzył, wędrując ciemną, nieprzyzwoitą ścieżką w górę jej nogi, każdym pocałunkiem prowokując ją do tego, by bardziej się przed nim otworzyła. – Ale tak samo ciepłego.

Jego słowa przyprawiły Georgianę o dreszcz. Zamknęła oczy, by nie widzieć jego ust między swoimi udami.

– Tak samo cudownego.

Zaczynała tracić równowagę, więc oparła dłonie o podłogę, nie bardzo wiedząc, jak się zachować. Jego wścibskie palce przesuwały się wyżej, ale już nie musiały jej do niczego zachęcać. Otworzyła się przed nim, dając mu całkowity dostęp.

Zapowiedział jej, że przejmie kontrolę, i dotrzymał słowa.

Siedziała przed nim z rozchylonymi udami, a jego palce powędrowały do ciemnej kępki włosów, które skrywały jej najbardziej intymną tajemnicę. Podniósł na nią wzrok.

– Ale czy równie wilgotnego?

Siła rażenia tych słów była mocniejsza niż dotyku, który im towarzyszył. Duncan delikatnie rozsunął miękkie fałdy i zanurzył palec w jej wnętrzu. Oboje jęknęli w tej samej chwili, a ona drgnęła z nagłej rozkoszy.

– Bardziej – powiedział zachwycony, pieszcząc to ciemne, cudowne miejsce. – Mam zamiar spróbować, jak tam smakujesz – mówił dalej. – Mam zamiar cię całować i dotykać, aż dojdziesz i twoje krzyki wypełnią pokój, mając za świadków tylko wodę i niebo.

Te słowa ją osłabiły i zarazem wzmocniły. Przesunął rękę w górę, aż dotarł do piersi. Popchnął ją na ciepłe kafelki. Leżała teraz płasko, a nogi zwieszały się swobodnie nad brzegiem basenu.

– Jesteś moja – szepnął niczym tchnienie grzechu.

– Tak – szepnęła. Wielkie nieba, to była prawda. Była jego i mógł zrobić z nią wszystko, co chciał.

Intensywna rozkosz, którą jej dawał, wywoływała głośne jęki. Uniosła biodra, zuchwale błagając o więcej, choć dostawała tak dużo. Uwielbiała jego dotyk, dźwięk jego głosu, sposób, w jaki otwierał ją szeroko.

Była jego.

Nigdy więcej czegoś takiego nie przeżyje. Nigdy nie odda się komuś w taki sposób.

I nagle poczuła go tam, gdzie najbardziej tego pragnęła, w nabrzmiałym, płonącym tęsknotą miejscu. Lizał i ssał, wysyłając dreszcze rozkoszy niemożliwej do zniesienia. Chwycił jej biodra i trzymał mocno, gdy pędziła ku ostatecznemu celowi, wołając w ciemności jego imię raz za razem, aż przestało być imieniem, a stało się dziękczynieniem.

I wtedy z jej ust wydobył się krzyk, tak jak obiecał, krzyk, którego świadkami były tylko gwiazdy zawieszone wysoko nad nimi. Popłynął pod szklany sufit i odbił się echem, by opaść na nich znowu, jakby byli jedynymi ludźmi w Londynie. Jedynymi na świecie.

Był przy niej, gdy do niego wracała. Jego wargi błądziły po jej udzie, a język powoli kreślił kółka, jakby chciał uspokoić jej szalejący puls.

Otworzyła oczy w tej oszałamiającej sali, która wydawała się pomarańczowa w świetle ognia buzującego w kominkach. Uświadomiła sobie wtedy, że w tym pomieszczeniu nie ma nic śmiesznego – pasowało do niego.

Nie mogła się nim nasycić. Nigdy nie będzie mieć go dość, nie przestanie go pragnąć.

Zrujnuje ją, tak samo jak zrujnował ją ostatni mężczyzna, któremu pozwoliła się dotknąć.

Stężała pod wpływem tej myśli, a Duncan natychmiast wyczuł zmianę.

– No i proszę – zaczął znacznie chłodniejszych tonem, niż się spodziewała. Chłodniejszym, niżby chciała. – Wracają wspomnienia.

Nie cierpiała go za to, że tak łatwo potrafił ją rozgryźć. Usiadła, podciągnęła kolana pod brodę i otoczyła je rękami.

– Nie wiem, o co ci chodzi.

Uniósł brwi.

– Doskonale wiesz. Gdybyś nie wiedziała, wskoczyłabyś do basenu.

Uśmiechnęła się.

– Nie wolałbyś pójść do łóżka?

– Przestań – mruknął. – Nie sprowadzaj jej tutaj. Nie teraz.

– Ale kogo?

– Anny. Nie chcę jej fałszywego uśmiechu i jeszcze bardziej fałszywych słów. Nie jestem...

Nie dokończył, więc spytała:

– Kim nie jesteś?

Zaklął ze złością i popłynął na plecach, szybko zwiększając dystans. Jakby uciekał od tej chwili.

– Nie jestem Chase'em. Nie chcę jej. Pragnę ciebie.

– Jesteśmy jedną i tą samą osobą – przypomniała.

– Nie obrażaj mnie i nie okłamuj. Zachowaj kłamstwa dla swojego właściciela – wyrzucił z siebie ze złością i z bólem.

Gdy kilka lat temu wymyśliła Chase'a, nie przypuszczała, że kiedyś będzie zmuszona prowadzić taką delikatną i trudną grę. Wstała i ruszyła za nim brzegiem basenu, aż do miejsca, w którym weszli do tej sali. Do miejsca, do którego nie było już powrotu. Wyszedł z wody, otworzył szufladę komody i podał jej duży, gruby ręcznik z egipskiej bawełny. Owinęła się, szukając właściwych słów.

– Duncanie, nie jestem jego własnością – stwierdziła po namyśle.

Nie widziała jego twarzy, bo stał plecami do światła, gdy wypowiadała to zdanie, w którym każde słowo było kłamstwem. Jego długi cień, kończący się kilka centymetrów od niej, wyrzucił z siebie słowa pełne frustracji:

– Oczywiście, że jesteś. Biegniesz na każde jego skinienie. Daje ci przesyłkę, a ty ją dostarczasz. Daje ci męża, a ty go bierzesz.

– To nie tak, jak myślisz.

– Dokładnie tak.

Powinna wyznać mu prawdę.

Chwycił ją za ramiona, po czym odwrócił do światła; jego dotyk był ciepły i przyjemny.

– Powiedz mi. Powiedz, co sobie przed chwilą pomyślałaś.

Wiedziała, że te słowa nie powinny paść. Że zniszczą ich oboje. Ale i tak je powiedziała.

– Pomyślałam, że powinnam wyznać ci prawdę.

Zastygł w bezruchu.

– Owszem, powinnaś. Jakakolwiek ona jest, mogę ci pomóc.

Przekazanie mu całej prawdy wydawało się łatwe. Powinna przyznać się do tego, że to ona jest Chase'em. Że przez te wszystkie lata trzymała w tajemnicy jego tożsamość ze względu na Caroline. Wiedziała, że któregoś dnia córka będzie potrzebowała czegoś więcej: nieskazitelnego nazwiska, które pomoże jej prowadzić życie, jakiego pragnęła i na jakie zasługiwała.

Byłoby łatwo powiedzieć mu o tym. Miał taką samą władzę jak ona – wiedziałby, jakim zagrożeniem byłoby ujawnienie tej tożsamości i dla niej, i dla Caroline. I dla Upadłego Anioła. Dla całego jej świata. Był jednak zbyt niebezpieczny. I to nie dlatego, że zarabiał na życie, ujawniając sekrety innych, ale z tej prostej przyczyny, że gdyby się dowiedział, trzymałby Georgianę w garści – jej tajemnice, jej nazwisko, jej świat, jej serce.

A przecież sprawił, że chciała mu zaufać.

Sprawiał, że chciała go pokochać.

Miłość kiedyś ją oszukała – była ulotna i niedoskonała, ale zostawiała szkody nie do naprawienia.

Nie można było jej ufać.

Groźba, że znowu się pojawi, sprawiała, iż również jemu nie mogła zaufać.

Zbyt wiele miała do stracenia, a Duncan West nie zawdzięczał jej aż tyle, by nie zdradzić jej sekretów. Sam miał ich zbyt wiele – zbyt wiele tajemnic, których nie znała.

Ta gra mogła się toczyć tylko w jeden sposób – sekret za sekret.

Przysługa za przysługę.

I dlatego nie powie mu prawdy. Musi pamiętać, że bardziej niż bezpieczeństwa, honoru i szacunku potrzebowała kogoś, kto nie będzie się
interesował jej tajemnicami. Kogoś, komu nigdy nie zaufa.

Kogoś, kogo nigdy nie pokocha.

I jeśli ta noc ją czegokolwiek nauczyła, to tego, że mogłaby pokochać
Duncana Westa. Ale miłość doprowadziłaby ją znowu do nieszczęścia.

– Posłuchaj, Georgiano... chciałbym, żebyś wyrwała się spod jego buta.

Pokręciła głową.

– Już ci mówiłam, że moja umowa z Chase'em ma teraz... inny
charakter.

– A co z naszą umową? Między tobą a mną?

Przeniosła wzrok na wodę.

– Nasza umowa też ma teraz inny charakter.

– Co się zmieniło?

Cóż, nie spodziewała się, że przeszkodzi w tym uczucie.

– Zaszły pewne... komplikacje.

Roześmiał się z goryczą.

– To fakt – rzucił i odszedł.

Odprowadzała go wzrokiem, nie patrząc, jak idzie przepasany w biodrach ręcznikiem, mieniąc się złociście w świetle kominka.

W końcu odwrócił się do niej i przeczesał palcami włosy.

– A gdybym za to zapłacił? Gdybym kupił ci dom i inne życie?
Chryste, Georgiano, powiedz mi wreszcie, co on na ciebie ma. Mogę to
załatwić. Mogę sprawić, że Caroline stanie się ulubienicą socjety. Mogę
ci dać życie, jakiego pragniesz.

To była najbardziej kusząca propozycja, jaką w życiu słyszała. Lepsza
niż dziesiątki tysięcy funtów pochodzących z ruletki. Lepsza niż setki
funtów z występów Temple'a na ringu. Po prostu doskonała. I niczego
bardziej nie pragnęła, jak ją przyjąć.

– Mogę ci pomóc rozpocząć nowe życie. Bez niego. Tylko mi na to
pozwól.

Gdyby była inną kobietą, pozwoliłaby mu na wszystko.

Gdyby była jedynie lady Georgianą Pearson, rzuciłaby się w ramiona
tego mężczyzny i pozwoliła, by się nią zaopiekował. Mógłby naprawić

197

wszystko, co zepsuła. Przyjęłaby pomoc, którą obiecał, i zbudowała nowe życie. Jako zupełnie inna osoba.

Może nawet błagałby go, żeby się z nią ożenił. Może miałaby nadzieję, że taki związek pozwoli jej przeżyć resztę dni w szczęściu, które jej dawno temu obiecywano.

Ale wszystkie obietnice okazały się fałszywe. A ona nie była zwykłą kobietą.

Tylko Chase'em.

A życie, które sama sobie zorganizowała, wybory, których dokonała, droga, którą obrała... nie prowadziły do niczego. I nie powinna robić sobie i jemu nadziei, że jest inaczej.

Spojrzała mu w oczy.

– Nie możesz dać mi tytułu. – Otworzył usta, żeby odpowiedzieć, ale go powstrzymała. – Tytuł, Duncanie. Tylko tytuł się liczy.

Przez ulotną chwilę w jego oczach odbiły się jak w lustrze prawdziwe uczucia – smutek i rozgoryczenie. Ale szybko znikły. Zastąpiła je chłodna rezerwa.

– No to masz szczęście, milady, że Chase mi zapłacił. Moje gazety są do twojej dyspozycji. Dostaniesz swój tytuł.

Chciała go przytulić, błagać go, żeby doprowadził do końca ich umowę. Pragnęła wykorzystać swoje dwa tygodnie. Może to pozwoliłoby jej przeżyć potem całe życie bez niego.

Nie mogła nie zadać pytania:

– Co z dzisiejszą nocą?

Okazało się, że i tym razem to on ma kontrolę nad sytuacją.

– Ubierz się – rzucił, jakby noc się skończyła. Odwrócił się plecami i ruszył do drzwi. – Ubierz się i wyjdź.

14

...Ulubienica tegorocznego sezonu podbija serca wyższych sfer swoim bezpretensjonalnym wdziękiem i niena-

ganną urodą. Damę tę widziano w tym tygodniu u madam
H., znanej modystki, jak kupowała jedwabne suknie w sto-
nowanych barwach, idealnie zasłaniające dekolt i szyję. Jest
prawdziwym wcieleniem skromności...

...Z wielką radością spieszymy poinformować, że lord
i lady N. przybyli do miasta na sezon – to bardzo nieocze-
kiwana decyzja ze strony pary, która tak rzadko opuszcza
wiejską rezydencję. Lady N. widziano w kilku sklepach na
Bond Street, gdzie miała podobno kupować garderobę dla
niemowlęcia. Być może zima przyniesie lordowi N., który
ma już kilka córek, długo oczekiwanego syna?

„Wiadomości Londyńskie", 2 maja 1833

*N*azajutrz, o wpół do dziesiątej rano, Duncan podał kamerdynerowi
w Tremley House swoją wizytówkę i usłyszał w odpowiedzi, że hrabiego nie ma w domu.

Tylko że kamerdyner nie miał pojęcia, że Duncan West nie daje arystokratom zbyć się byle czym.

– Hrabia jest w domu – powiedział.

– Przykro mi, sir – odparł kamerdyner, próbując zamknąć drzwi.

Duncan wsunął but do środka, nie dając za wygraną.

– Dziwne, bo wcale nie wyglądasz, jakby ci było przykro. – Przyłożył rękę do drzwi i popchnął je mocno. – Będę tu stał cały dzień. Bo
widzisz, nie muszę się przejmować swoją reputacją.

Kamerdyner doszedł do wniosku, że lepiej wpuścić Duncana do
środka, niż szarpać się z nim na progu, gdzie mógł ich zobaczyć każdy
przechodzień na ulicy Mayfair. Otworzył drzwi.

Duncan uniósł brew.

– Bystry z ciebie gość. – Kamerdyner otworzył usta, zapewne po
to, by powtórzyć, że hrabiego nie ma w domu, ale Duncan na to nie pozwolił. – Jest w domu i mnie przyjmie. – Zdjął płaszcz i kapelusz i rzucił
na ręce kamerdynera. – Przyprowadzisz go czy sam mam go poszukać?

Służący zniknął, a Duncan czekał w wielkim holu Tremley House.
Nie odczuwał jednak takiej satysfakcji, jakiej się spodziewał.

Powinien być wniebowzięty, bo w końcu był w posiadaniu dowodu, który pomoże mu uwolnić się spod ciężaru pogróżek i szantażu Tremleya. Dziś West w końcu odkryje karty i wygra.

I po osiemnastu latach będzie mógł przestać uciekać. I przestać się kryć.

Będzie mógł żyć normalnie. Z grubsza.

Powinien się cieszyć z tego zwycięstwa.

Ale zamiast tego myślał o porażce, którą przeżył poprzedniej nocy. Myślał o Georgianie, o tym, jak leżała nago, otulona złocistym blaskiem ognia, w jego ukochanym miejscu. Myślał o tym, jak zaznała rozkoszy, która jemu nie była dana.

Jak go odrzuciła.

Nigdy wcześniej nie zaoferował nikomu tego, co zaproponował jej: swojej ochrony, pieniędzy, wsparcia. Samego siebie.

Odwrócił się i ruszył na drugi koniec holu. A w dodatku wyznał jej swoje tajemnice. Nigdy nie opowiadał nikomu o swoim dzieciństwie. O obsesji na punkcie higieny. O przeszłości.

Gdy go zapytała, gdzie mieszkał jako dziecko, niewiele brakowało, by powiedział jej prawdę, wyznał jej wszystko… w nadziei, że jego szczerość ją odblokuje. Że sprawi, iż mu zaufa i powie prawdę o sobie. O swojej przeszłości i błędach, które popełniła.

O Chasie.

Na szczęście się powstrzymał.

Georgiana wcale nie chciała znać prawdy o nim. Bo nie chciała jego samego.

„Pomyślałam, że powinnam wyznać ci prawdę".

Słowa wypowiedziane poprzedniego wieczoru zabrzmiały w jego głowie tak głośno, jakby stała obok. Powinna była powiedzieć mu wszystko. Mógłby jej wtedy pomóc. Ale nie zrobiła tego. Odrzuciła jego pomoc.

Odrzuciła jego.

Chciała tylko tego, co mógł dla niej zrobić. Potrzebowała jego gazet. Chciała naprawić swoją reputację po to, by zdobyć tytuł.

Gdy teraz o tym rozmyślał, wiedział, że Georgiana ma rację. Gdyby wyjawił jej prawdę o sobie, niczego by to nie zmieniło. Chociaż czekał na człowieka, który od lat kontrolował jego życie, i za chwilę miał się od niego uwolnić, wiedział, że to jeszcze nie czyni go idealnym mężem dla Georgiany.

Zdobył pozycję, która dawała mu wielką władzę, ale i tak na zawsze pozostanie chłopcem urodzonym i wychowanym wśród gminu.

Nigdy nie będzie na tyle potężny, aby zatrzeć piętno skandalu Georgiany. Nie miał jej nic do zaoferowania. Ani tytułu, ani nazwiska, ani przeszłości.

Nie mógł jej też zapewnić przyszłości.

Był dla niej tylko środkiem do celu.

Dlaczego zatem wzbraniał się przed przyjęciem tego, co zaproponowała? Nie życzyła sobie, aby odgrywał jej zbawiciela. W porządku. Nie chciała wyznać prawdy o sobie. W porządku. Ale ofiarowała mu samą siebie. Chciała przyjemności. Obopólnej.

Dlaczego nie miałby przyjąć tego daru i dać sobie spokój z całą resztą?

Cóż, nie lubił pozostawiać za sobą niezałatwionych spraw.

– Do licha, co tak wcześnie? – odezwał się Tremley z podestu na pierwszym piętrze. Duncan śledził hrabiego wzrokiem, gdy ten ruszył po schodach. Włosy miał jeszcze wilgotne po porannych ablucjach. – Mam nadzieję, że przyniosłeś to, o co prosiłem.

– Niestety – odpowiedział West, wyrzucając z myśli Georgianę. Nie chciał jej tutaj, w tym miejscu. Nie chciał, by zbrukał ją ten człowiek i jego grzechy. – Ale mam coś dużo lepszego.

– Chętnie się z tym zapoznam. – Tremley zatrzymał się u dołu schodów, opuszczając rękawy.

Westa dopadły wspomnienia.

Patrzył, jak hrabia zgrabnymi ruchami wygładza rękawy koszuli.

– Twój ojciec robił to tak samo.

Palce Tremleya znieruchomiały.

– Opuszczał i wygładzał rękawy koszuli, zanim pokazał się ludziom.

– Pamiętasz ekscentryczne nawyki mojego ojca?

– Pamiętam wszystko.

Hrabia uniósł kącik ust.

– Zaraz ugną się pode mną kolana. – Westchnął. – No dalej, West. Z czym przychodzisz? Jest wcześnie i chcę zjeść śniadanie.

– Mógłbyś mnie zaprosić.

– Mógłbym. Ale myślę, że moja rodzina karmiła cię już dostatecznie długo.

West zacisnął pięści i spróbował powstrzymać gniew. To była gra. A on musiał wygrać.

– Chcesz usłyszeć, czego się dowiedziałem?

– Już ci mówiłem. Chcę poznać tożsamość Chase'a. Jeśli to, z czym przychodzisz, nie ma z nim związku, to nic mnie nie obchodzi. Zwłaszcza o tej porze. – Odwrócił się do lokaja stojącego na drugim końcu holu i pstryknął palcami. – Herbata. Natychmiast.

Służący oddalił się bez chwili zwłoki. Westa oburzało, że wszyscy posłusznie spełniali polecenia Tremleya, wydawane ostrym tonem... w taki sam sposób, jak robił to jego ojciec. Ta rodzina miała okrucieństwo we krwi, a młodzi służący szybko się uczyli, że trzeba poruszać się błyskawicznie, aby uniknąć gniewu hrabiów Tremley.

Odprowadził wzrokiem umykającego lokaja i zwrócił się do Tremleya:

– Właściwie to ma dużo wspólnego z Chase'em.

– Chryste, West. Nie traćmy na to całego dnia.

– Lepiej, żeby to pozostało w czterech ścianach twojego gabinetu.

Przez chwilę West myślał, że hrabia się nie zgodzi. I szczerze mówiąc, chętnie wyjawiłby prawdę tutaj, w miejscu niemal publicznym, bo ściany tego ogromnego domu, kupionego za pieniądze zdobyte zdradą, miały uszy. Miał ochotę ujawnić to, co wiedział – haniebną zawartość teczki od Chase'a – w obecności pół tuzina służących, którzy niczego bardziej nie pragnęli niż upadku swojego surowego pana.

Ale jego zamiarem nie było ujawnienie tej prawdy całemu światu.

Cel przepływu informacji jest ten sam od stworzenia świata: handel wymienny. Tajemnice Westa za sekrety Tremleya. Wolność dla nich obu. Ujawnienie prawdy nie wchodziło w grę.

Odczekał sekundę. Dwie. Pięć.

A potem jeszcze kilka chwil.

Hrabia obrócił się na pięcie i ruszył do swojego gabinetu. Pokój był ciemny i ogromny, z bezużytecznymi oknami, na których wisiały ciężkie aksamitne zasłony, nieprzepuszczające światła i spojrzeń wścibskich oczu.

Duncan poczuł ucisk pistoletu w bucie. Nie sądził, aby zaszła konieczność użycia go, ale fakt, że ma broń, dodawał mu otuchy w tym mrocznym pomieszczeniu. Usiadł w szerokim skórzanym fotelu przy kominku, wyciągnął i skrzyżował nogi, a łokcie położył na oparciach, splatając palce na piersi.

– Nie prosiłem, żebyś usiadł – powiedział Tremley.

Duncan nie zmienił pozycji.

Tremley wpatrywał się w niego przez dłuższą chwilę.

– Wydajesz się strasznie pewny siebie jak na kogoś, kogo jednym słowem mogę wtrącić do więzienia.

Duncan oglądał szerokie hebanowe biurko stojące po drugiej stronie pokoju.

– Należało do twojego ojca.

– I co z tego?

– Pamiętam je. Zawsze wydawało mi się ogromne. Nigdy wcześniej nie widziałem tak wielkiego biurka. Myślałem wtedy, że musi być bardzo potężny, skoro potrzebuje czegoś tak dużego.

Zapamiętał też inne rzeczy. Jak podglądał przez dziurkę od klucza, chociaż wiedział, że nie wolno, i widział matkę na tym biurku. Widział też, jak stary hrabia wziął sobie to, co chciał. I nie dał nic w zamian.

Ani miłości. Ani pieniędzy.

Ani nawet pomocy, gdy jej najbardziej potrzebowali. Kiedy matka najbardziej jej potrzebowała.

Tremley oparł się o biurko i założył ręce. Wspomnienia odpłynęły.

– Do czego zmierzasz?

– Cóż, teraz nie wydaje się już takie ogromne.

West opuścił ramię, wiedząc, że ten gest zirytuje Tremleya.

„Robisz tak, kiedy chcesz, żeby ktoś pomyślał, że nie interesuje cię to, co ma do powiedzenia".

Georgiana szybko rozszyfrowała tę jego taktykę. To było denerwujące, bo nikt inny wcześniej tego nie zauważył.

Nawet Tremley, który teraz zmrużył oczy.

– Co masz na niego?

– Na Chase'a? – zapytał West, strzepując ze spodni niewidoczny pyłek. – Nic.

Tremley się wyprostował.

– Marnujesz mój czas. Wynoś się. Wróć, jak będziesz coś miał. I znajdź to szybko albo złożę wizytę naszej Cynthii.

West miał ochotę rzucić się na hrabiego.

– Nie mam nic na Chase'a, ale za to mam coś na ciebie.

– Doprawdy?

– Powiedz mi tylko, czy Jego Królewska Mość zainteresuje się informacją, że jego najbliższy doradca podbiera pieniądze ze skarbu.

Wyraz oczu Tremleya nieznacznie się zmienił. Ale co z pozostałymi informacjami z teczki – co z oskarżeniami lady Tremley? Z jej dowodem? Czy zapłaciła wartościową walutą za swoje członkostwo w klubie?

– Nie masz żadnych dowodów.

– Jeszcze nie. Ale za to mam dowód, że wziąłeś pieniądze na zakup broni w Turcji. I mam dowód, że imperium osmańskie z największą radością płaci ci za dobre informacje.

– Nie ma żadnego dowodu, bo to fałszywe oskarżenie. I powinienem cię zrujnować, wytaczając procesy o zniesławienie.

– Gazety mają prawo ujawniać takie informacje.

– Nie ośmielisz się wejść mi w drogę. – West wychwycił pierwsze tony zdenerwowania w głosie hrabiego. – Nie masz dowodu.

– Och, Charles – zaczął, wkładając całą pogardę, jaką odczuwał, w to imię, którego nie używał od czasu, gdy obaj byli dziećmi. Imię, przed którym musiał stawiać tytuł lorda. – Jeszcze nie wiesz, że jestem doskonały w tym, co robię? Oczywiście, że istnieje dowód. I ja go mam, rzecz jasna.

– Pokaż mi go. – Tremley robił się wyraźnie nerwowy.

West z każdą chwilą czuł większe podniecenie. Trafił w sedno. Odzyska wolność. Uniósł głowę.

– Myślę, że czas zaprosić mnie na śniadanie, nie sądzisz?

Tremley był wściekły. Twarz mu pociemniała. Oparł dłonie na skraju biurka.

– Co to za dowód?

– Listy z Konstantynopola. Z Sofii. Z Aten.

– Powinienem cię zabić.

– I do tego wszystkiego jeszcze grożenie śmiercią. – West się roześmiał. – Jesteś uroczym człowiekiem. Nic dziwnego, że Jego Królewska Mość jest do ciebie tak przywiązany… Ale to już długo nie potrwa, prawda? Skończy się, kiedy to ujawnię. Ciekawe, czy powieszą cię w publicznej egzekucji?

Oczy Tremleya zwęziły się w szpareczki.

– Jeśli ja zawisnę, to ty razem ze mną.

– Wątpię – rzucił West. – Widzisz, ja nie popełniłem zdrady stanu. To wprawdzie cicha i na razie nieupubliczniona zdrada stanu, ale to nie umniejsza jej wagi. – West zawiesił głos, rozkoszując się nienawiścią i strachem na twarzy Tremleya. – Ale nie musisz się martwić. Będę tam, kiedy cię powieszą. Możesz patrzeć mi prosto w oczy do samego końca. Przynajmniej tyle mogę dla ciebie zrobić.

Tremley odzyskał pewność siebie, najwyraźniej dochodząc do wniosku, że nie może się poddawać.

– Jeśli piśniesz o tym choć słowo… zrujnuję ci życie. Powiem o twojej przeszłości każdemu, kto będzie chciał słuchać. Tchórz. Uciekinier. Złodziej.

– Nie wątpię, że tak zrobisz – odparł West. – Ale nie jestem tu po to, żeby cię zniszczyć, chociaż niczego bardziej nie pragnę.

W oczach Tremleya błysnęła ciekawość.

– Po co w takim razie?

– Przyszedłem zaproponować ci interes.

Hrabia w lot pojął, w czym rzecz.

– Moje sekrety za twoje, tak?

– W rzeczy samej.

West poczuł dreszcz zwycięstwa.

– Przysługa za przysługę.

To było wyrażenie, którego używała Georgiana. Nie mógł znieść, że użył go również Tremley. Pochylił głowę.

– Nazwij to, jak ci się podoba. Wolę to nazywać położeniem kresu twojej dominacji nade mną.

Tremley popatrzył na niego z nieukrywaną nienawiścią.

– Mógłbym cię teraz zabić.

– Mogłeś mnie zabić wiele lat temu – przypomniał West. – Problem w tym, że lubisz się bawić moim kosztem.

– Gdybym to zrobił, nikt nie wątpiłby w moją niewinność – zauważył Tremley.

– Gdybyś mnie zabił, dalej byś się bał ujawnienia swoich sekretów. Widzisz, nie jestem jedyną osobą, która ma dowód twoich występków.

Zapadło długie milczenie. Hrabia rozważał najwyraźniej, kto może być wspólnikiem Westa. Wydawał się wstrząśnięty, gdy w końcu uświadomił sobie prawdę.

– Chase?

West nie odpowiedział.

Tremley zaklął siarczyście, a potem roześmiał się złowieszczo, co zdenerwowało Westa. Mimo to starał się siedzieć nieruchomo, udając niezmącony spokój.

– Myślisz, że wygrałeś? – zapytał Tremley. – I może tak by się stało, gdybyśmy w tej grze uczestniczyli tylko ty i ja. – Zrobił pauzę. – Ale wciągnąłeś trzeciego gracza, a więc przegrałeś. Na jego korzyść.

Duncana przeniknął zimny dreszcz, ale odpowiedział:

– Śmiem wątpić.

Tremley znowu się zaśmiał w zimny i nieprzyjemny sposób.

– Popełniłeś kardynalny błąd, wchodząc we współpracę z Chase'em i dzieląc się z nim informacjami. Myślisz, że nie zawaha się mnie zniszczyć w razie potrzeby? Niech mnie diabli, jeśli o tym nie pomyślał. Czy kiedykolwiek się cofnął przed tym, żeby zrujnować komuś życie? – Duncan nie mógł zaprzeczyć prawdziwości tych słów. – Nasze losy są ze sobą splecione dzięki twojej intrydze – dodał Tremley. – Jeśli Chase uderzy we mnie, zniszczy też ciebie.

Chryste.

– Jak widzisz, nie musisz się już martwić moją osobą – mówił dalej hrabia – tylko Chase'em. – Wbił wzrok w podłogę, nagle zadowolony. – Tego psa nie da się utrzymać na smyczy.

Spojrzał ponownie na Duncana i wypowiedział z zimną krwią złowieszcze słowa:

– Teraz to on jest wrogiem, Jamie. To jego trzeba uciszyć.

Jak mógł tego nie zauważyć?

Wziął płaszcz i kapelusz od kamerdynera Tremleya i skierował się do drzwi. Postanowił udać się do redakcji i poświęcić ten dzień na szukanie informacji o Chasie.

Jak mógł nie zrozumieć reguł tej gry i nie zauważyć, że informacje od Chase'a miały potężną siłę rażenia, nawet gdyby Duncan ich nigdy nie użył? Czy władza go oślepiła? A może odurzająca perspektywa wolności?

Chciałby odpowiedzieć twierdząco, uznając, że każdy najdrobniejszy element jego planu zależał od widzimisię ślepego boga zemsty, którego największym pragnieniem było uwolnienie Duncana i Cynthii z przerażającego uścisku Tremleya. Z pewnością byłoby to prawdą jeszcze rok temu. Miesiąc temu. A nawet przed tygodniem.

Ale chociaż zbudował swoje życie na kłamstwie, nie umiał okłamywać samego siebie, musiał więc przyznać, stojąc w holu Tremley House, że nie zauważył logicznego błędu w swoim rozumowaniu tylko z powodu kobiety, która odegrała tak wyjątkową rolę w przekazaniu mu tych informacji.

I była tak mocno związana z Chase'em.

Z Chase'em, który pociągał za sznurki swoich marionetek i kazał im tańczyć do własnej melodii.

„Nie podoba mi się, że nie dzielisz się ze mną informacjami".

Słowa tego listu, dostarczonego razem z teczką zawierającą informacje, z których istnienia nie zdawał sobie wcześniej sprawy nawet Chase, miały utwierdzić Westa w przekonaniu, kto jest stroną kontrolującą ich współpracę. Teraz, gdy Chase był już w posiadaniu tajemnic Tremleya, z pewnością zdecyduje się wykorzystać ten oręż przeciw hrabiemu albo zacznie się dziwić, dlaczego West tego nie robi. To było tylko kwestią czasu.

A wtedy West będzie zmuszony wyjaśnić wszystko człowiekowi ukrytemu w mroku, który był na równi uwielbiany, co znienawidzony. Niekiedy przez tę samą osobę. Pomyślał znowu o Georgianie. Wiedział, że motywacją jej działań było od samego początku poczucie zagrożenia ze strony Chase'a. Lęk przed jego władzą.

Wyszedł z domu Tremleya, a drzwi wejściowe zamknęły się za nim z głośnym trzaśnięciem, które mogło oznaczać tylko jedno – nie wracaj.

Na pewno Georgiana bardziej nienawidziła Chase'a, niż go uwielbiała.

Pomyślał o swojej matce, która nigdy nie znalazła w sobie dość siły, by okazać odrazę. Dobry Boże, czyżby Georgiana była taka sama?

Kręciło mu się w głowie. Chase znał już sekrety Tremleya, a tajemnice Westa miały taką wagę, że mogły zagrozić jego przyszłości. Nie miał innego wyboru jak wytropić Chase'a. Jeśli mu się uda, to wynik tego starcia nie pozostawi żadnych wątpliwości – to on musi wygrać. Bez dwóch zdań.

Była tylko jedna droga do tego celu – poznać tożsamość Chase'a.

Przysługa za przysługę. Nazwisko Chase'a w zamian za uratowanie własnego.

I po to, by ochronić Cynthię.

I Georgianę.

A co potem? Georgiana nawet wtedy nie będzie należała do niego. To niewykonalne. Nie mógłby się z nią ożenić, bo nie byłby w stanie dać jej życia, na jakie zasługiwała i którego pragnęła.

To nie miało znaczenia, uświadomił sobie, stojąc pod domem wroga w samym sercu Mayfair, i tak nie byłby dla niej dość dobry.

„Nie możesz dać mi tytułu".

Zastanawiał się, czy mógłby zapomnieć, jak te słowa zabrzmiały w jej ustach. Nie mógł dać jej tytułu, ale mógł ją uwolnić od Chase'a, a przy okazji wyzwolić siebie spod jego wpływu.

Dostrzegł jakiś ruch po drugiej stronie ulicy. Oparty o drzewo stał tam mężczyzna z rękami w kieszeni. I chociaż na pozór nie był wart jego zainteresowania, to jednak West zwrócił na niego uwagę.

Ze zręcznością doświadczonego reportera widział wszystko, nawet nie patrząc. Kołnierz płaszcza mężczyzny był uniesiony dla ochrony przed chłodem, a zatem osobnik musiał tam stać od dłuższego czasu. Szerokie ramiona, których nie dało się ukryć pod eleganckim ubiorem, dowodziły, że mężczyzna pracował długie lata w sklepie rzeźniczym albo na bokserskim ringu. Z pewnością trenował, by uzyskać taką sylwetkę.

Duncan skierował się do dwukółki, udając, że nie zauważył olbrzyma, który mógł się tu znaleźć z jakiegokolwiek powodu. Tremley z pewnością nakazywał szpiegom prowadzenie wnikliwej obserwacji.

Ale szpiedzy nie jeździli powozami o zamalowanych na czarno oknach, podobnymi do tego, którym jechał poprzedniego wieczoru.

W pierwszej chwili pomyślał, że to jej powóz i że go śledzi. Ale gdy znalazł się bliżej pojazdu, ochroniarz oderwał się od drzewa. West zrozumiał, że musiałby z nim walczyć, aby się do niej zbliżyć, co – zważywszy na zajęcia, jakim oddawali się poprzedniego wieczoru, oraz jej wyraźną chęć, by je kontynuować – wydawało mu się co najmniej śmieszne.

I wtedy uświadomił sobie, że nie ma jej w powozie.

I że w ogóle nie powinien go zauważyć.

Dał się podejść.

Jak dziecko.

Przyspieszył kroku, a ochroniarz zastąpił mu drogę, gdy zobaczył, że zmierza w stronę pojazdu. Duncan spojrzał mu w oczy i warknął, wyładowując całą złość i frustrację, która wzbierała w nim od rana:

– Na pewno ci przykazano, żebyś mnie nie tykał.

– Nie wiem, kim pan jest, sir – oświadczył tamten.

West uniósł podbródek.

– Ciekawe, co mogłoby ci odświeżyć pamięć.

Bandzior uśmiechnął się, ukazując dziurę w miejscu jednego z siekaczy.

– Niech pan spróbuje, sir.

West zamierzył się pięścią, ale w ostatniej sekundzie – gdy ochroniarz przyjął już postawę do zablokowania ciosu – zmienił zamiar, odwrócił się do powozu i otworzył drzwi.

Gdy zajrzał do środka, oświeciło go.

W powozie siedział markiz Bourne.

A więc Upadły Anioł go śledzi.

Już miał wsiąść do powozu, ale opryszek na zewnątrz zdążył otrząsnąć się z chwilowego zaskoczenia i złapał go za rękaw płaszcza, odciągając od pojazdu.

Odwrócił się do olbrzyma. Tym razem lepiej wycelował pięść. Ale ochroniarze z Upadłego Anioła nie byli amatorami. Mężczyzna wymierzył cios, szybki i celny, i na tyle mocny, że zabolało. Zanim West podjął kolejny atak, odezwał się Bourne:

– Dosyć. Nie bijcie się na Mayfair w biały dzień. – Bourne chwycił Westa za ramię i powstrzymał kolejny cios. – Wsiadaj do tego cholernego powozu. Przestraszysz damy.

Przez ulicę przechodziły dwie młode kobiety, wystrojone na przechadzkę. Wytrzeszczyły oczy i otworzyły usta, całkowicie zaskoczone niecodzienną sceną. West wyjął chusteczkę i przycisnął ją do krwawiącego nosa – bandzior miał doskonały cel. Ale zauważył nie bez dumy, że oko tamtego napuchło. Zdjął kapelusz i klepnął ochroniarza w plecy, każąc mu się odwrócić w stronę dam.

– Dzień dobry, miłe panie.

Kobietom mało oczy nie wyszły na wierzch, zwłaszcza gdy jego przeciwnik ukłonił się i dodał:

– Uroczy poranek.

– Chryste – odezwał się Bourne z wnętrza powozu, a West zostawił ochroniarza i wsiadł do pojazdu. Rozparł się naprzeciwko markiza, który już otworzył usta, by coś powiedzieć.

– Nie – powstrzymał go West z furią. – W ogóle mnie nie obchodzi, po co tu jesteś. I mam gdzieś, czego chcesz, co myślisz i co masz zamiar powiedzieć. Mam was wszystkich dość. – Sterujecie mną, śledzicie mnie albo negocjujecie. Mam dość tej diabelnej manipulacji.

West zauważył, że Bourne przygląda mu się z niezmąconym spokojem, jakby wcale nie był zdziwiony jego słowami.

– Nie zauważyłbyś, że jesteś śledzony, gdybym tego nie chciał. Zapewniam cię.

Duncan zmroził go spojrzeniem.

– Sam pewnie w to wierzysz.

– Tremley to potwór – stwierdził Bourne. – Nie wiem, co zamierzasz zrobić z informacjami, które na niego masz, nie wiem, co mu powiedziałeś, ale to nie zmienia faktu, że jest potworem. Jako przyjaciel...

West z impetem przeciął dłonią powietrze.

– Daj spokój, oszczędź sobie. Ty, Temple i Cross, i wasz cholerny właściciel wiele razy nazywaliście mnie przyjacielem, ale w waszych ustach to nic nie znaczy.

Bourne uniósł brwi.

– Nasz właściciel? To mi się nie podoba.

– To może powinieneś wyrwać się spod skrzydeł Chase'a i samodzielnie zapracować na swoje nazwisko.

Bourne przeciągle gwizdnął.

– Widzę, że jesteś wściekły.

– Napełniacie mnie odrazą. Wszyscy.

– My wszyscy?

Bourne doskonale wiedział, kogo Duncan ma na myśli.

– Wy, arystokraci. Myślicie, że cały świat padnie wam do stóp na jedno skinienie.

– Kiedy masz pieniądze i władzę, tak jak my, to rzeczywiście tak się dzieje – zgodził się Bourne. – Ale to nas nie dotyczy, prawda?

West zmrużył oczy.

– Nie masz pojęcia, o co w tym wszystkim chodzi.

– Owszem, mam. Myślę, że chodzi o kobietę.

Wyobraźnię Westa opanował obraz kobiety, o której mówił Bourne. Grzesznica i wybawicielka, przywiązana na równi do wszystkich właścicieli Upadłego Anioła i do ich przywódcy. Tak bardzo, że nie starczało już miejsca dla Westa.

I co z tego? I tak go to nie obchodziło.

Napotkał wzrok markiza.

– Zasłużyłeś na baty.

– I myślisz, że jesteś odpowiednim człowiekiem, żeby spuścić mi lanie?

Owszem. On jeden w Londynie mógł to zrobić. Nie chciał być dłużej przedmiotem ich manipulacji.

– Myślę, że mogę was wszystkich wykończyć.

Mroczne i niepokojące słowa wypełniły ciszę powozu.

Może ich wykończyć, by ją ocalić.

Bourne znieruchomiał.

– To brzmi jak pogróżka.

– Pogróżki nie są w moim stylu – oznajmił Duncan, ujął klamkę i otworzył drzwi.

– Teraz wiem, że chodzi o nią.

Duncan odwrócił się, powstrzymując chęć wyładowania złości na markizie. Ale to Chase był powodem jego złości, tajemniczy i nieznany Chase, a nie markiz.

– To nie jest pogróżka – rzucił. – Przekaż to Chase'owi.

15

…Damę, która jest naszą ulubienicą, widziano na początku tego tygodnia w Merkson's Sweets, gdzie jadła lody cytrynowe razem z panną P. Żadna z jasnowłosych piękności nie przejmowała się chłodną aurą, która nie sprzyja jedzeniu lodów. Należy dodać, że źródło zbliżone do Merkson's doniosło nam, iż pewna baronowa ma zamiar podać lody cytrynowe na kolejnym balu w swojej rezydencji…

…Dżentelmeni, którzy najwyraźniej mają niewiele rozumu i jeszcze mniej pieniędzy, wciąż zadłużają się w najlepszym

londyńskim kasynie. Jak nam doniosło wiarygodne źródło, tej wiosny kilku arystokratów będzie musiało oddać swoją ziemię w zamian za długi. Współczujemy ich biednym, wyzyskiwanym żonom...

„Wiadomości Londyńskie", 4 maja 1833

Cross mówi, że już wybrałaś męża.

Georgiana siedziała przy kominku w pokoju właścicieli i nawet nie podniosła wzroku znad pliku dokumentów, nad którymi pochylała się z udawanym zainteresowaniem.

– Owszem.

– Powiesz nam, kto to jest?

Doliczyła się siedemnastu członków Upadłego Anioła, którzy byli im winni tyle, że nie mogliby tego oddać w gotówce. Oznaczało to, że musiała razem ze wspólnikami zadecydować, w jakiej formie ma być spłacony dług. Należało się nad tym dobrze zastanowić. Nie była jednak w stanie pracować, kiedy obsiadły ją żony wspólników.

Podniosła w końcu wzrok znad papierów. Trzy kobiety ulokowały się na fotelach, które zwykle zajmowali ich mężowie.

Zanim zmiękli pod wpływem żon. Teraz fotele zajmowały hrabina, markiza i księżna oraz przyszły książę, który miał dopiero cztery miesiące.

Boże, uchroń ją przed żonami wspólników.

– Georgiano?

Napotkała poważne spojrzenie hrabiny Harlow, która wpatrywała się w nią zza okularów wielkimi oczami.

– Jestem pewna, że znasz odpowiedź na to pytanie, milady.

– Nie znam – odpowiedziała Pippa. – Krążą dwa prawdopodobne nazwiska.

– Słyszałam o Langleyu – włączyła się Penelope, lady Bourne, biorąc niemowlę z rąk jego matki. – Daj mi tego słodkiego chłopaczka.

Mara, księżna Lamont, bez wahania podała jej syna.

– Ja także słyszałam o Langleyu, ale Temple myśli, że jest jeszcze drugi, bardziej odpowiedni kandydat.

Zupełnie nieodpowiedni, pomyślała Georgiana.

– Nie ma drugiego.

– Hm, to ciekawe – uznała Pippa, poprawiając okulary. – Chyba jeszcze nigdy nie widziałam, żeby kobieta ubrana w spodnie się rumieniła.

– Można by pomyśleć, że niełatwo zawstydzić osobę z takim doświadczeniem – dodała markiza takim tonem, jakby mówiła do dziecka, które trzymała na ręku.

Miała ochotę wyrzucić ich wszystkich z pokoju.

– Chyba zdajecie sobie sprawę, że kiedyś to był pokój właścicieli. Zanim się pojawiłyście.

– Przecież, praktycznie rzecz biorąc, jesteśmy właścicielkami – zauważyła Pippa.

– O, nie. Jesteście jedynie żonami właścicieli – wyjaśniła Georgiana. – To zupełnie co innego.

Mara uniosła kasztanową brew.

– Akurat ty nie powinnaś odnosić się protekcjonalnie do żon.

Żony jej wspólników były najgorszymi kobietami w Londynie. Miały bardzo trudne charaktery. Bourne, Cross i Temple zasłużyli na takie niewiasty, bez dwóch zdań, ale dlaczego Georgiana musiała znosić ich obecność, i to teraz, kiedy dochodziła do siebie po wydarzeniach minionej nocy? Jedyne, czego pragnęła, to rozsiąść się spokojnie w fotelu i powtarzać sobie bez ustanku, że najważniejsze w jej życiu są córka i praca. I niech diabli wezmą wszystko inne.

– Słyszałam, że West ma pewne szanse – rzuciła Pippa.

– Duncan West? – zapytała Penelope.

– Nie kto inny – potwierdziła Mara.

– Och – odezwała się wesoło Penelope do chłopca, którego trzymała w ramionach. – Lubimy go.

– Sprawia wrażenie bardzo dobrego człowieka – stwierdziła Pippa.

– Zawsze miałam do niego słabość – przyznała Mara. – A on z kolei wydaje się mieć słabość do kobiet, które ściągają na siebie kłopoty.

Te słowa sprawiły Georgianie przykrość. Nie cieszyła jej myśl, iż Duncan West mógłby mieć słabość do jakichkolwiek kobiet, zwłaszcza tych, które z radością przyjęłyby propozycję, by je chronił do końca życia.

– O jakich kobietach mówisz? – Od razu uświadomiła sobie, że przecież ma udawać, że pracuje. Odchrząknęła i z powrotem pochyliła się nad dokumentami. – Zresztą wcale mnie to nie interesuje.

Zapadła cisza. Nie mogła się powstrzymać, żeby nie zerknąć spod rzęs. Penelope, Pippa i Mara wymieniały spojrzenia jak w komedii. Gdyby nie to, że syn Temple'a słodko spał, pewnie też wpatrywałby się w nią rozbawiony.

– O co wam chodzi? – zapytała Georgiana. – Nie interesuje mnie to, naprawdę.

Pippa pierwsza przerwała milczenie.

– Skoro cię nie interesuje, to po co pytasz?

– Staram się być uprzejma – odpowiedziała szybko Georgiana. – Trajkoczecie jak przekupki na rynku, więc chciałam być grzeczną gospodynią.

– Myślałyśmy, że pracujesz – odezwała się Penelope.

Georgiana podniosła teczkę.

– Bo pracuję.

– Czyja to teczka? – chciała wiedzieć Mara, jakby w tym pytaniu nie było nic niezwykłego.

Georgiana nie miała najmniejszego pojęcia.

– Znowu się rumieni – zauważyła Pippa, a kiedy Georgiana skierowała poirytowane spojrzenie na hrabinę Harlow, stwierdziła, że ta wpatruje się w nią uważnie, niczym w robaka pod szkłem powiększającym.

– Nie ma się czego wstydzić – pocieszyła Penelope. – Nas też pociągały osoby, które wydawały się całkowicie nieodpowiednie.

– Cross nie był dla mnie nieodpowiedni – zaprotestowała Pippa.

Penelope uniosła brew.

– Doprawdy? Zapomniałaś, że byłaś zaręczona z innym mężczyzną?

– I że on był zaręczony z inną kobietą? – dodała Mara.

Pippa się uśmiechnęła.

– Przez to ta historia nabrała pikanterii.

– Chodzi o to, Georgiano – zabrała głos Mara – że nie powinnaś się wstydzić, że pragniesz Westa.

– Nie pragnę Westa – zapewniła i odłożyła teczkę, po czym wstała. Nie mogła znieść tych kobiet i ich wścibstwa. Denerwowały ją słowa pocieszenia. Podeszła do olbrzymiego witrażowego okna, które wychodziło na salę kasyna.

– A więc nie pragniesz Westa – powtórzyła Mara beznamiętnie.

– Nie – zaprzeczyła, chociaż go pragnęła. Tylko nie w taki sposób, jak myślały. Nie na zawsze. Pragnęła go tylko na teraz.

– A dlaczego nie? – spytała Penelope, a jej towarzyszki zachichotały.

Nie miała zamiaru dzielić się z nimi wyznaniem, że to West jej nie pragnie. Przecież poprzedniej nocy ją odrzucił, chociaż ofiarowała mu siebie. Przepasał biodra ręcznikiem i dumnym krokiem wyszedł z pomieszczenia, w którym mieścił się basen. I ani razu nie obejrzał się za siebie.

Jak gdyby to, co między nimi zaszło, nic nie znaczyło.

Georgiana oparła się o okno, przyciskając czoło do zimnego, jasnego szkła, z którego wykonano jedno ze złamanych skrzydeł Lucyfera. W tej pozycji człowiek miał złudzenie, że unosi się w powietrzu nad słabo oświetlonym pomieszczeniem, które o tej porze było puste, ciche i nietknięte. Ożywiało się dopiero po południu, kiedy służące opuszczały żyrandole i zapalały ogromne kandelabry, które rzęsiście oświetlały kasyno przez całą noc. Jej wzrok wędrował od stołu do stołu – przy jednym grywano w faraona, przy drugim w oczko, przy następnych w ruletkę i karty. Wszystkie należały do niej. Otaczała je troską. Zarządzała nimi umiejętnie.

Była królową podziemnego światka, a jej dominium stanowiły występek, władza i grzech. A jednak człowiek kuszący obietnicami, których nie mógł dotrzymać, zdołał rozłożyć ją na łopatki.

Georgiana przymknęła oczy. Chciała, żeby sobie poszły.

– Czasami współczuję Makbetowi – mruknęła.

– Makbetowi? – powtórzyła Pippa skonsternowana.

– Georgiana sugeruje, że przypominamy jej czarownice – powiedziała Penelope oschle, odwracając się w ich stronę.

– Sekrety, mrok i bagna o północy, tak? – dopytywała Pippa.

– Właśnie.

– To dość nieuprzejme.

– Nie spieszycie się nigdzie? – zapytała Georgiana.

– Nie – odparła Mara. – Przecież jesteśmy próżnującymi arystokratkami.

To, oczywiście, nie było prawdą. Mara prowadziła internat dla chłopców i zebrała trzydzieści tysięcy funtów w ciągu niespełna roku, aby go rozbudować i wysłać podopiecznych na uniwersytet. Pippa była słynną ogrodniczką. Często wygłaszała prelekcje dla starszych ludzi na temat wyhodowanych przez siebie krzyżówek róż. A Penelope nie tylko wychowywała uroczą dziewczynkę i oczekiwała drugiego dziecka – które miało być chłopcem, jak twierdził Bourne – ale również była najbardziej wpływową i aktywną członkinią klubu dla dam.

To nie były kobiety z romantycznej powieści.

Dlaczego więc nie chciały dać jej spokoju?

– Chodzi o to, Georgiano...

– Ach, więc o coś jednak chodzi?

– Oczywiście. Myślisz, że jesteś inna niż wszystkie kobiety, które żyły przed tobą.

Bo była inna.

– Nawet teraz uważasz, że świadczy o tym życie, które prowadzisz, to kasyno, fałszywa tożsamość i towarzystwo, w którym przebywasz...

– ...z wyjątkiem tu obecnych – wtrąciła Penelope.

– Oczywiście – zgodziła się Mara, po czym mówiła dalej do Georgiany: – Ale z powodu towarzystwa, w którym się obracasz... z wyjątkiem naszego... i z powodu tych okropnych spodni, które nosisz... uważasz, że jesteś inna. Myślisz, że nie zasługujesz na to, na co zasługuje każda kobieta. Co gorsza, uważasz, że nawet jeśli na to zasłużyłaś, to nie masz na to szans. A więc myślisz, że tego nie chcesz.

– Bo nie chcę.

Te słowa zaszokowały wszystkich, łącznie z samą Georgianą.

– Georgiano... – Mara wstała i ruszyła w jej stronę, ale Georgiana uniosła rękę.

– Nie. – Mara zatrzymała się, a Georgiana była jej za to wdzięczna. – Nawet gdybym mogła to osiągnąć... Nawet gdyby ktoś chciałby mi to ofiarować, kto by mnie zechciał mimo brzemienia skandalu, chociaż jestem niezamężną matką i właścicielką kasyna wraz z trzema wspólnikami, chociaż zarządzam grupą prostytutek – to i tak bym tego nie chciała.

– Nie chcesz miłości? – Penelope wydawała się poruszona.

Miłość. Uczucie, które zniszczyło ją przed dziesięcioma laty, dodało jednak siły i stanowczości, gdy urodziła się Caroline. I sprowadziło ją na manowce ostatniej nocy.

– Nie chcę. Mami nas pięknymi słowami i pieszczotami, ale wpędziła mnie w kłopoty i zrujnowała mi życie.

Zapadła cisza. Po chwil Mara zapytała:

– A gdyby on cię zechciał? Gdyby ci ją dał?

On. Duncan West.

– Nie sprawia wrażenia człowieka, który chciałby cię zrujnować – zauważyła Penelope.

– Oni nigdy nie sprawiają takiego wrażenia – odparła Georgiana.

Zbyt wiele kłamstw padło między nimi. Trudno było sobie wyobrazić, żeby mogli być wobec siebie szczerzy. Pokręciła głową i wyrzuciła to, o czym zawsze myślała, gdy był przy niej, gdy boleśnie tęskniła za jego dotykiem i gdy pragnęła czegoś więcej niż jedna noc.

– Miłość jest zbyt niebezpieczna.

– Dla kogo?

Celne pytanie.

– I dla mnie, i dla niego.

Otworzyły się drzwi i ukazał się w nich Bourne. Przeszedł przez pokój, nie rzuciwszy nawet okiem na Georgianę. Widział tylko żonę, która stała przy wózku i uśmiechała się do niego promiennie. Odwzajemnił uśmiech i wziął ją w ramiona.

– Witaj, Sixpence. Przyszedłbym wcześniej, ale dopiero poinformowano mnie, że tu jesteś.

Penelope się uśmiechnęła.

– Przyszłam zobaczyć Stephena. Prawda, że z niego wykapany Temple?

Bourne pochylił się nad śpiącym dzieckiem.

– Istotnie. Biedactwo.

Mara się roześmiała.

– Powtórzę mu, co powiedziałeś.

– Sam mu to powiem. – Spojrzał na Georgianę i jego uśmiech zgasł. – Ale najpierw muszę coś przekazać tobie. – Usiadł na jednym z foteli, przyciągnął Penelope na kolana i położył wielką dłoń w miejscu, gdzie rozwijało się jego drugie dziecko. – West był dziś u Tremleya.

Nie ukrywała zdziwienia.

– Po co?

Bourne pokręcił głową.

– Nie wiadomo. Ale było wcześnie i nie powitano go z entuzjazmem. – Zrobił pauzę. – A potem dość mocno się wściekł, że go śledzimy.

Otworzyła szeroko oczy.

– Zobaczył was?

– Nie tak łatwo się ukryć na Mayfair o dziewiątej rano.

217

Westchnęła.

– Był zły?

– Uderzył Brunona. – Bourne wzruszył ramionami. – Bruno mu oddał, jeśli to cię pocieszy.

Nie pocieszyło.

– Ale sęk w tym, że coś się kroi. Nie chodziło mu tylko o to, żeby napisać o Tremleyu w gazetach. Kryje się za tym coś więcej. I powinnaś wiedzieć, że jest na nas wściekły.

– Na kogo?

– Na Upadłego Anioła. Myślę, że tylko ty możesz go uspokoić, więc…

Przerwało mu energiczne pukanie do drzwi, obwieszczające nadejście kolejnej osoby z tych nielicznych, które wiedziały o istnieniu tego pokoju. Pippa podeszła do drzwi i otworzyła. Odwróciła się do nich ze słowami:

– Powinnam chyba powiedzieć: coś złego się tu skrada*.

Po czym otworzyła szeroko drzwi, w których stał Duncan West.

Jak on się, do diabła, przedostał do pokoju właścicieli?

Bourne natychmiast zerwał się z fotela, stawiając Penelope na podłodze, a Georgiana ruszyła do Westa, który wchodząc, objął spojrzeniem wszystko, począwszy od witrażowego okna, a skończywszy na jej arystokratycznym towarzystwie, aby w końcu utkwić wściekły wzrok tylko w niej. Chyba nie spodziewał się, że ją tu zastanie.

A może oczekiwał, że spotka tu kogoś zupełnie innego.

Ale oprócz złości dostrzegła coś jeszcze, co kryło się w głębi jego brązowych oczu. Coś, co przyprawiło ją o dreszcz. Wiedziała co, bo sama to czuła. I jednocześnie się tego bała.

– Kto cię tu wpuścił? – zapytała.

Spojrzał jej w oczy i wypalił:

– Jestem członkiem tego klubu.

– Członkom klubu nie wolno wchodzić na piętro.

– Powiedz to Bourne'owi.

– Miałem ci właśnie powiedzieć – odezwał się Bourne od drzwi, ignorując spojrzenie, które mu posłała – że zaprosiłem go na górę.

Odwróciła się do wspólnika, oburzona.

– Nie miałeś prawa.

---

* Cytat z *Makbeta* Williama Szekspira.

218

Bourne wyniośle uniósł brwi.

– Chyba też jestem właścicielem, prawda?

Zmrużyła oczy.

– Złamałeś nasze zasady.

– Masz na myśli zasady Chase'a? – rzucił Bourne z sarkazmem, a Georgiana miała ochotę go za to spoliczkować. – Nie ma się czym przejmować. Chase sam łamie te zasady w pewnych okolicznościach.

W lot pojęła, co miał na myśli. Trzy kobiety obecne w pokoju zostały zaproszone do Upadłego Anioła przez samego Chase'a, bez pytania o zgodę ich mężów. Nie obchodziło jej, że Bourne traktował zaproszenie Westa jako rodzaj kary. Była na niego wściekła, że złamał reguły i z taką wyższością zlekceważył ich partnerski układ.

I za to, że tak łatwo pozbawił ją władzy – bo to było jedyne miejsce, w którym miała władzę.

West odezwał się, nie chcąc dopuścić do kłótni:

– Gdzie on jest?

Jego słowa zabrzmiały wyraźnie i stanowczo, jakby się spodziewał, że zostanie wysłuchany, chociaż wtargnął tu bezprawnie.

Chociaż nie został tu przez nią zaproszony.

– O kogo ci chodzi? – spytała.

– O Chase'a.

A więc nie przyszedł do niej. Jasne, powinna to wiedzieć. Dlaczego ją to dziwiło? Bo wydawał się nie pamiętać o wczorajszym wieczorze? Czy to szalone?

Bo chyba powinna oczekiwać, że będzie chciał się z nią spotkać.

Ta myśl przebiegła jej przez głowę lotem błyskawicy. Od razu uznała ją za głupkowatą. I wzgardziła sobą za to, że nie potrafiła wymyślić na jej określenie lepszego słowa.

Wcale nie żałowała, że jej nie pragnie.

Ale wyglądał tak poważnie i zarazem lekceważąco – jakby ona była jedynie odźwiernym przy drzwiach pokoju, do którego chciał wejść – że nie mogła pogodzić się z tym faktem.

Chociaż w istocie przyszedł właśnie po to, by ją zobaczyć.

Tylko że o tym nie wiedział.

– Nie ma go tu – skłamała, mówiąc zarazem prawdę.

Zrobił krok w jej stronę.

– Przestań go chronić. Pora spojrzeć mu w twarz. Gdzie jest twój pan?

Pełne złości pytanie zawisło w powietrzu, jakby odbiło się od witrażu.

Georgiana otworzyła usta, by się oburzyć, ale odezwała się księżna Lamont:

– Muszę się zbierać. Zabiorę Stephena i pójdziemy poszukać Temple'a.

Jej słowa jakby zdjęły urok z pozostałych w pokoju osób.

– Właśnie, my też musimy wracać do domu – powiedziała Penelope, a Mara pchała już wózek do drzwi w szalonym tempie.

– Musimy? – zapytał Bourne z taką miną, jakby nie miał ochoty opuścić kolejnego aktu dramatu, który rozgrywał się przed ich oczami.

– Owszem – odpowiedziała stanowczo Penelope. – Musimy. Mamy różne rzeczy do zrobienia.

Bourne uśmiechnął się ironicznie.

– Jakie rzeczy?

Markiza spojrzała na niego wymownie.

– Rozmaite.

Ironiczny uśmiech zamienił się w szelmowski.

– A mogę wybrać, które zrobimy najpierw?

Penelope wskazała na drzwi.

– Wychodzimy.

Bourne posłuchał jej polecenia i w pokoju została tylko Pippa. Hrabina Harlow, pozbawiona zmysłu towarzyskiego, chyba nie rozumiała aluzji, więc Georgiana miała nadzieję, że zostanie i obroni ją przed tym człowiekiem. Przed jego pytaniami, jej odpowiedziami, przed niemądrymi uczuciami, które budziło w niej całe to zdarzenie.

Niestety po sekundzie Pippa uświadomiła sobie, że wszyscy wyszli.

– Och – westchnęła. – Tak. Też powinnam... już iść. – Poprawiła okulary na nosie. – Mam dziecko. No i... Cross. – Skinęła głową i już jej nie było.

West zatrzymał na chwilę spojrzenie na drzwiach, zanim skierował je na Georgianę.

– No i zostaliśmy sami.

Żołądek ścisnął jej się na te słowa.

– Na to wygląda.

Nie odrywał wzroku od jej oczu. Nie mogła się nadziwić, że potrafi samym spojrzeniem wyrazić pytanie i okazać, że wie wszystko – a w każdym razie tak jej się wydawało. Po chwili wypowiedział jej imię kuszącym głosem... i to w pokoju, który tak bardzo lubiła.

Zapragnęła do niego podbiec. Wtulić się w jego ramiona i wyznać mu wszystko, bo mogłaby bez trudu uwierzyć, że wypowiedział jej imię, rozumiejąc wszystko.

Ale ona wiedziała swoje. A ponieważ sama nic nie rozumiała, to i on nie mógł zrozumieć.

Zadał jedyne pytanie, na które nie mogła odpowiedzieć:

– Gdzie on jest?

Miała na sobie spodnie.

To była pierwsza i jedyna myśl, jaka przyszła mu do głowy, gdy wszedł do pokoju. Stała pod ścianą naprzeciwko, pod olbrzymim witrażowym oknem, które doskonale znał. Oglądał je setki razy, ale z dołu.

Zawsze przypuszczał, że po drugiej stronie obrazu ukazującego upadek Lucyfera znajduje się pokój. Ale nigdy mu się nie śniło, że trafi do niego w taki sposób i że zastanie piękną Georgianę stojącą pod wizerunkiem mrocznego anioła – i ubraną w spodnie.

To był najbardziej grzeszny i zarazem najbardziej zjawiskowy widok, jaki w życiu podziwiał. Gdy podeszła do niego jak królowa zemsty, upierając się, że wtargnął tu nielegalnie, miał ochotę chwycić ją w ramiona i pokazać jej wszystkie możliwe sposoby, jakimi chciałby wtargnąć nielegalnie również do jej wnętrza.

Ale frustracja zabiła inne uczucia. Broniła przed nim tego miejsca jak lwica, mimo obecności żon właścicieli Upadłego Anioła i faktu, że sam markiz Bourne go tu przyprowadził.

I dlatego przyszło mu na myśl, że jej wcale nie chodzi o miejsce.

Broniła pewnego mężczyzny, tak samo jak wczoraj w nocy.

„Nie jestem jego własnością", zabrzmiały mu w uszach jej słowa. I znowu usłyszał w nich kłamstwo.

Nie miał wątpliwości, że była własnością Chase'a, tak samo jak każdy skrawek tego klubu, jak wszyscy bywający tu mężczyźni i kobiety. Próżno było szukać wolności w Upadłym Aniele. Wszystko – łącznie z ludźmi – należało do Chase'a.

Nawet teraz, gdy byli w pokoju zupełnie sami, mając za świadka tylko Lucyfera, Georgiana ochraniała człowieka, który zrujnował jej życie.

Duncan miał tego dość. Chciał ją wyzwolić spod jego władzy. Chciał, żeby znalazła się jak najdalej od tego miejsca grzechu, występku i od zwyczaju niszczenia komuś życia dla sportu.

Na miłość boską, chciał, żeby była bezpieczna. Ona i Caroline.

Wyda ją za mąż. Ale nie dlatego, że Chase o to poprosił.

Uważał, że zasługiwała na tę szansę, zasługiwała na szczęście, i to bardziej niż ktokolwiek inny.

Jego pytanie zawisło w powietrzu.

– Gdzie on jest?

Zmuszał ją siłą woli, by odpowiedziała. By otworzyła drzwi i wskazała mu drogę do tego tajemniczego człowieka. Gdyby udzieliła mu tej informacji, byłaby w końcu wolna.

Ale nie zrobiła tego.

– Nie ma go tu – odparła.

Stłumił rozczarowanie.

– Bourne twierdził, że go tu znajdę.

– Bourne nie wie wszystkiego. Nie ma tu nikogo oprócz mnie.

– I po raz kolejny ochraniasz człowieka, który tego wcale nie potrzebuje.

– Właśnie że... – zaczęła, ale stwierdził, że nie może już tego słuchać.

– Przestań.

Na szczęście zamilkła.

Podszedł do niej szybko – tempo kroków zdradzało jego uczucia, a przyrzekł sobie, że już nigdy nie będzie ich przed nią odsłaniał. Nie po wczorajszej nocy. Nie po tym, jak go tak jednoznacznie odrzuciła.

Ale i tak nie mógł jej dać tego, na co zasługiwała.

Spojrzał w jej oczy. Oddałby wszystko, by zobaczyć w nich prawdę.

– Przestań – powtórzył, ale tym razem nie wiedział, czy mówi do siebie, czy do niej. – Przestań go bronić. Przestań dla niego kłamać. Chryste, Georgiano, co on na ciebie ma? Skąd bierze się ta władza, którą ma nad tobą?

Pokręciła głową.

– To nie tak, jak myślisz.

– Właśnie tak. Myślisz, że nie widziałem w życiu kobiet uzależnionych od mężczyzn jak niewolnice? Że nie potrafię tego rozpoznać? – Znienawidził te słowa, gdy tylko je wypowiedział, bo zdradzały jego sekrety. Ujął jej twarz w dłonie, rozkoszując się dotykiem skóry pod palcami, delikatnej i ciepłej. – Powiedz mi. Czy to on zrujnował ci życie wiele lat temu? Czy skusił cię słodkimi obietnicami, którym nie mogłaś się oprzeć i których nie dotrzymał?

Zmarszczyła czoło.

– Co takiego?

– Czy to on jest ojcem Caroline?

Czoło się wygładziło, ale za to oczy zrobiły się okrągłe jak spodki.

– Czy Chase jest ojcem Caroline? – powtórzyła.

– Powiedz mi prawdę – poprosił – a wtedy z przyjemnością go zniszczę. I pomszczę ciebie i ją.

Uśmiechnęła się zdziwiona.

– Naprawdę byś to zrobił?

Oczywiście, że tak. Zrobiłby wszystko dla tej idealnej kobiety, która wydawała się taka samotna. Jak mogła tego nie rozumieć?

– Z niebywałą przyjemnością.

Jej twarz posmutniała.

– On nie jest ojcem Caroline.

Nie kłamała, ale prawda była zbyt trudna do przyjęcia. Nie mógł znieść, że nie dała mu kolejnego powodu, by mógł wzgardzić człowiekiem, który tak bardzo ją zdominował.

– Więc dlaczego?

– Bo jesteśmy jak dwie strony medalu.

Te proste i szczere słowa doprowadziły go do rozpaczy. Dwie strony medalu. Przez chwilę rozmyślał nad ich znaczeniem. Zastanawiał się nad tym, co by czuł, gdyby to jego tak bardzo potrzebowała i kochała, że byłby jak jej druga połowa.

Wyrzucił z głowy tę myśl, bo była zbyt nęcąca.

Odsunął się na tyle, by być poza zasięgiem jej rąk. Wiedział, że nie zniósłby teraz jej dotyku.

– Przyszedłem tu po to, żeby z nim porozmawiać – oznajmił. – Przez sześć lat ani razu nie poprosiłem o możliwość spotkania. Najwyższy czas.

Wahała się. Odniósł wrażenie, że stoi na skraju urwiska – jakby decyzja, którą podejmie, miała zmienić jej świat. Może zresztą tak było.

Gdyby Chase dał mu to, czego chciał, jej świat na pewno by się zmienił. Tożsamość Chase'a za jej wolność. I za jego wolność.

223

– Dlaczego? – zapytała. – Dlaczego właśnie teraz?

Nie odpowiedział, więc dodała:

– Przez sześć lat ani razu nie chciałeś się z nim spotkać. A teraz… – Zawiesiła głos. Wypełnił ciszę słowami:

– Sytuacja się zmieniła.

Teraz jego życie wisiało na włosku. Jego życie i tajemnice Cynthii.

Ale te powody bladły w porównaniu z tym jednym, od którego tak bardzo zależało ich tu i teraz. Chase miał klucz do wolności Georgiany. A Duncan wiedział, że zrobiłby wszystko, by go zdobyć.

– Zaprowadź mnie do niego – zażądał, ale zabrzmiało to bardziej jak błaganie.

Skinęła głową i ruszyła do drzwi. Przez chwilę myślał, że chce go wyrzucić z pokoju, ale wyszła na korytarz i odwróciła się do niego, a zarys jej sylwetki ginął w ciemności. Jedynie na twarz padało kolorowe światło witraża.

– Chodź – wyszeptała.

Uświadomił sobie w tym momencie, że poszedłby za nią wszędzie.

Poprowadziła go przez labirynt korytarzy, skręcając i zawracając tyle razy, że odniósł wrażenie, iż wracali w to samo miejsce. W końcu doszli do ogromnego olejnego obrazu w ciemnej tonacji. Przedstawiał mężczyznę odartego z odzieży i własności, który leżał martwy u stóp dwóch cudownych kobiet, podczas gdy jego zabójca wychylał się zza ramy. West spojrzał na Georgianę.

– Uroczy – stwierdził, mając na myśli ten makabryczny obraz.

Uśmiechnęła się nieznacznie.

– To Temida i Nemezis.

– Sprawiedliwość i Zemsta.

– Dwie strony medalu.

To samo powiedziała, gdy starała się opisać charakter swojego związku z Chase'em. Poczuł ukłucie bólu. Popatrzył uważnie na postacie bogiń na obrazie. Jedna z nich trzymała świecę, prawdopodobnie, by oświetlić drogę sprawiedliwości, a druga dzierżyła miecz, którym dokonała zemsty.

– Którą z nich jesteś?

Uśmiechnęła się, patrząc na obraz – w wyrazie jej twarzy było coś, czego nie rozumiał – a potem położyła rękę na ramie.

– A nie mogę być jedną i drugą?

Pociągnęła za ogromny obraz, który przesunął się na zawiasach. Ukazała się za nim ciemna czeluść. Nie okazał zdziwienia. Zawsze sobie wyobrażał, że w klubie muszą być ukryte przejścia – tylko w ten sposób można by wytłumaczyć fakt, że właściciele pojawiali się i znikali z niezwykłą łatwością. Teraz miał namacalny dowód.

Gestem przywołała go do środka. Wszedł bez wahania, uradowany, że jest bliżej Chase'a niż kiedykolwiek. I że zaufała mu na tyle, żeby zaprowadzić go do właściciela kasyna.

Wiedział, że nie przyszło jej to łatwo.

Kiedy wszedł, zamknęła wrota. Otoczyła ich ciemność, w której stali tuż przy sobie. Mógł się cofnąć i zrobić jej więcej miejsca, ale nie chciał. Wolał rozkoszować się jej ciepłem. Zapachem. Pokusą, którą niosła.

Oddałby wszystko za jeden dotyk.

Jej oddech stał się płytki i przyspieszony, jakby słyszała jego myśli, I jakby to samo chodziło jej po głowie.

Zastygła na chwilę w ciemności, po czym odwróciła się, szeleszcząc spodniami. Nie mógł się powstrzymać. Wyciągnął rękę, chwycił ją za ramię i pozwolił, by dłoń ześliznęła się po nim aż do jej palców, z którymi splótł swoje.

– Dużo ryzykujesz, przyprowadzając mnie tutaj.

Uścisnęła jego dłoń. Pomyślał, że byłoby cudownie poczuć jej palce w innym miejscu. Zapamiętał wrażenie z basenu, gdy jej dotyk musnął go przez jedną ulotną chwilę.

Mogło być inaczej, gdyby jej nie odtrącił.

Mogło być inaczej, gdyby nie należała do innego.

Do mężczyzny, z którym miał się spotkać.

Uwolnił jej dłoń.

– Prowadź.

Zawahała się. Myślał, że może wypowie w ciemności słowa, których nie zdoła wykrztusić w świetle dnia. Była jednak silniejsza od wszystkich kobiet, jakie znał, i dobrze strzegła swoich tajemnic.

Poprowadziła go korytarzem. Wreszcie zatrzymała się w mdłym blasku świecy, która rzucała drżące światłocienie na jej twarz, skrywając przed nim tajemnice. Sięgnęła do srebrnego łańcuszka, wiszącego na szyi pod płócienną koszulą, wpuszczoną w jej nieprzyzwoite spodnie.

Nie spuszczał z niej oka. Wyjęła medalion spoczywający między piersiami, ciepły od jej skóry.

Wyjęła klucz i włożyła go w dziurkę. Zrozumiał, że ma nieograniczony dostęp do tych pokoi. I do mężczyzny, który znajdował się w środku. Poczuł gorącą falę zazdrości zmieszanej z gniewem.

Przysięgała, że nie należy do Chase'a, a tu proszę, ma nawet klucz do jego mieszkania. I może tam wejść, kiedy chce.

Do czego jeszcze miała nieograniczony dostęp?

Gdy otworzyła drzwi z klucza, schowała go i stała z dłonią opartą na klamce. Duncan nie mógł znieść myśli, że go tu przyprowadziła. Do tego miejsca i do tego człowieka. Położył dłoń na jej ręce, żeby ją powstrzymać przed przekręceniem klamki. Znieruchomiała pod jego dotykiem.

– Georgiano – wyszeptał. Podniosła na niego wzrok, a jej bursztynowe oczy spoczęły na nim z uwagą.

Nie chciał, by tutaj była, by prowadziła go do Chase'a. Wolałby ją zabrać daleko stąd. Tam, gdzie byłaby bezpieczna. Na drugi koniec Londynu. Do swojego domu.

Na zawsze.

Słowa pojawiły się nie wiadomo skąd i nie chciały odejść. Niosły ze sobą obietnice, których nie mógłby dotrzymać. I myśli, przed którymi bronił go rozum. Nawet gdyby mógł jej ofiarować wszystko, o co prosiła, i tak miał zbyt wiele mrocznych sekretów, żeby otrzymała wszystko, na co zasługiwała.

Zrobił więc tyle, ile mógł. Zaproponował jej wolność.

– Nie musisz ze mną wchodzić.

– Nie rozumiem.

– Pozwól mi spotkać się z nim sam na sam. Nie musi wiedzieć, że to ty mnie tu przyprowadziłaś.

– Duncanie...

– Nie. Dam sobie radę. Kimkolwiek i czymkolwiek jest.

– Czymkolwiek?

– To chodząca legenda, więc nie zdziwiłbym się, gdyby się okazało, że nie jest zwykłym człowiekiem. – Zrobił pauzę. – Nie zdziwiłbym się, gdybym za tymi drzwiami napotkał jakąś boską wyrocznię.

Zachichotała.

– Coś jak Temida i Nemezis?

– Sądzę, że można je wykluczyć.

– Ach, tak?

– Bo są kobietami i prawdę mówiąc, nie sądzę, aby na ziemi czy w panteonie znalazła się druga kobieta tak silna jak ty.

W jej pięknych brązowych oczach zapaliła się iskierka, nad którą nie miał czasu się zastanawiać. Przez ułamek sekundy chciał wyznać jej prawdę – że robi to tylko dla niej, chociaż odrzuca jego pomoc.

Ale będzie dość na wyjaśnienia, gdy zdobędzie władzę nad Chase'em. Gdy będzie miał go w garści, uzyska klucz do wolności Georgiany.

– Pozwól mi to zrobić – poprosił cicho, wciąż trzymając dłoń na jej ręce. – Pozwól mi ochronić cię chociaż przed tym.

Podniosła na niego wzrok.

– Zależy ci na tym, żeby mnie chronić?

Wpatrywał się w nią przez dłuższą chwilę, po czym odpowiedział:

– Z mojego doświadczenia wynika, że niewiele jest rzeczy wartych ochrony. Kiedy człowiek jakąś znajduje, powinien zrobić, co w jego mocy, aby nic jej nie zagrażało.

Otworzyła usta, jakby chciała coś powiedzieć, ale po chwili zastanowienia zdjęła rękę z klamki i wysunęła spod jego dłoni. Żałował, że nie są w innym miejscu, gdzie mógłby poświęcić całą wieczność tylko na to, żeby jej dotykać.

Pożądał jej tak bardzo, że go to przerażało.

Georgiana Pearson była najbardziej niebezpieczną osobą, jaką znał.

Zastanawiał się, czy jest taka rzecz, której by nie zrobił dla tej kobiety o pięknym umyśle i ponętnym ciele.

Oderwał od niej wzrok i otworzył drzwi szybkim ruchem, po czym wszedł do pokoju.

Ogarnął pomieszczenie jednym spojrzeniem i od razu stwierdził dwie rzeczy.

Po pierwsze, pokój wydawał się ogromny i oślepiająco jasny – okna, które sięgały od sufitu do podłogi, nieprzesłonięte ciężkimi białymi zasłonami wiszącymi po bokach, wpuszczały mnóstwo światła dziennego. Wystrój pokoju, w którym dominowały czyste i proste linie, utrzymany był w odcieniach bieli – wszystko, począwszy od dywanu i szezlongu, a skończywszy na dziełach sztuki, miało przyjazne, jasne barwy. Brakowało tu mrocznej atmosfery, która wskazywałaby na to, że zamieszkuje tu właściciel kasyna. Nic nie kojarzyło się z grzechem i występkiem, które królowały w niewielkiej odległości od tego gabinetu.

Po drugie – Chase'a tam nie było.

16

...Nasza lady G. podbija powoli serca i umysły socjety, a jeśli jeszcze jakieś są przed nią zamknięte, to daje jej tylko zaszczytną okazję do udowodnienia własnej wartości. Z pewnością zrozumiał to już lord L. i zdaniem piszącego te słowa, wkrótce będziemy mogli zamieścić na naszych łamach wiadomość matrymonialną!

...Zajmijmy się teraz księciem i księżną L. Tę parę – nadal tak oszałamiająco piękną jak przed niemal dekadą, kiedy to książę wyznał swą miłość publicznie, a księżna go odrzuciła – widziano w tym tygodniu na konnej przejażdżce o poranku w Hyde Parku. Małżonkowie sądzili zapewne, że o tak wczesnej porze nikt nie zobaczy ich namiętnego pocałunku, ale my również jesteśmy skowronkami...

„Skandale", 5 maja 1833

Weszła za nim do pokoju, rozpaczliwie próbując zapanować nad zdenerwowaniem.

Tylko kilka osób widziało to wnętrze, w którym odgrywała rolę Chase'a; to stąd kierowała Upadłym Aniołem i rządziła najciemniejszymi zakamarkami Londynu.

A teraz stała tu z mężczyzną, który tak bardzo chciał poznać jej tajemnice.

Z mężczyzną, któremu mogłaby wyznać wszystko, dać spokój ostrożności.

Patrzyła, jak wodzi wzrokiem po pokoju, mrużąc oczy od nadmiaru światła. Jego spojrzenie zatrzymywało się kolejno na dużych, wygodnych fotelach, wykonanych na zamówienie i obitych białym aksamitem, na puszystym białym dywanie, który otulał ich stopy, na niezliczonych regałach z książkami, które wypełniały czterometrową przestrzeń między podłogą a sufitem.

Na koniec zatrzymał wzrok na jej biurku.

Podszedł do ustawionego centralnie pięknego mebla. Patrzyła, jak wodzi palcami po jego powierzchni, i pomyślała, że chciałaby, żeby wodził nimi po jej ciele.

Odezwała się szybko, chcąc przegonić niemądrą myśl i przerwać milczenie:

– To biurko zostało wykonane z drewna pochodzącego z wraku statku.

Jego palce zatrzymały się na ciemnym sęku.

– Rozumiem – rzucił cicho.

– Co masz na myśli? – wyrwało jej się bez zastanowienia.

Uśmiechnął się bez wesołości.

– Uwielbia zniszczenie w każdej formie.

Mylił się, wcale nie dlatego zdecydowała się na to biurko.

– Myślę, że bardziej prawdopodobne jest inne wyjaśnienie. Chase wybrał to biurko, ponieważ symbolizuje podźwignięcie się z ruiny.

Poszukał jej wzrokiem.

– Podobnie jak ty?

Tak samo jak ja. Ale nie mogła mu tego powiedzieć, więc odwróciła wzrok.

– Wiedziałaś, że go tu nie będzie – oznajmił.

Zastanawiała się, czy nie skłamać, ale nie mogła tego zrobić.

– Owszem.

Odwrócił spojrzenie, a na jego przystojnej twarzy odmalowało się rozczarowanie.

– To po co mnie tu przyprowadziłaś? Żeby mnie dręczyć? Żeby mi udowodnić moją słabość?

– Twoją słabość? – Nigdy nie nazwałaby go słabym. Był dla niej uosobieniem siły.

Podszedł do niej.

229

– Chciałaś mi pokazać, że nawet teraz, kiedy stoję tu gotowy do walki z tym człowiekiem, on i tak wyprzedza mnie o krok? Żeby mi pokazać, że zawsze będzie… – Zawiesił głos.

– Co będzie? – zażądała, by dokończył.

Przysunął się bliżej i popchnął ją lekko na drzwi. W jednej chwili pożałowała, że je zamknęła.

– Żeby mi pokazać, że zawsze będzie u ciebie na pierwszym miejscu, mimo że tak podle cię traktuje.

– Nie traktuje mnie podle.

– Właśnie że tak. Nie wierzy w ciebie. Nie dostrzega twojej wartości. Nie widzi, jaka jesteś cenna. Jaka szlachetna.

Znieruchomiała, a w jej oczach pojawiło się zdziwienie.

– Uważasz, że jestem szlachetna?

Przytrzymał wzrokiem jej spojrzenie.

– Wiem to ponad wszelką wątpliwość.

Ta rozmowa schodziła na niebezpieczne tory, przywodząc myśli o rzeczach, które nigdy się nie spełnią. Pokręciła głową. Serce jej waliło jak szalone. Przylgnęła do drzwi, a Duncan oparł dłonie na dębowej powierzchni po obu stronach jej głowy.

– On zna twoje tajemnice, a ty znasz jego. I będziesz ich bronić do końca życia, mimo że cię to zniszczy.

Był tak blisko, że szeptał te słowa prosto do jej ucha, wywołując dreszcze.

– Nieprawda.

– Oczywiście, że cię zniszczy – powtórzył. – Twoje wybory cię rujnują. To miejsce zamiast wolności. Langley zamiast miłości. Chase zamiast… Mnie.

Usłyszała to słowo, chociaż go nie wypowiedział.

– Wcale nie – szepnęła, a jej dłonie dotknęły jego piersi, przesunęły się na odsłoniętą skórę szyi i mocną linię szczęki. Nie mogła tego mieć, ale jej wybór był oczywisty. – Wcale nie.

Był tak blisko, a ona pomyślała, że zaraz umrze, jeśli jej nie dotknie. Jeśli jej nie pocałuje.

– Więc o co chodzi?

– Już ci mówiłam – stwierdziła; czując bolesną tęsknotę, rozkoszowała się jego ciepłem, oddechem i siłą. – Wybieram ciebie – wyznała.

– Nie na zawsze – przypomniał.

A on chciał ją na zawsze?

Czy właśnie to jej proponował?

Czy ona tego chciała?

Spojrzała mu w oczy. Żałowała, że nie może się przed nim ukryć w tym oślepiająco jasnym pokoju. Żałowała, że prawda jest taka oczywista. Żałowała, że on jest tym, kim jest – przystojnym, szlachetnym i dobrym człowiekiem. Żałowała, że pragnie go tak bardzo.

Żałowała, że nie może go mieć.

Gdyby tylko życzenia mogły się spełniać...

Pokręciła głową.

– Nie na zawsze.

Wydawało jej się, że dostrzegła w jego oczach przelotny żal. Zniknął równie szybko, jak się pojawił, i zapewne w ogóle by go nie rozpoznała, gdyby nie czuła tego tak samo.

Czując, że jeszcze pogorszyła sprawę, szybko dodała:

– Gdybym... gdybym była inną kobietą... gdyby moje życie było inne...

– Gdybym był innym mężczyzną – dopowiedział zimnym głosem.

– Nie – zaprotestowała, bo w tej jednej sprawie nie chciała kłamać. Nie teraz. I nie tutaj, gdzie nigdy nie było prawdy. – Nie chciałabym, żebyś był innym mężczyzną.

Skrzywił się.

– A powinnaś. Bo tak jak jest... taki jaki jestem... Nie mamy przyszłości.

– Gdybym nie potrzebowała tytułu...

Nie dał jej dokończyć.

– Gdzie on jest?

Spojrzała mu w oczy.

– Nie ma go w pobliżu.

– Kiedy wróci?

– Nie dzisiaj.

Nie chciała powrotu Chase'a. Chciała, żeby ta chwila z Duncanem trwała wieki. I niech diabli porwą cały świat.

Wsunął palce w jej włosy.

– Nawet gdybyś nie potrzebowała tytułu – powiedział – i tak bym się z tobą nie ożenił.

To był silny cios, ale bez wątpienia na niego zasłużyła. Był wściekły, że go tu przyprowadziła – do biura Chase'a, ale nie do niego samego. Wiedziała, co znaczy duma, a on miał jej więcej niż przeciętny człowiek. Ale mimo to znienawidziła te słowa, które odbijały się echem w jej głowie. Nienawidziła tego, że tak łatwo potrafił jej się oprzeć. Że tak łatwo ją odtrącił.

I nienawidziła siebie, że tak mocno ją to zraniło.

Że potrafili nawzajem się ranić.

Postanowiła jednak nie poddawać się bez walki.

– Kłamiesz – szepnęła.

Uniósł brew i odchylił jej głowę, robiąc sobie dostęp do jej ust.

– Ty bardziej.

I wtedy ją pocałował. Jego ręka ześliznęła się po drewnianych drzwiach, które zamknął na klucz. Uniósł ją w górę i przycisnął do drewna, a Georgiana otoczyła go nogami w pasie. Wziął to, co mu dawała, a pragnęła dać jeszcze więcej. Wszystko.

Westchnęła i objęła go rękami za szyję, a on podniósł ją z ziemi jak piórko, jakby była marionetką na sznurkach. Może zresztą była, ale to on pociągał za sznurki. Jego ręce były wszędzie: na jej biodrach, we włosach, między ich ciałami, obejmowały jej piersi, gdy na nią napierał, obiecując ukoić ból tych części ciała, które rozpaczliwie się do niego wyrywały.

Nigdy w życiu nie pragnęła niczego tak bardzo, jak tego mężczyzny.

Czuła, że miękną jej kolana, ale na szczęście West trzymał ją w stalowym uścisku, tak mocno i zdecydowanie, jakby nic nie ważyła. Wyszeptał jej do ucha:

– Tylko to nie jest kłamstwem. Doprowadzę cię do takiej rozkoszy, że będziesz krzyczeć. Będziesz mnie błagać, żebym przestał, a kiedy przestanę, będziesz błagać, żebym zaczął od nowa. Nie będziesz wiedziała, co ze sobą zrobić, kiedy skończę, bo twoje ciało pogrąży się w wielkiej euforii i nie będzie chciało niczego innego, tylko rozkoszy, którą zamierzam ci dać.

Chciał ją zaszokować i udało mu się. Nie mogąc się powstrzymać, wysunęła biodra w jego stronę jak prawdziwa rozpustnica. Westchnęła i powtórzyła ten ruch, a on napierał na nią coraz bardziej zuchwale, nieustępliwie i bez litości... Uwielbiała go tam czuć, a kiedy jęknął, to uczucie jeszcze się wzmogło.

Zaklął niespodziewanie.

– Wiesz, co ze mną robisz, i wcale cię to nie obchodzi.

Wychyliła się i ugryzła go w dolną wargę, zaczynając kolejny długi i oszałamiający pocałunek. Gdy się od siebie oderwali, oboje dyszeli ciężko.

– Pewnie, nie obchodzi mnie ani trochę – powiedziała z uśmiechem.

Wziął ją na ręce, przeniósł przez pokój i posadził na brzegu masywnego biurka.

– Uwielbiam te spodnie – wyznał.

Zalała ją fala gorąca. Jego dłoń badała jej ciało, aż odnalazła miękkie, nietknięte miejsce po wewnętrznej stronie uda, które aż bolało z tęsknoty za jego dotykiem. Niczego bardziej nie pragnęła, jak tego, by zdarł z niej te przeklęte spodnie i zrobił to, co obiecywał jego dotyk.

Oparła dłonie na biurku za plecami i odchyliła się w tył, by widzieć jego poczynania. Dodał cicho:

– Ale jestem o nie cholernie zazdrosny.

– Dlaczego?

– Bo mogą cię tutaj dotykać – wyjaśnił, a jego palce przesunęły się na kolano i powędrowały w górę spodni. – I tutaj – dodał, dotykając wewnętrznej części jej uda. – I... – Zawiesił głos, gdy dotarł do styku ud, a Georgiana wysunęła się ku niemu.

Jęknął pod wpływem jej ruchu.

– O, tak – mruknął. – Rozłóż dla mnie nogi.

Niech jej Bóg wybaczy, ale zrobiła to, o co prosił. Rozchyliła uda, dając mu dostęp do miejsca, w którym najbardziej go pragnęła i w którym on najbardziej chciał się znaleźć. Wziął to, co mu zaoferowała. Jego silna dłoń zamknęła się na najbardziej intymnej części jej ciała, a Georgiana westchnęła z rozkoszy, jaką dawał jej ten dotyk, chociaż wciąż rozpaczliwie pragnęła więcej.

– Lubisz to – stwierdził, jakby mówił o obrazie. O jedzeniu. O spacerze po parku.

– Lubię – przyznała, nie odrywając wzroku od jego dłoni, od miejsca, w którym jej dotykał tak stanowczo i tak obiecująco, że aż nie do zniesienia. – Niech mi Bóg pomoże, ale lubię.

– On ci nie pomoże – szepnął Duncan, a jego druga ręka powędrowała do guzików jej koszuli, które zaczął rozpinać jeden po drugim, aż ukazały się nabrzmiałe piersi. – To zadanie kogoś innego, komu daleko do doskonałości. – Odsunął poły koszuli, by obnażyć piersi. – Jesteś najpiękniejszym stworzeniem, jakie w życiu widziałem.

– Proszę – powiedziała, desperacko go pragnąc.

– O co prosisz? – zapytał.

– Nie każ mi błagać.

Podniósł wzrok na jej twarz, a w jego oczach dostrzegła zrozumienie.

– Ależ właśnie zmierzam do tego, żebyś błagała, skarbie. Obiecałem ci przyjemność najwyższego lotu. Obiecałem ci, że przejmę kontrolę nad wszystkim, co razem robimy. I obiecałem, że polubisz to do szaleństwa. I chcesz tego wszystkiego, prawda?

Nie miała siły kłamać, więc skinęła głową.

– Tak.

Pochylił się, nagradzając ją za tę odpowiedź pocałunkiem. Zaczął ssać sutek, aż krzyknęła z rozkoszy i wsunęła dłonie w jego włosy.

Gdy tylko go dotknęła, przerwał.

– Oprzyj ręce na biurku – polecił.

Posłuchała go bez zbędnych pytań.

To mu się wyraźnie spodobało.

– Popatrz na siebie – nakazał jej, przesuwając palcem wokół naprężonego sutka, który przed chwilą miał w ustach. Georgiana wykorzystała ten moment, by zaprezentować nagie piersi w całej okazałości.

Nagrodził ją kolejną leniwą pieszczotą, tym razem zaszczycając uwagą drugą pierś. Potem podniósł głowę i powiedział:

– Chcę, żeby sprawiło ci to przyjemność.

– Nie ma obawy. Na pewno tak będzie.

– Jeśli zrobię coś, co ci się nie spodoba, masz mi o tym powiedzieć – dodał z powagą.

– Dobrze.

– Poznam, jeśli skłamiesz.

– Nie skłamię. Nie w takiej chwili.

Wzięła głęboki oddech.

– Może pójdziemy do mojego łóżka?

Było tuż obok, za najbliższymi drzwiami. Duże i miękkie. Czekało na niego. Skłamałaby, gdyby powiedziała, że nie spędziła w tym łóżku wielu nocy, rozmyślając o tym mężczyźnie i o tej chwili. O tym, że może jej zapragnie któregoś dnia.

I oto ten dzień właśnie nadszedł.

Pokręcił głową, a jego palce błądziły po koniuszku piersi, wysyłając słodkie dreszcze.

– Nie chcę być z tobą w żadnym miejscu, w którym on cię miał.

Chase.

Zaprzeczyła ruchem głowy.

– Nie musisz się martwić.

Zobaczyła na jego twarzy wzburzenie. Zapragnęła, by znał prawdę.

– Ja nigdy… z nikim…

Podniósł dłoń, powstrzymując jej słowa.

– Nic nie mów.

Nie wierzył jej.

– Duncanie… – zaczęła.

Nie pozwolił jej nic powiedzieć i pociągnął na brzeg biurka.

– Tutaj.

Spojrzała na dębowy mebel.

– Tutaj? Na biurku?

– Na jego biurku.

Zdawało jej się, że położył nacisk na ten zaimek. Tak lekki, że można było tego nie zauważyć. Usłyszała też w jego słowach frustrację, której źródło od razu zrozumiała. Myślał, że w klubie nie było takiego miejsca, gdzie nie robiłaby tego z Chase'em.

A więc postanowił wziąć w posiadanie to biurko, za którym, jak sądził, królował Chase.

Chciał zrobić to z nią tutaj.

Boże dopomóż, ale ona pragnęła tego równie mocno.

– Dobrze. – Skinęła głową.

Przyglądał jej się przez dłuższą chwilę, a przez jego twarz przebiegały kolejne emocje: złość, frustracja, pożądanie.

Ból.

Wyciągnęła do niego ręce, ale uchylił się przed jej dotykiem. Sięgnął po jej stopę.

– Chcę cię tutaj – rzucił szorstko, odwiązując sznurowadło buta. – Chcę, żebyś była naga – dodał, zsuwając but z jej stopy i stawiając go na oparciu fotela, aby zabrać się do drugiego. – I chcę, żebyś była moja. Moja.

To słowo przypłynęło do niej na fali pożądania, pozbawiając ją tchu. Czy kiedykolwiek ktoś jej tak bardzo pragnął? Czy kiedykolwiek ktoś chciał ją posiąść? Mężczyźni pożądali wprawdzie jej ciała, gdy była ubrana w nieprzyzwoite suknie z jedwabiu i satyny i paradowała po kasynie jako Anna, ale teraz było zupełnie inaczej. Pragnął jej – Georgiany – w taki sposób, jak nikt inny przed nim. Nawet mężczyzna, któremu oddała się beztrosko wiele lat temu.

To słowo nie zostało wypowiedziane jak żądanie. Raczej jak obietnica. Chęć posiadania jej na własność.

Odkryła, że ona też tego chce. I to bardzo.

Tej myśli towarzyszyło zsunięcie drugiego buta. Teraz położył ręce na jej stopach w pończochach. Ujął jej nogi w kostkach, uniósł, rozwarł i wszedł między nie. Instynktownie otoczyła go nogami, przyciągając do siebie, aż poczuła jego twardą, gorącą męskość tam, gdzie najbardziej chciała ją czuć. I gdzie on najbardziej pragnął się znaleźć. Odrzuciła głowę, gdy na nią naparł. Otoczył ją silnym ramieniem w talii, podtrzymując jej wygięte w łuk plecy. Była teraz zupełnie otwarta.

– Powiedz to – jęknął, szukając jej oczu i unosząc wolną rękę, by objąć jej pierś. – Powiedz to, a dam ci wszystko, czego pragniesz.

Nie musiała pytać, co ma na myśli. Wiedziała. Wiedziała również, że ona nie skłamie. W tym oszalałym świecie zaczynała wielbić tego mężczyznę. Czuła, że do niego należy, i to było piękne.

Ale nie mogło trwać.

To, co piękne, szybko przemija – czy nie tego nauczyła się wiele lat temu na kłującym sianie, w objęciu ciepłych ramiona? Miłość jest ulotna i przemijająca, jak rozpaczliwe marzenie naiwnej, niewinnej dziewczyny.

Odda się temu mężczyźnie i tej chwili, a potem odejdzie, by żyć takim życiem, jakie zaplanowała.

Ale na razie była wolna.

– Jestem twoja – wyznała.

Nagrodził ją niskim, namiętnym pomrukiem i długim pocałunkiem. Pociągnął ją na sam brzeg biurka i zręcznymi palcami odpiął guziki rozporka jeden po drugim. Potem pociągnął spodnie, aż zsunęły się z nóg, zabierając ze sobą pończochy.

– Milady – szepnął, zrobił krok w tył i wpatrywał się w nią ze skupieniem. Nie była w stanie spojrzeć mu w oczy, zbyt świadoma tego, jak musi wyglądać – koszula zwisała luźno po bokach, spuszczona z ramion, jak ostatni bastion garderoby.

Przypłynęło wspomnienie przeszłości i kłamstw, którymi obudowała ten akt. I świadomość, że zrobiła to tylko raz w życiu.

– Spójrz na mnie – odezwał się rozkazującym tonem, który jej się podobał. Podniosła na niego oczy, dostrzegając w nim siłę.

Pragnęła tej siły.

– Milady – wyszeptał ponownie, tonem modlitwy i obietnicy. – Otwórz się dla mnie – rozkazał.

Zabrakło jej tchu. Zawahała się, nie była pewna, czy to potrafi. Czym innym było obnażenie się w ciemnej wodzie jego niesamowitego basenu, a czym innym w jasnym świetle dnia, na biurku.

Nigdy wcześniej tak się nie czuła. Ledwie zbliżyła się do tego doświadczenia dziesięć lat temu z mężczyzną, który ją okłamał, zrujnował i zostawił samą.

Tamte ulotne, ale jakże brzemienne w skutki chwile w stodole Leighton Manor były zupełnie nieporównywalne z uczuciami, jakie budził w niej Duncan.

W obu doświadczeniach nie było nic podobnego. Teraz czuła się wolna – mogła oddychać pełną piersią, zanim wkroczy w nowy świat jako żona arystokraty i poświęci się wyłącznie przyszłości córki.

Dlaczego nie ma się tym cieszyć?

Uniosła podbródek i wyprostowała ramiona w przypływie zuchwałej odwagi.

– Skłoń mnie do tego.

W jego brązowych oczach mignęły diabelskie ogniki.

– Myślisz, że nie potrafię?

– Myślę, że chcesz, żebym wykonała pracę za ciebie.

Zebrała całą siłę woli, by go zmusić do działania. Do tego, by jej dotykał.

Duncan cofnął się o krok i usiadł w skórzanym fotelu, który stał przy biurku. Oparł się wygodnie, udając, że jest odprężony. Z trudem opanowała nerwy.

– Otwórz się dla mnie – powtórzył.

Uśmiechnęła się nieznacznie.

– Nie pójdzie ci tak łatwo.

– Nie. Nie pójdzie. – Zatrzymał wzrok na jej piersiach. Zaczęła ją palić skóra, gdy przesunął spojrzenie niżej, do miejsca, które rozpaczliwie go pragnęło. Wpatrywał się w nią tak długo, że pomyślała, że zaraz umrze. Gdy już miała się poddać, powiedział:

– I tak się dla mnie otworzysz, a kiedy już to zrobisz, będziesz żałować, że dałaś się tak długo prosić.

Otworzyła szeroko oczy.

– Grozisz mi?

Na jego usta wypłynął leniwy uśmiech.

– Gdzieżbym śmiał.

Oparł podbródek na dłoni i obrzucił ją przeciągłym spojrzeniem, przesuwając palec wskazujący po dolnej wardze, co bardziej prostolinijna kobieta mogłaby uznać za oznakę zamyślenia.

Ale Georgiana nie była prostolinijną kobietą. I nie uznała tego za wyraz zamyślenia. Rozpoznała w tym geście drapieżnika szykującego się do skoku.

– Będziesz tego żałować – mówił dalej – bo gdy nie jesteś otwarta, nie mogę cię dotykać. A ty nie możesz czuć na sobie moich rąk, moich ust i mojego języka.

Odetchnęła głęboko przy ostatnim słowie – podziałało na jej ciało jak sam dotyk, torując ognistą ścieżkę prosto do tego miejsca, o którego otwarcie prosił… miejsca, w którym tak bardzo go pragnęła.

Zrozumiał, co się z nią dzieje.

– Przecież lubisz, kiedy cię liżę, prawda, Georgiano?

Wielkie nieba! Nie była pruderyjna, bo od sześciu lat przebywała w otoczeniu hazardzistów i prostytutek. Na miłość boską, przecież prowadziła najlepszą w Londynie jaskinię hazardu. To wszystko jednak wydawało się zupełnie zwyczajne i dozwolone w porównaniu z tym człowiekiem, który stał się ucieleśnieniem grzechu w chwili, gdy jej dotknął.

– Georgiano – ciągnął leniwie, zawierając w tym słowie bezmiar obietnicy. – Lubisz to?

Ten ruch palca na ustach doprowadzał ją do szaleństwa. Zacisnęła uda, nie chcąc jeszcze kończyć tej gry.

– Jeśli dobrze pamiętam, było dość przyjemnie.

– Tylko dość?

Uśmiechnęła się nieznacznie.

– Z tego, co pamiętam.

– Mam zupełnie inne wspomnienia – oznajmił. – Z tego, co pamiętam, uczepiłaś się kurczowo moich włosów, twoje krzyki przeszywały ciemność, a nogi otoczyły mnie jak grzech. – Jego wzrok padł na połączenie jej ud. – Pamiętam, że kiedy doszłaś, wygięłaś ciało do nieba i zapomniałaś o całym świecie. Liczyła się tylko rozkosz; doprowadziłem cię do niej, pieszcząc językiem w miejscach, w których tego pragnęłaś. Pamiętam, jak smakowałaś... Słodko, jak wcielenie seksu... Byłaś miękka i mokra... i moja.

Znowu to słowo. Była jego.

Uwodził ją samymi słowami, obiecując, że da jej wszystko, czego zapragnie, jeśli tylko się podda – jeśli się przed nim otworzy. Wzięła głęboki oddech i zdobyła się na ostatni opór.

– Mówisz o tym, co było – stwierdziła niemal bez tchu. – Ale co mi z tego przyjdzie teraz? Tutaj?

– Otwórz się dla mnie, to się przekonamy.

Zachichotała, co zaszokowało i ją, i jego. Wydawała się niemal zawstydzona i na pewno to uczucie by się pogłębiło, gdyby nie pochylił się do przodu w tej samej chwili, w której z jej ust wydobył się śmiech.

– Jesteś najpiękniejszym stworzeniem, jakie w życiu widziałem.

Objął ciepłą dłonią jej kolano, kładąc kres grze, którą prowadzili.

– Jesteś tak niesamowicie piękna – jęknął. Potem nie odrywając wzroku od jej twarzy, wstał z fotela i upadł na kolana przed biurkiem, między jej udami. – Tak niesamowicie doskonała. – Pocałował jej kolano, a potem udo. – Tak piekielnie uczciwa.

Zesztywniała przy ostatnim słowie, chociaż jego usta powędrowały w górę uda, do miejsca, które tak boleśnie na niego czekało.

Uczciwość...

Nie była z nim uczciwa. Zachowywała się nieszczerze, a on zasługiwał na coś lepszego.

Wyczuł w niej zmianę. Podniósł głowę i spojrzał jej w oczy.

– Nie myśl o tym.

– Nie potrafię.

Złożył leniwy pocałunek na skraju miękkich włosów, w których kryła się jej najbardziej intymna cząstka.

– Powiedz mi – poprosił.

Było przynajmniej kilka rzeczy, o których powinna mu powiedzieć. Ale zdobyła się tylko na jedno wyznanie. I było to najuczciwsze zdanie, jakie w życiu wypowiedziała:

– Chciałabym, żeby mogło tak być na zawsze.

Jej słowa nim wstrząsnęły. Były szczere do bólu i idealnie odzwierciedlały myśli, które krążyły mu po głowie w tym pokoju, nienależącym do niego. Ani do niej.

Chciał, żeby to trwało zawsze, ale wiedział, że tak się nie stanie. Jego przeszłość i jej przyszłość skutecznie to uniemożliwiały. Przeszkodą były siły zewnętrzne, które wisiały nad ich życiem.

Pochylił się do przodu, wciąż na kolanach. Miał świadomość, że tą pozycją oddaje jej cześć, jak gdyby była boginią, a on składał jej ofiarę. Jej pozycja świadczyła o bezgranicznym zaufaniu, co sprawiło mu taką przyjemność, że zrobił się twardszy niż kiedykolwiek w życiu.

Pożądał tej kobiety.

Nie mógł mieć jej na zawsze, ale ta chwila i to wspomnienie należały do niego. To przetrwa i będzie mu towarzyszyć podczas ciemnych nocy.

I może sprawi, że po nim nie będzie już chciała innego mężczyzny.

– Nic mi nigdy nie smakowało tak jak ty – szepnął. – Słodka, grzeszna i zakazana. – Przejechał delikatnie palcem wzdłuż mokrej szczelinki, aż wysunęła ku niemu biodra. – Gładka, wilgotna i doskonała. Wiesz o tym, prawda? Znasz swoją siłę.

Pokręciła głową.

– Nie.

Spojrzał w jej oczy, pochylił się i przesunął po tym miejscu językiem raz i drugi, powolnymi, zamaszystymi ruchami. Rozkoszował się jej głośnymi westchnieniami. Zamknęła oczy pod wpływem rozkoszy.

– Nie – zaprotestował. – Otwórz oczy.

Uniosła powieki. Znowu dotknął jej językiem i wyczuł z zachwytem, jak rośnie jej pożądanie.

– Powiedz mi coś...

– Czuję się tak...

– No, mów – zachęcił ją.

– To zachwycające.

– Co jeszcze?

– Nie przerywaj.

– Nie przerwę, jeśli mi powiesz.

– Czuję się tak... Jeszcze nigdy... z nikim... – Był zachwycony, że ona nie może wydobyć słów. – O Boże...

Uśmiechnął się, drażniąc ją językiem.

– Nie jestem Bogiem.

– Duncanie – wymruczała z westchnieniem jego imię. Pomyślał, że umrze, jeśli szybko się w niej nie zanurzy.

– Co jeszcze czujesz?

– To jest piękne. – Jej dłonie poszukały jego włosów. – Jesteś doskonały – wyszeptała, wprawiając go w zdumienie. A potem wyrzuciła coś zupełnie nieoczekiwanego: – To jest... jak... miłość.

I gdy to słowo wisiało jeszcze w powietrzu, uświadomił sobie w jednej chwili, że przekazał jej dokładnie to, co czuł.

Kochał ją.

Powinno go to przerazić, ale poczuł tylko ciepłą falę uczucia na myśl, że ta prawda została w końcu ujawniona. Na drugim biegunie czaiło się jednak coś nieprzyjemnego. Zniszczenie. Odrzucenie.

Zignorował to i dalej przekazywał jej miłość powolnymi pieszczotami języka. Poruszała biodrami, pokazując mu, co lubi i gdzie ma jej dotknąć, a on czynił to bez wahania. Była jak manna, którą się karmił, i pragnął jedynie tego, by dać jej rozkosz. By zostawić jej wspomnienie tej chwili.

Wspomnienie jego miłości – miłości niemożliwej do spełnienia.

Przyspieszył ruchy języka, poruszając nim w rytm jej oddechu, westchnień i ruchów palców wczepionych kurczowo w jego włosy, a także unoszenia się i opadania bioder. I w końcu przyszło spełnienie. Przytulał ją, pieścił i delikatnie całował, pomagając jej przeżyć falę rozkoszy.

Gdy wydała ostatnie westchnienie zachwytu, wstał z kolan, nadal rozpaczliwie jej pragnąc. Wpatrywała się w niego szeroko rozwartymi oczami, z rozchylonymi wargami; zachwycał się tym widokiem. Szybko zrzucił surdut i halsztuk, nie odrywając wzroku od wpatrzonej w niego Georgiany. Pragnął jej tak bardzo, jak ona pragnęła jego. Zdjął koszulę przez głowę, a jej wzrok padł na jego klatkę piersiową i brzuch.

Miał ochotę wznieść dziki okrzyk triumfu, widząc jej aprobujący wzrok.

– Posejdon – szepnęła.

Uniósł brwi w niemym pytaniu, a ona od razu dodała:

– W twoim domu, nad basenem... – Przejechała koniuszkami palców po jego ramieniu, gdzie mięśnie aż prężyły się z wysiłku, aby jej nie chwycić. – Byłeś jak Posejdon w swoim wodnym królestwie, taki silny... – Palce przesunęły się na mięśnie torsu. – Tak idealnie zbudowany... – Wsunęła je we włosy na piersi. – Taki piękny... – Przesunęła rękę po piersi. O mało nie jęknął. Pochyliła się i przycisnęła usta do jego ciała w leniwej pieszczocie.

Uniosła głowę i spojrzała mu w oczy.

– Bóg morza.

– A ty jesteś moją syreną – stwierdził. Wsunął palce w miękkie włosy na karku Georgiany i uniósł jej twarz ku sobie.

– Mam nadzieję, że nie – zauważyła, a on znieruchomiał, czekając na wyjaśnienie. Uśmiechnęła się z miną grzesznicy. – Posejdon potrafił oprzeć się syrenom.

Czego nie można było powiedzieć o nim. Wpił się w jej usta w długim, głębokim pocałunku, a jej dłonie powędrowały do rozporka. Walczyła z zapięciem tak długo, że o mało nie pękł, czekając, aż się z tym upora. Sięgnął, by samemu to zrobić.

– Nie – zaprotestowała, patrząc mu w oczy. – Ja sama.

– To do dzieła.

Poczuł cudowną ulgę, gdy jej dłonie wsunęły się w rozcięcie spodni i w końcu, w końcu go dotknęły. Obserwował jej poczynania z zachwytem. Gdy wzrok Georgiany padł na jego przyrodzenie, jej oczy się rozszerzyły, a usta rozchyliły. Oddałby fortunę za to, żeby się dowiedzieć, co sobie pomyślała. Oblizała dolną wargę i pieszczotliwie poruszyła rękami. Raz i drugi.

Powstrzymał ją, kładąc rękę na jej dłoniach.

– Przestań.

Zastygła i zerknęła na niego.

– Czy robię coś… – Zawahała się i zaczęła od nowa: – Czy robię coś nie tak?

Znieruchomiał, patrząc w jej szeroko otwarte oczy. Malowała się w nich troska i obawa. Zmrużył oczy – nie cierpiał tego fałszu. Kochał ją, a ona kłamała.

– Nie udawaj niewinnej. Chcę cię taką, jaka jesteś. Nie obchodzi mnie przeszłość, tylko ta chwila.

I przyszłość.

Nie, to nie mogło go obchodzić.

Nie było mu pisane.

W bursztynowych oczach pojawił się dziwny wyraz. Jakby rozczarowanie. Odwróciła wzrok i spojrzała w dół, na ich ręce splecione wokół jego męskości.

– Pokaż mi – mruknęła w końcu. – Pokaż mi, co lubisz.

Przysunął usta do jej ucha.

– Lubię wszystko, skarbie. Lubię, gdy dotykasz mnie każdym kawałkiem swojego ciała. Lubię, jak twoje ręce ściskają mnie tak mocno i gorąco. Lubię to, co obiecują. – Słyszał jej przyspieszony oddech. – Lubię, jak na mnie patrzysz tymi pięknymi oczami. Lubię, jak patrzysz na swoje ręce, gdy mnie dotykają. – Odsunął się, by mogła spojrzeć w dół. – Mam ci powiedzieć, co jeszcze lubię?

Pogłaskała go pieszczotliwie kilka razy, zanim odpowiedziała szeptem pełnym pożądania:

– Tak.

Kocham cię, chciał wyznać.

Ale to tylko naraziłoby ich oboje na cierpienie.

– Lubię twoje śliczne różowe wargi.

Roześmiała się niemal bez tchu. Wsunął palce jeszcze głębiej i śmiech zamienił się w głośne westchnienie. Podniósł na nią wzrok.

– I bardzo chciałbym być już w tobie.

Spojrzała mu w oczy.

– Też tego chcę.

Pocałował ją i oparł czoło o czoło. Był teraz przy samym wejściu do miejsca, gdzie go pragnęła. Była gorąca i mokra – dla niego. Zakręciło mu się w głowie. Zaczął wsuwać się do ciasnego kanału, ale głośno syknęła. Spojrzał w jej oczy i zrozumiał, że odczuwa dyskomfort.

– Georgiano? – zapytał niespokojnie, myśląc, że zaraz umrze od wstrzymania rozkoszy.

Pokręciła głową.

– Wszystko dobrze.

Ale nie było dobrze. Sprawiał jej ból. Wycofał się.

– Nie. Proszę. Zrób to.

Gdyby nie wiedział tego, co wiedział…

– Przestań – nakazał. – Pozwól mi…

Wycofał się, a potem naparł ponownie. Delikatnymi pchnięciami wchodził w nią coraz głębiej, aż zanurzył się do końca.

– O tak – wyszeptała, gdy się pochylił i pocałował ją u podstawy szyi. – Tak.

Wycofał się i poszukał jej wzroku.

– Czy nie..?

Uniosła się i pocałowała go, przesuwając językiem między jego wargami. Potem wyznała:

– Jest cudownie. – Kładąc dłonie na jego piersi, odsunęła go na tyle, by móc spojrzeć w dół, na ich złączone ciała. – Popatrz.

Podążył za jej wzrokiem i poczuł, że w jej wnętrzu zrobił się jeszcze twardszy. Odetchnęła głęboko i się uśmiechnęła.

– Zdaje się, że jest panu przyjemnie, sir.

Chryste! Kochał ją, kochał!

Pragnął jej. Była zabawna, mądra, piękna i grzeszna.

Chciał ją mieć na zawsze.

Odwzajemnił jej uśmiech.

– A będzie jeszcze przyjemniej. Mam na to swoje sposoby.

– Pokaż mi je.

Spełnił jej prośbę.

Zademonstrował zamaszyste, posuwiste ruchy, a Georgiana dopasowała się do tego rytmu. Uniosła długie nogi i powtarzała jego imię jak zaklęcie, najpierw cicho, a potem coraz głośniej, aż zapragnął, by ta chwila trwała wiecznie. Objął ją w talii, a jej ręce mocno go objęły, jakby nie chciała, aby ją opuścił.

Tak jakby mógł ją opuścić.

Nigdy jej nie zostawi.

Spojrzała mu w oczy.

– Teraz – rzuciła głosem nabrzmiałym z pożądania. – Teraz.

Poddała się rozkoszy, otulając go sobą z taką siłą, że bał się, czy to przeżyje. Znowu wykrzyknęła jego imię. Czując, że zbliża się cudowna chwila spełnienia, wysunął się z niej i doszedł na szczyt z taką intensywnością, jak jeszcze nigdy w życiu.

To było przeżycie jedyne w swoim rodzaju i wiedział od razu, co się stało – to nie ona nie zechce po nim nikogo innego.

To on nie będzie już pragnął innych kobiet. Do końca życia.

Odsunął się, chociaż westchnęła na znak protestu, co tylko sprawiło, że znowu jej zapragnął. Zapiął spodnie i wyjął chusteczkę. Wziął ją na ręce i zaniósł na fotel na drugim końcu pokoju. Usiadł, posadził ją sobie na kolanach i wytarł.

– Ty nie... – Zawiesiła głos.

– Pomyślałem, że nie chcesz ryzykować. – Co prawda myśl o jasnowłosych bobaskach z bursztynowymi oczami ich matki wcale nie była mu niemiła. – Wtedy źle wybrałaś czas. Nie powinnaś powtarzać tego błędu.

Łzy napłynęły jej do oczu. Przygarnął ją do siebie, chcąc, by była bezpieczna. Zawsze.

Wtuliła się w niego. W końcu ich oddechy się uspokoiły; teraz odtwarzał w pamięci minione zdarzenia, wspominając jej słowa, ruchy i jęki.

Momenty zdziwienia, zachwytu i pożądania.

I tę chwilę... bólu?

Nagle doznał olśnienia.

Uniosła głowę, gdy jego ręce znieruchomiały.

– Co się stało?

Pokręcił głową, milcząc.

Nie chciał, by to była prawda.

Uśmiechnęła się i pocałowała go w brodę.

– Powiedz mi.

„Jeszcze nigdy... z nikim...”

Przecież tak twierdziła. Tyle tylko, że jej nie uwierzył.

Kim jest ta kobieta?

Jaką grę prowadzi?

Jaką grę prowadzi Chase?

Napotkał jej spojrzenie i dostrzegł w nim otwartość i uczciwość. Musiała coś dostrzec w jego oczach, bo powróciła nieufność.

– Duncanie?

Nie chciał tego mówić, ale nie mógł się powstrzymać:

– Nie jesteś dziwką.

17

*...Gazeta nasza nie może wyjść ze zdumienia, że lady
G. została tak łatwo wykluczona z towarzystwa prawie na
całą dekadę. Czego byśmy nie dali za możliwość zerknię-
cia w przeszłość tej damy! Niestety, musimy poprzestać na
zerkaniu w jej świetlaną przyszłość...*

*...W tym tygodniu w Parlamencie odbędzie się kilka
ważnych głosowań. Właściciel niniejszej gazety jest zago-
rzałym zwolennikiem ograniczenia pracy dzieci i śledzi
z uwagą, w jaki sposób narodowi przywódcy zadecydują
o losie najmłodszych obywateli...*

„Wiadomości Londyńskie", 9 maja 1833

*T*e słowa ją zmroziły.

Mogła się oburzyć, ale nie była w stanie. Nie po tym, co jej ofiarował, nie po tym, jak powoli i bez wysiłku zdjął z niej ochronną skorupę
i pozbawił wszelkich zahamowań, podobnie jak spodni i innych części
garderoby.

Nie po tym, jak ofiarował jej rozkosz i ukojenie, a także obietnicę
czegoś więcej, chociaż wiedziała, że to wszystko jest ulotne.

Może powinna skłamać, ale nie potrafiła. Jak mogła udawać, że zna
wszystkie sztuczki, jak przystało na wytworną kurtyzanę? Przecież
omdlewała od jego pocałunków, pieszczot i czułości.

Była przygotowana na pocałunki. I na dotyk.

Ale czułość ją obezwładniła, pozbawiła tarczy chroniącej przed jego
badawczymi spojrzeniami i dociekliwymi pytaniami.

Po raz pierwszy od dawna nie wiedziała, co ma powiedzieć. Wstała z jego kolan i podeszła nago do miejsca, gdzie odarł ją z garderoby i kłamstw. Wzięła koszulę z oparcia fotela, wsunęła ręce w rękawy i owinęła się ciasno.

– Nie ukryjesz się przede mną. Koszula nie wystarczy. Ty i Chase macie najwyraźniej jakiś plan, a ja jestem jego częścią. Choć wcale tego nie chcę.

Poczuła falę strachu na myśl, że ten bystry mężczyzna poznał jeden z jej najpilniej strzeżonych sekretów i zbliżał się do odkrycia pozostałych tajemnic.

Była w tym, rzecz jasna, niezamierzona ironia; w końcu większość mężczyzn przyjęłaby z zachwytem, że kobieta, z którą się przespali, nie jest prostytutką.

Ale Duncan West nie był taki jak inni mężczyźni.

Nie obchodziło go ani trochę, że stoi przed nim prawie naga i całkowicie obnażona emocjonalnie, że jego stwierdzenie wprawiło ją w niepokój i że nie ma ochoty o tym rozmawiać.

– Kiedy ostatni raz z kimś spałaś?

Chciała wykręcić się od tej rozmowy. Pochyliła się i podniosła spodnie.

– Od czasu do czasu śpię z Caroline.

Ta odpowiedź doprowadziła go do wściekłości.

– Pozwól, że powtórzę. Czasami zapominam, jakie życie wybrałaś. Kiedy ostatni raz się z kimś pieprzyłaś?

Przyjęła ten wulgaryzm z ulgą, bo przypomniał jej, że jej życie to więcej niż ta chwila, że jest królową londyńskiego półświatka, a jej władza przekracza jego wyobraźnię. Wyobraźnię każdego człowieka.

Powinna być na niego zła. Powinna wyprostować ramiona, nie przejmując się nagością, i powiedzieć mu, gdzie może sobie wsadzić swoje brudne słowa. Powinna zadzwonić po ochroniarzy, żeby wyrzucili go z miejsca, w którym nie wolno mu przebywać.

Teraz ten pokój już zawsze będzie jej go przypominać.

Odwróciła wzrok. Całe popołudnie poszło na marne, ale przez to, że była na niego zła, jeszcze bardziej chciała mu wyznać prawdę. Przywrócić tej chwili dawny kształt. Odpowiedzieć na jego pytania, znaleźć się znowu w jego ramionach i przywrócić mu wiarę. Nie dalej jak przed godziną przysięgał, że będzie ją chronił.

Czy kiedykolwiek ktoś jej to obiecywał? Jak dawno temu?

– Spójrz na mnie. – To nie była prośba.

Posłuchała. Rozpaczliwie chciała być silna.

– To, co zrobiliśmy... to nie było... – Nie mogła się zmusić do wypowiedzenia tego słowa. – Nie było to.

– Skąd wiesz?

Chciał ją zranić i udało mu się, bo pytanie ją zabolało. Ale zasłużyła na ten cios. Odpowiedziała, obnażając się przed nim tak, jak przed nikim dotąd:

– Ponieważ kiedy ostatnim razem... – zawahała się, nie chcąc użyć tego słowa – ... to robiłam... to było właśnie to. – Pozwoliła mu zobaczyć prawdę. Dokończyła swoją myśl ciszej, niż jej się wydawało. – Nie było tak samo. Teraz to było... coś więcej.

– Chryste. – Zerwał się na nogi.

Spojrzała mu w oczy.

– To jest coś więcej.

– Naprawdę? – zapytał z nutą wątpliwości. – Okłamałaś mnie.

To prawda, ale teraz nie chciała kłamać, chociaż dotąd ukrywała się za kłamstwami. Te kłamstwa się nawarstwiały i było ich już zbyt dużo, w zbyt skomplikowanych konfiguracjach, by wyznać mu wszystko.

– Chcę ci wyznać prawdę – oznajmiła.

– To czemu nie powiesz? – zapytał. – Dlaczego mi nie zaufasz? Gdybym wiedział, że ty... że Anna... że żadna z was nie jest prawdziwa, to... – Zawiesił głos i się zastanowił. – To zachowywałbym się z większą delikatnością.

Nigdy w życiu nikt nie odnosił się do niej tak czule jak Duncan w ciągu ostatniej godziny. Pragnęła w zamian ofiarować mu wyznanie. Coś, czego nie zdradziła dotąd nikomu innemu.

– Ojciec Caroline – wyszeptała – był moim ostatnim mężczyzną.

Milczał przez długą chwilę, ale w końcu zapytał:

– Kiedy?

– Dziesięć lat temu.

Z sykiem wciągnął oddech. Ten dźwięk zdziwił ją tak samo jak jego wyraz twarzy – jakby prawda go zabolała.

– To był jedyny raz?

Znał odpowiedź na to pytanie, ale i tak mu wyznała:

– Aż do teraz.

Ujął jej twarz w dłonie i zmusił ją, by na niego spojrzała.

– Był głupcem.

– Nie. Był chłopcem, który pragnął dziewczyny, ale nie na zawsze. – Uśmiechnęła się. – Nawet nie po raz drugi.

– Kto to był?

– Pracował w stajniach w majątku wiejskim mojego brata. Kilka razy osiodłał mi konia, towarzyszył mi na przejażdżkach. Oczarował mnie jego… uśmiech. I to, że ze mną flirtował.

– I zaryzykowałaś.

– Nie uważałam tego za ryzykowne. Myślałam, że go kocham. Byłam młoda, utytułowana i nie przejmowałam się resztą świata. Niewiele było trzeba, żeby mnie oczarować. I popełniłam błąd typowy dla każdego arystokratycznego dziecka. Szukałam tego, czego nie miałam, zamiast się cieszyć tym wszystkim, co posiadałam.

– A czego nie miałaś?

– Miłości – odpowiedziała po prostu. – Nie miałam miłości. Moja matka była zimna, brat odnosił się do mnie z rezerwą, ojciec nie żył. Natomiast ojciec Caroline był ciepłym, pełnym życia człowiekiem. Myślałam, że mnie kocha. Że się ze mną ożeni. – Wzruszyła ramionami, przepędzając wspomnienia. – Co za głupia dziewczyna.

Milczał przez chwilę, marszcząc czoło.

– Jak się nazywał?

– Jonathan.

– Pytałem o nazwisko.

– Tylko tyle mogę ci powiedzieć. Nieważne, kim on jest. Zostawił mnie, a potem urodziła się Caroline. I na tym koniec.

– Powinien zapłacić za to, co zrobił.

– W jaki sposób? Miałby się ze mną ożenić? I zostać ojcem Caroline formalnie, a nie tylko fizycznie?

– Do diabła, nie.

Zmarszczyła brwi. Każdy, z kim zdarzyło jej się rozmawiać o narodzinach Caroline, uważał, że gdyby tylko podała nazwisko tego człowieka, wszystko by się ułożyło. Brat odgrażał się, że zmusi go do małżeństwa, o tym samym mówiło kilka kobiet, z którymi mieszkała w Yorkshire, gdzie urodziła Caroline i spędziła z nią pierwsze lata jej życia.

– Uważam, że powinno się go powiesić za kciuki na najbliższym drzewie. – Otworzyła szeroko oczy, a on mówił dalej: – Zmusiłbym go, żeby przeszedł nago po Piccadilly. Albo stoczyłbym z nim walkę na ringu w klubie i rozszarpał go na kawałki za to, co ci zrobił.

– Zrobiłbyś to dla mnie?

– Zrobiłbym więcej – odpowiedział szybko i szczerze. – I wcale mi się nie podoba, że go chronisz.

– Nie chronię – próbowała wyjaśnić. – Po prostu nie chcę dodawać mu znaczenia. Nie chcę, żeby był częścią mojego życia. Tego, kim jestem. Kim jest Caroline. I tego, kim może zostać w przyszłości.

– On nie ma żadnego znaczenia.

– Dla mnie może nie... ale dla nich... dla ciebie... na pewno tak. I będzie miał, dopóki nie znajdę innego mężczyzny.

– I nie wyjdziesz za mąż. Za kogoś z tytułem.

Nie odpowiedziała. Nie musiała.

– Opowiedz mi resztę.

– Nie ma wiele do opowiedzenia.

– Kochałaś go.

– Myślałam, że go kocham – poprawiła.

– Powiedziałaś, że go kochałaś.

Sądziła, że go kocha. Ale teraz...

Miłość. Bez końca powtarzała w myślach to słowo, rozważając jego znaczenie i własne doświadczenia z nim związane. Myślała wtedy, że kocha Jonathana. Była tego absolutnie pewna. Ale teraz... tutaj... z tym mężczyzną... Uświadomiła sobie, że to, co czuła do Jonathana, było nic niewartym drobiazgiem.

Za to jej uczucie do Duncana Westa było niczym ocean.

Pokręciła głową i opuściła wzrok na jego ciemne ręce na swoich nogach.

– Myślałam, że go kocham – powtórzyła.

– I co dalej?

– Już ci mówiłam. To historia stara jak świat.

– Co było potem?

– Przecież wiesz, panie dziennikarzu.

– Wiem, co mówią. Ale chcę usłyszeć, co ty masz do powiedzenia.

– Pojechałam do Yorkshire. Uciekłam.

– Powiadają, że uciekłaś z nim.

– Zniknął z mojego życia na długo przedtem. Uciekł jeszcze przed świtem po tym, jak...

Przerwała, gdy odetchnął głęboko, by opanować gniew.

– Mów dalej – poprosił.

– Wynajęłam powóz pocztowy. Ciotka mojej pokojowej znała pewne miejsce w Yorkshire. Przyjmowano tam dziewczęta. I były bezpieczne.

– Siostra księcia w powozie pocztowym?

– Inaczej by mnie złapali.

– I źle byś na tym wyszła?

– Nie wiesz, jaki był wtedy mój brat. Kiedy odkrył, co się stało, wpadł w szał. Ale i tak się go nie bałam. Matka mnie znienawidziła i okazywała pogardę. Nigdy więcej z nią nie rozmawiałam.

– Byłaś jeszcze dzieckiem.

– Nie, odkąd sama miałam dziecko.

– Więc przygarnęli cię w Yorkshire?

– Mnie i Caroline. To było piękne miejsce. Spokojne i pełne ciepła. Czułam się akceptowana. To był... dom. – Przerwała. – Ostatni dom, jaki miałam.

– Masz szczęście, że w ogóle jakiś miałaś.

Przyglądała mu się bacznie, wyczuwając w tych słowach podskórne znaczenie, ale nie zdążyła o nic zapytać, bo sam zadał pytanie:

– Jak długo tam byłaś?

– Cztery lata.

– Co było potem?

– Potem umarła moja matka. – Spojrzał pytająco, a Georgiana wyjaśniła, zatopiona w swojej opowieści: – Pojechałam do domu. Czułam, że powinnam wrócić do Londynu, żeby odbyć żałobę. Zabrałam ze sobą Caroline. Pozbawiłam ją bezpiecznego domu, w którym nikt jej nie osądzał, i przywiozłam w to straszne miejsce: do Londynu podczas sezonu. Pewnego dnia udałyśmy się na spacer po Bond Street. Wszyscy się na nas gapili.

To wystarczyło, żeby w jej sercu zrodziła się gorąca i nieustępliwa nienawiść.

Wydawał się ją rozumieć.

– Nie zaakceptowali cię.

251

– Oczywiście, że nie. Miałam zszarganą reputację. W dodatku urodziłam córkę, a one nic nie znaczą. Gdyby była chłopcem… – Zawiesiła głos.

– Gdyby była chłopcem, dałaby sobie radę w życiu.

Ale nie była. I z tego powodu nienawiść Georgiany zamieniła się we wściekłość. A potem powstał plan, dzięki któremu miała trzymać ich wszystkich w garści.

– I wtedy odnalazł cię Chase.

Odwróciła wzrok.

– Przeciwnie, to ja odnalazłam Chase'a.

– Nie rozumiem. Po co ta maskarada z udawaniem dziwki? Przecież mogło ci się coś stać. Do diabła, Pottle prawie… – Nie dokończył zdania i przymknął na moment oczy. – Co by się stało, gdybym się w porę nie zjawił?

– Kobiety tej profesji mają bardzo duże wpływy. A ja chciałam być właśnie tutaj. Wybrałam taką drogę. – Zrobiła pauzę. – Ile kobiet ma jakiś wybór?

– Ale mogłaś wybrać cokolwiek. Mogłaś zostać guwernantką.

– A kto by mnie zatrudnił?

– No to krawcową.

– Nie potrafię szyć.

– Wiesz, co mam na myśli.

Oczywiście, że wiedziała. Brat powtarzał jej to wiele razy. I powiedziała mu to samo, co Duncanowi:

– Żadna profesja nie daje takiej władzy jak ta.

– To jak małżonka samego króla.

Trafił w sedno. Tylko że ona sama była tym królem.

– Chciałam mieć władzę nad każdym, kto patrzył na mnie z wyższością i pogardą. Nad każdym, kto mnie osądzał. Nad każdym, kto rzucił kamieniem. Chciałam mieć dowód, że sami mają wiele na sumieniu.

– I Chase dał ci ten dowód. Chase i pozostali, bo wszyscy chcą tego samego co ty. Zostałaś piątym członkiem ich wesołej bandy.

Powiedz mu.

Nie ma piątego członka. A ona jest czwartym. A raczej pierwszym.

Mogłaby mu to wyznać. Jestem Chase'em.

Ale nie była w stanie. Opowiedziała mu historię o tym, jak została zdradzona, historię swojego zrujnowanego życia i narodzin Caroline, historię, która zawsze będzie splotem tajemnic. Gdyby opowiedziała mu resztę, gdyby powierzyła mu wszystkie sekrety, co by jej pozostało?

Czy ją ochroni, kiedy się dowie, że mężczyzna, który ją wykorzystywał, nie istnieje? Że sama nim manipulowała?

Czy ochroni wtedy jej klub?

I to życie, które z takim trudem zbudowała?

Być może.

Niewiele brakowało, by zdradziła mu ostatnią tajemnicę, ale odezwał się:

– I mimo to chronisz Chase'a. – W jego głosie dało się słyszeć nutę goryczy. – Kim on jest dla ciebie? Mistrzem, małżonkiem, dobroczyńcą? Kim on, do diabła, jest?

W ostatnim pytaniu wyczuła coś więcej, coś, co wykraczało poza chęć poznania jej sekretów i nie wynikało z czystej ciekawości. Wyczuła pragnienie. I desperację.

Chciał poznać sekret tożsamości Chase'a. Jej sekret.

Czy gdyby zdradziła tę tajemnicę, on powierzyłby jej własne?

Nie postawiła tego pytania, bo nie mogła się pogodzić z faktem, że nawet po tych wspaniałych chwilach, które razem przeżyli, wciąż wymieniali się informacjami. Handlowali nimi.

Rano był u Tremleya i w nieoczekiwany sposób – nie miała pojęcia jaki – wykorzystał to, czego się od niej dowiedział.

– Powiedz mi, kim on jest, Georgiano – poprosił.

– Dlaczego to dla ciebie takie ważne?

– Bo przez kilka lat byłem jego wiernym żołnierzem – odpowiedział bez wahania. – I już najwyższy czas.

– Na co? – zapytała. – Na to, żeby go zrujnować?

– Żeby się przed nim bronić.

– Chase nie wyrządzi ci krzywdy.

– Tego nie wiesz. Jesteś zaślepiona i nie widzisz, jaką ma władzę. Nie widzisz, co robi, żeby ją utrzymać. – Machnął ręką w stronę drzwi. – Przecież byłaś tego świadkiem. Nie widziałaś, jak igra z cudzym życiem? Jak spycha ludzi w otchłań? Jak ich wodzi na pokuszenie, aż stracą wszystko? Aż oddadzą mu cały majątek?

– To nie tak. – Nigdy nie było w tym takiego chaosu. Zawsze działała według planu.

253

– Właśnie że tak. Handluje informacjami, tajemnicami, prawdą i kłamstwami. – Zamilkł. – Też tym handluję. Dlatego stanowimy taką dobraną parę.

– Dlaczego nie możesz tego zostawić tak, jak jest? Sowicie cię wynagradza. Masz nieograniczony dostęp do informacji o całym Londynie. Dostajesz to, o co prosisz. Nowinki, plotki, teczkę Tremleya.

Znieruchomiał.

– Co o tym wiesz?

– A czego ty mi nie mówisz?

Rozśmieszyło go to pytanie.

– Tyle przede mną ukrywasz i masz czelność pytać o moje sekrety?

Zapięła guziki koszuli.

– Co cię łączy z Tremleyem?

– Co cię łączy z Chase'em?

Milczała przez chwilę, rozważając konsekwencje wyznania prawdy. W końcu odparła:

– Nie mogę ci powiedzieć.

– Niech tak będzie.

Obserwowała go. On również skrywał tajemnice. Wiedziała o tym, ale nie miała dowodu. Teraz jej go dostarczył. I chociaż świadomość, że nie tylko ona rozsiewa kłamstwa, powinna ją uszczęśliwić, poczuła ogromny smutek.

Może dlatego, że z powodu jego sekretów nie mogła zdradzić swoich.

Po co więc zastanawiać się, co do niego czuje?

Po co uznawać to za miłość?

Duncan West oszczędził jej bolesnego zawodu, uznała, lekceważąc fakt, że serce ściskało jej się z żalu.

– I na tym koniec?

Wstał, włożył koszulę i zapiął spodnie – dopiero teraz uświadomiła sobie, że wcześniej tylko je zsunął. Przypuszczała, że zrobił tak, na wypadek gdyby do pokoju wszedł Chase, a on musiał uciekać. Zawiązał starannie halsztuk. Jego ruchy były oszczędne; nie potrzebował nawet lustra.

Miała ochotę błagać go, by został, ale milczała.

Podniósł surdut z podłogi, włożył go, ale nie zapiął.

Mogłaby poprosić „zostań". Tylko po co?

Poprawił mankiety, tak że spod każdego rękawa wystawał pasek białego płótna tej samej szerokości. Na koniec spojrzał na nią.

– Wybierasz jego, tak?

– To nie jest takie proste.

– Jak widać, jest. – Zrobił pauzę. – Powiedz mi, czy tego chcesz? Czy chcesz być z nim tak nierozerwalnie związana?

Wyczytał odpowiedź z jej twarzy, na której odmalowały się frustracja i wahanie, i dodał:

– Pozwól w takim razie, że zostawię mu wiadomość. Powiedz mu, że mam dość naszego układu i kończę z tym. Od dzisiaj. Niech sobie znajdzie kogoś innego, kto będzie wykonywał jego rozkazy.

Otworzył drzwi z klucza i uchylił je.

– Do widzenia, Georgiano.

I wyszedł, nie oglądając się za siebie, a drzwi cicho kliknęły, gdy je zamykał.

Wpatrywała się w nie przez długą chwilę, mając nadzieję, że coś się wydarzy. Że wróci. Że weźmie ją w ramiona i uzna, że popełnił błąd. Że wyzna jej prawdę. Że będzie ją całował tak długo, aż zapomni o całym świecie, o obecnym życiu.

Że będzie jej pragnął na tyle, by nie zważać na żadne sekrety.

Wiedziała, że to niemożliwe.

Wzięła głęboki oddech, usiadła przy biurku i wyjęła kartkę papieru. Przez długą chwilę wpatrywała się w czystą biel, zastanawiając się, co napisać. Co mogłoby zmienić decyzje, które oboje podjęli?

A gdyby wyznała mu wszystko? Gdyby złożyła w jego ręce swoje życie… i swoje serce? Gdyby oddała mu się całkowicie?

Gdyby pozwoliła sobie na to, by go kochać?

Taka miłość nie miała szans. Nawet gdyby mogli sobie nawzajem zaufać, West nie był arystokratą. Nie mógł dać Caroline takiej przyszłości, jaką Georgiana zaplanowała.

Był tylko jeden sposób, by ochronić swoje sekrety… i serce.

Sięgnęła po pióro, zanurzyła końcówkę w atramencie i napisała dwa zdania:

Twoje członkostwo zostaje unieważnione.

I trzymaj się z dala od naszej Anny.

Naszej Anny.

Brzmiało to w najlepszym razie jak żart, jak ostatnia pozostałość po niemądrym dziewczęcym pragnieniu.

Złożyła kartkę w schludny kwadracik, który zapieczętowała szkarłatnym woskiem, przystawiając na nim pieczęć z fantazyjną literą C. Następnie zadzwoniła po posłańca, który miał przekazać liścik.

Powiedziała sobie, że robi to dla ich dobra. Odsunęła list na skraj biurka i sięgnęła po teczkę z nazwiskiem Langleya.

Miała inne plany na przyszłość. Dla Caroline.

A miłość do Duncana Westa w ogóle się w nich nie mieściła.

Wróciła do pracy. Do swojego świata, w którym nie było dla niego miejsca.

Wyszedł z klubu rozwścieczony i od razu skierował się do biura. Rozpaczliwie potrzebował dowodu, że ma jakąś władzę nad tym światem, który wymykał mu się z rąk.

Wszyscy – Tremley, Chase i Georgiana – chcieli posiąść go na własność. I wykorzystywać jako swoją broń poprzez gazety, jego sieć informatorów, jego umysł.

Ale tylko jedna z tych osób stanowiła zagrożenie dla jego serca.

Jednak nie w taki sposób, jakby sobie tego życzył. Georgiana nie chciała jego serca na własność. Przeciwnie, wydawała się zupełnie niezainteresowana tym organem.

Owinął się szczelniej płaszczem i zsunął kapelusz na czoło, maszerując Fleet Street, po której hulał wiatr. Opuścił głowę i robił, co w jego mocy, by nie dostrzegać świata. Nie chciał też, by świat zwracał na niego uwagę. Na jego wątpliwości, frustrację, ból.

Bo nie mógł się oszukiwać: czuł ból, który dusił go w piersi. Myślał, że to wspólne popołudnie wpłynie na zmianę jej decyzji. Myślał, że podbije jej serce.

Był skończonym głupcem.

Zbyt długo była związana z Chase'em, by teraz odwrócić się do niego plecami. Za jej przywiązaniem do właściciela Upadłego Anioła stała potężna siła. Teraz, kiedy już wiedział, że nie łączy ich związek fizyczny, wydawało mu się to jeszcze bardziej niewiarygodne.

Oddała mu się całkowicie w sensie fizycznym. Przyjmowała jego pocałunki i pieszczoty, ale było w tym coś więcej. Powierzyła mu siebie, zaufała mu i wyznała swoje tajemnice.

A przynajmniej większość z nich.

Ale ta jedna, o którą prosił, nie miała związku z jej sekretami. Zależało mu na poznaniu tożsamości Chase'a, lecz jej nie ujawniła. Nie chciała ofiarować Duncanowi jedynego sekretu, który mógł go ochronić.

W jej działaniach były szlachetność i lojalność, którą szanował, a zarazem musiał jej nienawidzić. Bo odczuwał też zazdrość.

Chciał, by była tak samo lojalna wobec niego.

Pragnął tego równie mocno, jak jej samej.

Równie mocno, jak ją kochał.

Kilka metrów od wejścia do redakcji podniósł wzrok i dostrzegł ładną kasztankę przywiązaną do słupka przed budynkiem. Koń wydał mu się znajomy, ale nie mógł sobie przypomnieć, gdzie go wcześniej widział. Wbiegł na górę po kamiennych schodach i wszedł do środka. Minął już prawie poczekalnię dla gości, gdy uświadomił sobie, że w środku siedzi jakaś kobieta i czyta najnowszy numer „Skandali".

Była to bardzo młoda kobieta. Ściślej mówiąc – dziewczynka.

Zdjął kapelusz i odchrząknął.

– Panno Pearson.

Od razu odłożyła gazetę i wstała.

– Panie West.

– W czym mogę pomóc?

Uśmiechnęła się i w jednej chwili zobaczył w niej młodszą wersję matki.

– Chciałam się z panem spotkać.

– Tak przypuszczałem. – Pomyślał, że powinien wysłać liścik do Georgiany, aby ją powiadomić, gdzie przebywa jej córka, ale zamiast tego powiedział: – Tak się szczęśliwie składa, że mam wolny kwadrans. Napijesz się herbaty?

– Tak. Herbata jest… – zastanowiła się – …w dobrym tonie.

Zaprowadził ją do swojego gabinetu i dał znak Bakerowi, żeby przyniósł jakieś ciastka.

– Skoro mówimy o zasadach dobrego tonu – dodał, wskazując dziewczynce krzesło – to chciałbym zapytać, gdzie się podziała opiekunka?

Caroline się uśmiechnęła.

– Zgubiłam ją.

Nie krył zdziwienia.

– Zgubiłaś?

Skinęła głową.

– Pojechałyśmy na przejażdżkę. Nie mogła mnie dogonić.

– Czy to możliwe, żeby nie wiedziała, dokąd jedziesz?

Znowu się uśmiechnęła.

– Wszystko jest możliwe.

– I przypadkiem znalazłaś się tutaj?

– Ustaliliśmy, że czytam pańskie gazety. Adres jest tam podany. – Po chwili zastanowienia dodała: – Nie przyjechałam tu w odwiedziny, tylko w interesach.

– Rozumiem.

Zmarszczyła czoło w taki sam sposób, jak robiła to jej matka.

– Myśli pan, że żartuję?

– Przepraszam.

Na szczęście nie musiał nic więcej mówić, bo przyniesiono herbatę oraz babeczki z bitą śmietaną i duży talerz ciastek, co zaskoczyło nawet Duncana. Jednak najbardziej pocieszający wydał mu się fakt, że Caroline zsunęła się na brzeg krzesła i wpatrywała się w słodycze szeroko otwartymi oczami, jak przystało na dziecko w jej wieku. Do tej pory jej zachowanie było niepokojąco dojrzałe – sprawiała wrażenie młodszej i bardziej prostolinijnej wersji matki – ale teraz stała się zwyczajną dziesięciolatką, która miała apetyt na ciasteczka.

I z tym Duncan mógł sobie bez trudu poradzić.

Nawet jeśli matka i córka nie spędziły razem wszystkich minionych lat, to i tak więź między nimi wydawała się oczywista – obie były bystre, obie miały żywy umysł i uśmiech, którym mogłyby podbić świat.

Caroline będzie niesłychanie niebezpieczną kobietą, kiedy dorośnie.

– Czym mogę służyć, panno Pearson?

– Przyszłam poprosić, żeby nie pomagał pan już mojej matce wyjść za mąż.

Okazało się, że już jest niebezpieczna.

– A skąd przypuszczenie, że jej w tym pomagam?

– Pana artykuły na to wskazują – stwierdziła znacząco. – Dzisiejszy był najlepszy. Ukazał ją jako osobę godną szacunku.

– Bo jest godna szacunku.

Zignorował ten prosty fakt, że nie dalej jak godzinę temu kochał się z kobietą, o której rozmawiali.

Spojrzała mu w oczy z powagą.

– Wie pan, że jestem bękartem, prawda?

Wielkie nieba. To dziecko miało taki sam tupet jak jego matka. Nie powinna nawet znać takich słów.

A to przywiodło mu na myśl inną dziewczynkę, sprzed wielu lat.

Ktoś wymówił to słowo szeptem, gdy przechodził obok z matką. A miał na myśli jego siostrę.

– Bardzo proszę, żebyś nie powtarzała więcej tego słowa.

– Dlaczego? – spytała. – Przecież to prawda. Inni tak na mnie mówią.

– Przestaną, kiedy twoja matka i ja zrobimy z nimi porządek.

– Będą dalej mówić – odparła. – Tylko za moimi plecami.

Ta dziewczynka była za mądra na swój wiek. Zbyt dużo wiedziała o świecie. I chociaż znał ją dopiero od tygodnia, nie mógł tego ścierpieć! I tego, że jej życie od początku zostało skalane brudem skandalu.

Jedyne, co mógł zrobić, to dać jej szansę na przyzwoitość. I właśnie dlatego Georgiana zwróciła się do niego. Wspólnie mogli dać Caroline taką samą szansę, jaką on dał Cynthii wiele lat temu.

I dopiero w tym momencie zrozumiał, dlaczego Georgiana ukrywa przed nim prawdę.

Nie wiedział, jak mógł się tego wcześniej nie domyślić. Jak mógł się nie zorientować, że ona przestawia pionki na szachownicy socjety w taki sam sposób jak on. Przecież kiedyś uprowadził siostrę i uciekł razem z nią w ciemną noc pomimo obaw, że ich złapią. Ten strach był jednak niczym wobec przerażenia, jakie odczuwał na myśl, że miałby ją zostawić w tamtym miejscu, wśród ludzi, którzy ją osądzali każdym swoim spojrzeniem. Czy nie zbudował życia od nowa po to, żeby zapewnić bezpieczeństwo Cynthii?

Żeby ochronić ich sekrety?

Gdy wpatrywał się teraz w córkę Georgiany, zrozumiał, że ona zrobi, co w jej mocy, by ocalić tę dziewczynkę o bystrym umyśle, niezależnym duchu i zniewalającym uśmiechu. Georgiana też zrobiłaby wszystko, by dać jej takie życie, jakiego sama nie miała. By ochronić jej sekrety.

I dlatego musiała ochraniać także sekrety Chase'a.

Wiele razy widział, jak Chase niszczy ludzi. Wiele razy obserwował, jak wykorzystując zadłużenie delikwenta, rujnuje jego życie, rodzinę, przyszłość.

Ile razy West przyłożył rękę do tej destrukcji?

Nie brakowało mężczyzn, którzy zasługiwali na taki los, dlatego współpraca z tym człowiekiem była pokusą nie do odparcia. Łatwo było wejść na tę ścieżkę, ale zejście z niej stawało się prawie niemożliwe.

Gdy wychodził od Georgiany, dostrzegł w jej oczach rezygnację, jak gdyby nie miała wyboru i musiała grać nadal rolę strażniczki Chase'a.

Dopiero patrząc na tę dziewczynkę, zrozumiał powody Georgiany.

Chase miał nad nią zbyt dużą władzę.

– Nie jestem głupia – oświadczyło dziecko siedzące po drugiej stronie biurka.

– Wcale tak o tobie nie myślę – zapewnił.

– Wiem, jak to jest – upierała się – i widzę, co robi moja matka. I o co pana poprosiła. Ale to nie jest w porządku.

Mógł zaprzeczyć, ale dziewczynka, która spędziła całe życie w mroku, zasługiwała na światło.

– Ale ona chce wyjść za mąż.

– Nie chce. Każdy to widzi.

– Czasami dokonuje się wyborów, żeby ochronić tych, których się kocha. Żeby ich uszczęśliwić.

Patrzyła na niego spod przymrużonych powiek i nagle poczuł się niezręcznie pod jej uważnym spojrzeniem.

– Pan tak robił?

– Tak.

– I było warto?

Przez to trafił w łapy Tremleya, człowieka, który był gotów na wszystko, byle tylko zachować władzę. Przez to musiał uzależnić swoje życie od informatorów i plotkarzy. Ale także zbudował imperium i zdobył władzę. Zapewnił Cynthii bezpieczeństwo.

A teraz pomoże Georgianie i Caroline.

Nawet jeśli pomimo to nadal nie będzie ich wart.

– Zrobiłbym to znowu bez wahania.

– A co ze szczęściem mojej matki?

Uszczęśliwiłby ją, gdyby tylko na to pozwoliła.

Uśmiechnął się do dziewczynki.

– Twoja matka jasno określiła swoje cele.

– Ja jestem tym celem. Mam mieć dom i przygotować się do wkroczenia w wyższe sfery.

– Tak. Ale myślę, że na razie chce tylko, żebyś była szczęśliwa.

Zapadło dłuższe milczenie.

– Ma pan dzieci? – zapytała w końcu Caroline.

– Nie mam – odparł. Ale patrząc na tę silną i mądrą dziewczynkę podobną do matki, pomyślał, że może nawet chciałby mieć jedno czy dwoje.

– Chce, żebym była szczęśliwa, ale to nie wszystko – odpowiedziała po dłuższej chwili. – Ja też chcę, żeby ona była szczęśliwa.

On także tego chciał. I to bardzo.

Wstał, żeby podejść do dziewczynki, choć nie wiedział, po co. Może po to, żeby ją pocieszyć, bo wyraźnie chciała mieć kontrolę nad swoim życiem.

Zatrzymał się jednak, gdy zobaczył mały, beżowy liścik i rozpoznał pieczęć.

Przesyłka od Chase'a.

Otworzył ją bez namysłu i przeczytał słowa skreślone z rozmachem czarnym atramentem.

Zalała go fala gorącej złości. Nie dlatego, że utracił członkostwo w klubie – było wiele innych klubów, które chętnie go przyjmą – i nie z powodu żądania, by trzymał się z dala od Georgiany.

Jego złość wywołało krótkie i władcze słowo, które podziałało jak trucizna: „Nasza".

Nasza Anna.

Miał ochotę wykrzyczeć swój sprzeciw. Nie była własnością Chase'a. Już nie. Należała do niego. I ona, i dziewczynka, która siedziała naprzeciwko.

Da im nowe życie.

Da im bezpieczeństwo.

Nie znał przyszłości, ale wiedział jedno: władza Chase'a się kończyła. Duncan chciał go osłabić, aby nie mógł już dyktować ani jemu, ani Georgianie, ani Caroline, co mają robić. Duncan dopilnuje, by znalazły ochronę przed Chase'em i jego wpływami. I dopilnuje, by rozkwitły.

Nawet gdyby to oznaczało, że będzie musiał je stracić.

– Odprowadzę cię do domu. Na pewno twoja opiekunka jest przerażona, że jej zginęłaś.

– A co z moją prośbą?

– Obawiam się, że obowiązuje mnie umowa, którą zawarłem z twoją matką. Chce wyjść za mąż, a ja jej obiecałem, że w tym pomogę.

– To zły pomysł.

Jakby nie wiedział. Nie będzie zadowolona z małżeństwa. Nie będzie zadowolona z Langleya. A on chciał, żeby była zadowolona.

I szczęśliwa.

Nie mógł jej uszczęśliwić, mając przeszłość, z powodu której wisiało nad nim widmo Tremleya.

– Co to za wiadomość? – spytała Caroline.

– Nic ważnego.

– Nie wierzę panu – oznajmiła, a jej spojrzenie padło na zwiniętą w pięść dłoń, w której trzymał zmięty papier.

– To kolejne posunięcie w grze, w którą gram od lat.

– Przegrywa pan?

– Już nie.

18

…Nasza gazeta jest zdania, że lady G. została już na powrót przyjęta do grona socjety. Wczoraj na balu u S. nie miała nawet chwili wytchnienia. Widziano też, że przetańczyła trzy kolejki z lordem L…

...Ponieważ sezon jest już na półmetku, autor niniejszej
rubryki ośmiela się stwierdzić bez cienia wahania, że rządzą
londyńskie damy...
Rubryka towarzyska „Tygodnia w Brytanii", 13 maja 1833

Wieczorem do klubu przyjechała pobita i posiniaczona lady Tremley. Chciała się widzieć z Anną.

Georgiana – w przebraniu Anny – spotkała się z nią w jednym z niedużych pokoi zarezerwowanych dla członkiń klubu dla pań. Zamknęła drzwi i od razu pomogła lady Tremley zdjąć okrycie. Najważniejszą sprawą była szybka ocena jej obrażeń.

– Wezwałam lekarza – odezwała się cicho, rozwiązując stanik sukni lady Tremley. – Jeśli pozwolisz, to poślę do Tremley House człowieka po twoje rzeczy.

– Niczego stamtąd nie potrzebuję – zaprotestowała lady Tremley, wciągając ze świstem oddech, bo po poluzowaniu gorsetu rozbolały ją siniaki, których wcześniej nie czuła.

– Przykro mi, Imogen – oznajmiła Georgiana, zła na siebie, że odesłała tę kobietę do domu, wiedząc, co ją może spotkać.

– Dlaczego? – Kobieta wstrzymała oddech, kiedy Georgiana przejechała palcami po jej żebrach. – Przecież to nie twoja wina.

– Nie powinnam pozwolić ci wracać do domu. – Podniosła dłoń. – Masz złamane żebro. Może nawet kilka.

– I tak byś mnie nie powstrzymała – stwierdziła lady Tremley. – Ten człowiek jest moim mężem. Sama nawarzyłam sobie piwa.

– Nie możesz do niego wrócić.

Georgiana była gotowa stanąć nago na Piccadilly, gdyby w ten sposób zatrzymała tę kobietę.

– Po tym, co się stało, nie wrócę – wychrypiała lady Tremley, która miała spuchnięty nos i wargę. – Ale nie wiem, co mam robić. No i obawiam się, że nie mam dokąd pójść.

– Mamy tu wolne pokoje. Możesz się u nas schronić.

Kobieta uśmiechnęła się lekko.

– Nie mogę mieszkać w kasynie na Mayfair.

Georgiana uniosła brwi.

– Dlaczegóż by nie?

Hrabina nie odpowiedziała od razu, bo było to zbyt bolesne.

– Życie bywa szalone, prawda?

Georgiana skinęła głową.

– Życie cały czas jest szalone. A nasze zadanie to nie dać się zwariować.

Milczały przez kilka następnych minut, podczas których Georgiana mokrą szmatką ścierała krew z policzka i szyi Imogen. Tremley nie oszczędzał swojej żony. Znowu ogarnęło ją poczucie winy. Zamoczyła szmatkę i przyłożyła ją do twarzy kobiety.

– Nie powinniśmy byli mieszać cię do tego.

Imogen pokręciła głową i zatrzymała dłoń Georgiany. Przemówiła dumnie:

– Powiem to tylko raz: jestem wdzięczna za zaproszenie. Tylko tak mogłam z nim walczyć. Nie żałuję tego.

– Gdyby należał do klubu, to bym... – Georgiana w porę się opamiętała i zaczęła od nowa: – Gdyby należał do klubu, Chase by go zniszczył.

Imogen kiwnęła głową.

– Ale ponieważ nie jest członkiem klubu, zrobi wszystko, co w jego mocy, żeby was zrujnować. Kazał mnie śledzić. Wiedział, że należę do klubu.

– Wiedział też, że członkostwo dostaje się za informacje.

– A ponieważ nie miałam niczego na swój temat... – Hrabina odwróciła wzrok i szepnęła: – Nie wytrzymałam. Oświadczył, że przestanie mnie bić, jeśli mu powiem.

– To nic. – Georgiana uklękła u stóp kobiety. – I tak jesteś bardzo silna.

– Sprowadziłam niebezpieczeństwo na to miejsce. Mój mąż jest wpływowym człowiekiem. Wie, jakie informacje przekazałam i co Chase na niego ma.

Co Duncan na niego ma.

Duncan był w Tremley House z samego rana. Rozmawiał z Tremleyem na dwóch balach. Miał informacje, które mogły zniszczyć tego człowieka, ale jeszcze ich nie użył.

– Musisz ostrzec pana Chase'a – zaczęła Imogen. – Kiedy mój mąż... – Przerwała i poprawiła się: – Kiedy hrabia się tu zjawi, zrobi wszystko, żeby zniszczyć to miejsce i każdego, kogo napotka w budynku. Żeby wam zamknąć usta.

– Myślisz, że jesteś pierwszą członkinią klubu, która ma męża łajdaka? To nie wystarczy, żeby nas załatwić – powiedziała Georgiana. – Nie on pierwszy nam grozi i nie ostatni.

– Co zrobiliście z tą informacją? – zapytała hrabina. – Jak ją wykorzystacie? Kiedy jej użyjecie przeciwko niemu?

– Mam nadzieję, że wkrótce – zapewniła Georgiana. – Jeśli nie pojawi się w „Wiadomościach Londyńskich" w ciągu najbliższego tygodnia, to sama ją upowszechnię.

Imogen zamarła.

– „Wiadomości Londyńskie" to gazeta Westa.

– Przekazaliśmy informację Duncanowi Westowi, żeby ją opublikował. – Hrabina chwiejnie wstała. Georgiana również się podniosła. – Milady, proszę nie wstawać do przyjazdu lekarza.

– Tylko nie West.

– Dlaczego?

– Trzyma Westa w garści od wielu lat.

Georgiana była wstrząśnięta. Słowa lady Tremley zabolały ją bardziej, niżby chciała. Wiedziała ponad wszelką wątpliwość, że ta kobieta mówi prawdę. I nie mogła tego znieść.

Przypomniała sobie, jak West na balu u Wotheringtonów i Beaufetheringstone'ów stał z boku, bo nie umiał tańczyć, i rozmawiał z hrabią.

Powinna była zauważyć… że Tremley i West prowadzą razem jakąś dziwną, przewrotną grę.

To nie może być prawdą.

Dlaczego nie? Nie pierwszy raz pomyliła się w ocenie mężczyzny, którego znała. Nie pierwszy raz wydawało jej się, że kogoś kocha.

Tylko że tym razem myślała, że się nie myli.

Była pewna tego człowieka.

Dlatego jego zdrada bolała znacznie bardziej.

Uderzyło w nią wspomnienie tamtej nocy, gdy przyszedł do klubu, by ją zdemaskować. „Nie każ mi mówić: ujawnię światu twoje sekrety. Nie każ mi spełniać tej groźby".

Nie chciała wierzyć, że mógłby to zrobić, ale nagle zrozumiała, że wcale go nie zna.

Objęła się ciasno ramionami, by nie czuć bólu, który płonął w niej nieubłaganie.

– Masz na to dowód?

– Nie potrzebuję dowodu. Hrabia przechwala się tym od lat. Opowiada każdemu, kto chce słuchać, że trzyma Westa na smyczy.

Georgiana wzdrygnęła się na te słowa. Na smyczy?

To było niepodobne do Duncana. Nie umiała sobie wyobrazić, że mógłby się przed kimś płaszczyć, zwłaszcza przed takim potworem jak Tremley. Jeśli był w zmowie z hrabią, to musiał wiedzieć o jego postępkach – o zdradzie, o biciu żony, o jego mrocznej duszy.

Ale jak miała nie wierzyć, skoro zakrwawiona i posiniaczona hrabina opowiada historię o tym, że Tremley i Duncan działają w zmowie?

Przypomniała sobie noc, kiedy go poznała jako Georgiana. Przypomniała sobie, jak na ciemnym balkonie wyjął piórko z jej włosów i przejechał nim po jej ręce i jak wówczas żałowała, że ma rękawiczki. Bo chciała poczuć ten dotyk na nagiej skórze.

„A nie lepiej wiedzieć, z kim się pani zadaje?"

Nie przejęła się tym pytaniem i poddała się temu człowiekowi. Powtarzała sobie, że potrafi odróżnić fakty od fikcji, prawdę od kłamstw.

Wiedziała już, że tamtej nocy po balu pojechał za nią. Czyżby celowo ją śledził?

Ta myśl wprawiła ją w przerażenie. Czy to możliwe, że od początku wiedział, iż jest dwiema kobietami jednocześnie? Anną i Georgianą? Że od początku zamierzał ją wykorzystać, aby zdobyć informacje na temat Tremleya, które mógł znaleźć Chase? Czy to możliwe, że wykorzystałby również tę kobietę?

Całował ją. Dotykał. Niewiele brakowało, by obiecał jej przyszłość. Nie, tego by nie zrobił.

Przeciwnie, gdy kochali się nadzy, powiedział jej, że wspólna przyszłość jest niemożliwa. „Bo tak jak jest... taki jaki jestem... Nie mamy przyszłości".

Kim on jest? Jakim cudem utorował sobie pokusami i kłamstwami drogę do jej serca? Jak mógł zdobyć nad nią kontrolę, skoro miała taką władzę nad światem?

Co go łączy z Tremleyem?

Co mnie łączy z Chase'em?

Pod względem ukrywania prawdy byli sobie równi.

Poczuła, że ma złamane serce… a myślała, że nie zdołało się zaleczyć od czasów, gdy była podlotkiem. Ale teraz wiedziała, że to zupełnie inne uczucie niż wtedy. Nieporównywalne.

Nie kochała Jonathana. Właśnie to sobie uświadomiła.

Za to wiedziała ponad wszelką wątpliwość, że kocha Duncana Westa. I że ta miłość – potężniejsza niż rozsądek – w końcu ją zniszczy.

– To moja wina – wyznała. – To ja cię tu sprowadziłam i naraziłam na ryzyko.

Rozległo się pukanie do drzwi, więc nie musiała już nic mówić. Ale idąc przez pokój, zdążyła kilka razy powtórzyć w myślach:

On mnie okłamał. Ale dlaczego?

Odwróciła się do hrabiny.

– To tylko lekarz.

Lady Tremley skinęła krótko głową, a Georgiana otworzyła drzwi, za którymi stał Bruno z poważną miną. Jego wzrok powędrował ponad jej ramieniem ku hrabinie.

– Tremley tu jest – przekazał cicho.

Georgiana spojrzała mu w oczy, zmieniając się w Chase'a.

– Nie jest członkiem klubu, więc to nie nasza sprawa.

– Mówi, że wie, że jego żona tu jest. Odgraża się, że jeśli go nie wpuścimy, wróci z gwardią królewską.

– Powiedz pozostałym.

– Chce rozmawiać z tobą.

Zerknęła przez ramię, żeby się upewnić, że hrabina nie może podsłuchać ich rozmowy, po czym nachyliła się w stronę masywnego mężczyzny.

– No cóż, nie uda mu się spotkać z Chase'em.

– Nie zrozumiałaś. Chce się widzieć z Anną.

– Z Anną? – powtórzyła.

– Mówi, że będzie rozmawiać tylko z tobą i z nikim innym.

– No to załatwione – stwierdziła.

– Pamiętaj o ochroniarzu – dodał Bruno troskliwie.

Nie protestowała. Odwróciła się do lady Tremley.

– Wygląda na to, że twój mąż mnie wzywa.

– Nie możesz się z nim spotkać. Zmusi cię, żebyś mu wszystko wyznała.

Georgiana uśmiechnęła się, mając nadzieję, że podniesie to hrabinę na duchu.

– Nie można mnie tak łatwo zmusić.

– Ale on się tak łatwo nie poddaje.

– Wszystko będzie dobrze – dodała otuchy hrabinie, patrząc na rany i siniaki, na które nie zasługiwała żadna kobieta. I znowu rozpalił się w niej gniew. Z powodu Imogen.

I z powodu Westa.

Pozostała w niej jeszcze resztka wiary – wiary, że jej nie okłamał. Czepiała się ostatków nadziei, że jest tym, za kogo go brała, i nikim więcej.

Odsunęła te myśli, aby powitać lekarza, który przyjechał do lady Tremley. Zostawiając nową mieszkankę Upadłego Anioła w dobrych rękach, Georgiana ruszyła przez labirynt przejść i korytarzy do niedużego pokoju w części klubu przeznaczonej dla mężczyzn.

Personel klubu określał ten pokój salą Prometeusza z powodu ogromnego olejnego obrazu, który tam wisiał. Przedstawiał Zeusa pod postacią orła, który wyrywa Prometeuszowi wątrobę, wymierzając mu karę za to, że ukradł bogom ogień. Obraz miał onieśmielać i przerażać. Wchodząc do pokoju w towarzystwie Brunona i Asriela, aby spotkać się z lordem Tremleyem, Georgiana była pewna, że i jemu musiało drgnąć serce na ten widok.

Stał w odległym końcu pozbawionego okien pokoju, po drugiej stronie szerokiego dębowego stołu. Georgiana zaczęła bez wahania:

– W czym mogę pomóc?

Hrabia uśmiechnął się do niej. Pomyślała, że w innych okolicznościach i gdyby była inną kobietą, mogłaby go uznać za atrakcyjnego mężczyznę. Był przystojny, miał ciemne włosy i ciemnoniebieskie oczy, a w uśmiechu ukazał proste białe zęby, których miał jakby więcej niż każdy człowiek.

Jego oczy pozostały zimne. Georgiana widziała w życiu wiele zła, więc dobrze wiedziała, co się w nich czai.

– Przyszedłem po żonę.

Przechyliła głowę na bok z wyrazem wyćwiczonej niewinności.

– Klub nie przyjmuje kobiet, milordzie. Jest tylko dla panów. I prawdę mówiąc, zdziwiłam się, że chce pan rozmawiać właśnie ze mną.

Zmrużył oczy.

– Podobno rozmawiasz w imieniu Chase'a.

– Pan mi pochlebia, milordzie – odpowiedziała z udawaną skromnością. – Nikt nie rozmawia w imieniu Chase'a.

Wychylił się do przodu, opierając na stole dłonie zwinięte w pięści.

– Więc możesz go tu przyprowadzić.

– Przykro mi, milordzie. Chase jest nieobecny.

– Męczy mnie ta rozmowa – warknął.

– Przykro mi, że naraziliśmy pana na stratę czasu. – Wygładziła suknię i wykonała ruch, jakby chciała się odwrócić. – Jeden z tych dżentelmenów z przyjemnością odprowadzi pana do wyjścia.

– Wolałbym… – Zawiesił głos, obrzucając pogardliwym spojrzeniem najpierw Asriela, a następnie Brunona. – Nie nazwałbym tych Maurów dżentelmenami. – Zmroziło ją obrzydzenie, z jakim wypowiedział te słowa. – Lepiej by było, gdyby obaj wyszli. Chcę z panią porozmawiać o moich sprawach sam na sam.

– Ci dżentelmeni zostają – powiedziała głosem nieznoszącym sprzeciwu. – A jeśli jeszcze raz wyrazi się pan o nich z takim brakiem szacunku, to ja wyjdę.

– Dajmy sobie spokój z tymi głupstwami, Anno – powiedział, jakby znali się od wieków. – Nie obchodzi mnie, co się stanie z tymi ludźmi. I nie obchodzi mnie też, co się stanie z tobą czy z moją żoną, która na pewno ukryła się gdzieś w tym ogromnym budynku. Nie interesuje mnie, czy ocalisz jej życie. Szkoda tylko, że pozwoliłem jej uciec, zamiast ją zabić.

– Nie wiem, czy to głupstwa, milordzie, ale na pana miejscu nie lekceważyłabym tego, jak pan potraktował żonę. Chyba nie muszę panu przypominać, co Upadły Anioł wie na pana temat. – Georgiana pomyślała, że londyńczycy raczej nie opłakiwaliby tego obrzydliwego człowieka, gdyby nagle zniknął. – I nie muszę mówić, że z wielką przyjemnością ujawnimy te informacje.

– Doskonale wiem, co na mnie macie.

– Aby nie było niejasności: czy oboje mamy na myśli dowód na zdradę stanu? – zapytała, chcąc zobaczyć, jak się zachowa, słysząc to. I z dziką radością obserwowała jego reakcję. Zacisnął zęby. Uśmiechnęła się. – Sprawa jest doskonale znana personelowi Upadłego Anioła. Ma pan tu teczkę pełną dowodów. Jest pan, milordzie, zdrajcą Korony.

Odchylił się w tył.

– Odkryłaś mój mroczny sekret.

– Jestem pewna, że ma pan mroczniejsze.

Uśmiechnął się znowu, zimno i brzydko.

– Bez wątpienia.

– Lordzie Tremley, teraz to pan marnuje mój czas. Czego pan konkretnie chce?

– Chcę poznać tożsamość Chase'a.

– Zabawne. Jak mógł pan pomyśleć, że ją panu zdradzę?

– Och, myślę, że dasz mi dokładnie to, o co proszę. A to dlatego, że w przeciwnym razie odbiorę ci coś, co jest ci bardzo drogie.

– Nie wyobrażam sobie, co by to mogło być.

– Podobno dogadałaś się z Duncanem Westem.

Udawała, że te słowa w ogóle jej nie obeszły, chociaż serce zaczęło jej mocniej bić. Czy są przyjaciółmi, czy wrogami?

– Z początku myślałem, że tak to po prostu działa w Upadłym Aniele. Jest przystojny, bogaty i wpływowy – wspaniała partia, jeśli ktoś gustuje w ludziach z gminu.

– Ostatnio wolę ich od arystokratów.

– Bystra dziewczynka. I pyskata.

– Niech pan nie marnuje mojego czasu, milordzie.

– Chętnie wysłuchasz tego, co chcę powiedzieć – odparł od niechcenia, wysunął krzesło i usiadł, odchylając się do tyłu. Cieszyło go, że zyskał przewagę. – Ale do rzeczy... Myślałem, że jesteś dla niego tylko zabawką. Ale kiedy z nim rozmawiałem, wydawał się dość... przywiązany do ciebie. Zachował się po rycersku.

Chciała w to wierzyć. Chciała wierzyć, że stoczyłby o nią walkę, tak jak zrobił to w klubie. Ale tych dwóch mężczyzn bez wątpienia coś łączyło – nie wiedziała tylko co. Z pewnością nic dobrego.

– Nie jestem członkiem klubu, więc skąd miałem wiedzieć, że nie sprzedajesz swojego ciała temu, kto da najwięcej?

Bruno i Asriel zesztywnieli w napięciu, ale nawet na nich nie spojrzała.

– Do czego pan zmierza?

– Podobno ciebie i Westa coś łączy. Widziano was, jak wdaliście się w skandaliczną awanturę z księciem Lamont. Potem też w nieoznakowanym powozie przed jego biurem, a także w jego domu. Podobno, gdy od niego wyszłaś, wydawałaś się bardziej... wymięta, że tak powiem. Był mocno urażony, kiedy mówiąc o tobie, nie użyłem twojego imienia, tylko profesji. – Przerwał. – Chociaż prawdę mówiąc, nawet nie wiem, jak się nazywasz. Wszyscy nazywają cię dziwką Chase'a, ale teraz jesteś dziwką Westa. No... i tak się sprawy mają.

Słyszała to obraźliwe słowo setki, a może nawet tysiące razy. W końcu od kilku ładnych lat kręciła się po klubie jako królowa parkietu. Ale tym razem zabolało ją to bardziej, niż mogłaby sobie wyobrazić.

W jakimś sensie stała się osobą, za której maską się ukrywała. Jako Anna chciała oddać siebie temu, kto zapłaci najwyższą cenę. Zamierzała sprzedać się Langleyowi z najbardziej oczywistego powodu: za jego tytuł. I nie mogła oddać siebie Westowi, ponieważ nie był w stanie zapłacić tej ceny.

– Zapytam jeszcze raz. Do czego pan zmierza?

– O tym byłoby lepiej porozmawiać bez twoich strażników – stwierdził – bo mam zamiar przekonać cię, żebyś zdradziła swojego chlebodawcę.

– To się nigdy nie stanie, więc spokojnie mogą tu zostać.

Uniósł brwi zdziwiony jej bezczelnym tonem.

– Podasz mi nazwisko Chase'a, a potem znikniesz i nigdy tu nie wrócisz. Możesz to uznać za dodatkowe zabezpieczenie przed... ewentualnymi krokami.

– Nie zdradzamy pańskich sekretów, a pan nie zdradza naszych.

– To prawda, co mówią. Masz nie tylko ładną buzię.

– Pan za to, niestety, ma tylko ładny wygląd, lordzie Tremley. Widzi pan, umowa, którą pan proponuje, może się sprawdzić tylko w przypadku, gdy obie strony madają informacje, których ujawnienia boi się ta druga strona. – Pochyliła się do przodu i dodała łagodnie, jakby mówiła do dziecka: – My znamy pana sekrety. Ale pan nie zna naszych.

– Za to znam sekrety Westa.

– West nie jest już członkiem klubu. Po co nam jego sekrety?

– Nonsens – zaprzeczył. – Też nie jestem członkiem klubu, ale zbieracie na mnie informacje. Poza tym nawet jeśli Chase nie jest zainteresowany jego sekretami, nie można tego samego powiedzieć o tobie. A jest ich mnóstwo.

– Nie wierzę panu.

Gdyby tajemnice Westa były na tyle znaczące, że miał nadzieję kupić za nie tożsamość Chase'a, już by je znała. Sam by jej o nich powiedział.

Doprawdy? A czy ona zdradziła mu swoje sekrety?

Dostrzegła w oczach Tremleya iskierki rozbawienia, jakby czytał w jej myślach.

– A więc mam dowód – zauważył z przechwałką w głosie. – Zależy ci na nim, a on ci nic nie powiedział, prawda? – W jego słowach słyszała fałszywe współczucie. – Biedna dziewczyna.

Udała brak zainteresowania.

– Gdyby jego sekrety były coś warte, klub by je znał.

– Mam ci powiedzieć? Chciałabyś wiedzieć, kim jest twój ukochany? Naprawdę?

Miała ochotę krzyknąć: „Tak".

Pochylił się do przodu i powiedział szeptem:

– Dam ci wskazówkę. Jest przestępcą.

– Wszyscy jesteśmy przestępcami, w ten czy inny sposób.

– Tak, ale co do mnie nie masz żadnych złudzeń – stwierdził z uśmiechem i wstał. – Myślę, że powinnaś sama go spytać. Zapytaj go o Suffolk i o siwego ogiera. Zapytaj o dziewczynkę, którą porwał. – Zrobił pauzę. – I zapytaj go, jak się naprawdę nazywa.

Serce waliło jej jak oszalałe. Próbowała uwierzyć w jego słowa i zarazem tego nie chciała. Czuła się rozdarta. Z jednej strony miała wrażenie, że zdradza Duncana, słuchając rewelacji Tremleya, z drugiej – że to Duncan ją zdradził, ponieważ nie wyznał jej prawdy, zanim otworzył przed nią ramiona i zwabił ją do swojego życia.

Zanim sprawił, że go pokochała.

Kim jest ten człowiek?

– Wynoś się – poleciła hrabiemu, z jawną pogróżką w głosie.

– Myślisz, że go zostawię w spokoju? On nic dla mnie nie znaczy… ale dla ciebie chyba całkiem sporo. Jesteś pewna, że mam wyjść? I nadal nie chcesz mi dać tego, po co przyszedłem?

– Jestem pewna, że nie chcę już oddychać tym samym powietrzem co ty.

– Ty? A gdzie „milordzie"? Nie czujesz się przypadkiem zbyt swobodnie z lepszymi od siebie?

Spojrzała na Asriela.

– Wyrzuć go stąd. Nie jest tu mile widziany.

– Daję ci trzy dni – warknął hrabia. – Trzy dni na potwierdzenie, że przekazałem ci prawdę.

Pokręciła głową, odwracając się od niego. Nie potrzebowała trzech dni. Była pewna, że to była prawda.

Nie wiedziała nawet, jak Duncan naprawdę się nazywa.

Wiedziała za to, co znaczą sekrety. Sama zbudowała z nich życie.

Kim jest? Dlaczego jej nie powiedział?

Co go łączy z Tremleym?

Co cię łączy z Chase'em?

Trudno było nie dostrzec w tych pytaniach ironii. Mieli przed sobą zbyt dużo tajemnic. Prawdopodobnie tak było lepiej.

– Anno. – Odwróciła się do hrabiego, stojąc już w otwartych drzwiach. – Masz trzy dni, żeby zadecydować, czy chcesz być lojalna wobec Chase'a, czy wobec Westa.

19

...Lady G. wyglądała zjawiskowo w białej sukni na balu u Ralstonów, co nasuwa następujące pytanie: jeśli prezentuje się tak pięknie na zwyczajnym balu, to jak bardzo oszołomi wszystkich swoim wyglądem podczas uroczystości związanej z najważniejszym wydarzeniem w jej życiu? Wypada pozazdrościć temu szczęściarzowi, który będzie mógł oglądać ją z bliska...

...Lord B., znany w dobrym towarzystwie jako hultaj nad hultaje, może w najbliższej przyszłości utracić ten łotrowski tytuł. Widziano go, jak wchodził po stopniach swojego domu, w którym zamieszkuje wraz z pewną damą oraz trojgiem dzieci, obładowany paczkami i pakuneczkami,

z których jeden wyglądał jak świąteczny pudding, co wy-
daje się dość podejrzane w kwietniu!...

„Perły i Pelisy. Magazyn dla Dam", koniec maja 1833

*D*uncan stał w ciemnych ogrodach Ralston House, a zza jego pleców dobiegały odgłosy dorocznego balu. Czekał na Georgianę.

Chciał ją zobaczyć. Rozpaczliwie chciał.

Szukał jej już wczoraj, gdy podjął decyzję, że pomoże jej wydostać się spod wpływu Chase'a, ale niełatwo było znaleźć kobietę, która odgrywała dwie zupełnie różne role, w tym jedną potajemną. Gdy West odprowadził Caroline do domu, lady Georgiany nie było w Leighton House, a do Upadłego Anioła, gdzie mógłby zastać Annę, nie miał już wstępu, skoro odebrano mu członkostwo.

Przez cały miniony wieczór czynił więc przygotowania do rozstrzygającego starcia w wojnie, jaką prowadził z Chase'em, wojnie, która miała zadecydować o przyszłości wielu osób – Georgiany, Caroline, Cynthii i jego.

Nie był głupcem i wiedział, że jeśli wszystko pójdzie dobrze, ten starannie przemyślany plan zagwarantuje Cynthii bezpieczeństwo, a Georgianie i Caroline – wszystko, czego sobie życzyły. Jej sekrety nie wyjdą na jaw i znajdzie męża. Będzie miała takie życie, jakiego pragnie. Jeśli jego plan się powiedzie, za dwa tygodnie będzie już mężatką.

Dwa tygodnie.

Te słowa przywiodły mu na myśl umowę, którą zawarli w parku. Miał wrażenie, że od tamtego spaceru minęły wieki. Byli inteligentnymi ludźmi. Powinni wiedzieć, że ich życie jest zbyt skomplikowane i nawet dwa tygodnie to rzecz niemożliwa do zrealizowania. Zresztą ten czas, który spędzili razem, też nie należał do łatwych.

Była najbardziej skomplikowaną kobietą, jaką w życiu spotkał.

I uwielbiał ją za to.

A tej nocy udowodni jej to po raz ostatni – skradnie jej jeszcze jedną chwilę, by potem pomóc odnaleźć szczęście, czymkolwiek ono jest.

Ale najpierw musi jej powiedzieć całą prawdę o sobie.

Usłyszał, że się zbliża, zanim ją zobaczył – szelest sukni głośno rozbrzmiał w ciemności. Odwrócił się do niej i cieszył oczy widokiem jej postaci, obramowanej światłem bijącym z sali balowej. Zapragnął uprowadzić ją stąd i zatrzymać przy sobie na zawsze.

Stanęła dobry metr od niego – stanowczo za daleko. Ruszył w jej stronę, ale się cofnęła. Uniosła dłoń w rękawiczce i potrząsnęła małą kwadratową torebeczką.

– Zostawiłeś mnie wczoraj – rzuciła nadąsanym głosem, przez co zapragnął jej jeszcze bardziej. – Nie możesz tak po prostu wyciągać mnie z sali balowej do ciemnego ogrodu.

– A jednak przyszłaś.

– Nie powinnam. Nie powinnam tu przychodzić. Nasza umowa przewiduje, że poprawisz moją reputację. A to grozi czymś zupełnie innym.

– Nigdy bym na to nie pozwolił.

– Chciałabym w to wierzyć.

Znieruchomiał. Nie spodobały mu się te słowa.

– Co to ma znaczyć?

– Zostawiłeś mnie – stwierdziła cicho, ale dobitnie. – Poszedłeś sobie.

– Nie rozumiałem, dlaczego nie możesz mi powiedzieć prawdy. – Wydawało mu się, że się zaśmiała, ale nie miał pewności. W ogrodzie było bardzo ciemno i nie widział dobrze jej oczu. – A potem uświadomiłem sobie, że nie możesz mi ślepo ufać, bo wcześniej ktoś cię zawiódł. Że nie zdradzasz swoich sekretów dla własnego bezpieczeństwa. I dla jej bezpieczeństwa. – Zrobił pauzę. – Więcej cię o to nie zapytam.

W końcu do niego podeszła, a jej bliskość go obezwładniła. Ten zapach... wanilia i śmietanka. Pragnął przyciągnąć ją do siebie i posiąść tutaj, w ciemności. Może po raz ostatni.

Chciał ją mieć na obiecane dwa tygodnie.

Chciał ją mieć na całe życie.

Ale ani jedno, ani drugie nie było możliwe. Pozostała ta noc.

– Dlaczego nie umiesz tańczyć?

Pytanie padło znienacka i wstrząsnęło nim do głębi. Spodziewał się pytań o swoje tajemnice, o przeszłość, o Tremleya, o Cynthię. Ale nie oczekiwał tak prostego pytania, które jednocześnie zawierało w sobie wszystko.

A powinien się go spodziewać.

I musiał na nie odpowiedzieć, chociaż zażenowanie wywołane tym tematem – z którym wszystkie aspekty jego życia były w jakiś sposób powiązane – wprawiało go w wielką niepewność.

– Bo nikt mnie nie nauczył tańczyć – zaczął od najprostszego wyjaśnienia.

– Każdy umie tańczyć. Nawet jeśli nie znasz figur kadryla albo kroków walca, ani żadnego z tańców, które tam tańczą. – Machnęła ręką w stronę domu. – Ktoś musiał z tobą tańczyć.

Po chwili zastanowienia odpowiedział:

– Moja matka tańczyła z moim ojcem.

Czekała, aż opowie tę historię. Aż znajdzie na to sposób. Wspomnienia, ukryte głęboko w pamięci, musi wyciągnąć z ciemnego kąta, w który dogorywały.

– Mój ojciec umarł, kiedy miałem cztery lata. Dziwne, że w ogóle to pamiętam. Może nie pamiętam. Może to sen, a nie wspomnienie.

– Opowiedz mi – poprosiła.

– Mieszkaliśmy w małej chacie na terenie majątku. Jako dzierżawcy. Ojciec był duży i miał rumiane policzki. Podnosił mnie w powietrze jak piórko. – Przerwał. – Pewnie byłem wtedy lekki… dla niego. Zapamiętałem, jak wirował z matką w domu przy kominku. To chyba nie był taniec.

– Czy byli szczęśliwi?

Usiłował przypomnieć sobie ich twarze, ale pamiętał tylko śmiech, który dźwięczał mu w uszach.

– Myślę, że w tym momencie byli.

Skinęła głową i wsunęła rękę w jego dłoń.

– To znaczy, że tańczyli.

Objął mocno jej palce.

– Ale ty tańczysz inaczej.

– Bo nasze tańce są zupełnie inne. Tylko na pokaz. – Przysunęła się tak blisko, że gdyby pochylił głowę, mógłby musnąć jej czoło ustami. Z trudem się powstrzymał. – Twoi rodzice tańczyli dla zabawy.

– Chciałbym umieć tańczyć – odezwał się szeptem, patrząc jej w oczy. – Zatańczyłbym wtedy z tobą.

– Przy kominku w twoim domu? – Jej szept przywołał wspomnienia i pragnienia, które niemal ścięły go z nóg.

– Gdziekolwiek. Kiedykolwiek. Gdybyśmy byli innymi ludźmi.

Uśmiechnęła się ze smutkiem i położyła jedną rękę na jego ramieniu, a drugą ujęła jego dłoń.

– Dlaczego nie tutaj? Teraz?

Zataczali powoli małe kółka w rytm muzyki rozlewającej się po ciemnym ogrodzie.

Po dłuższej chwili przycisnął usta do jej włosów i wyznał:

– Patrzyłem, jak tańczysz… i za każdym razem byłem zazdrosny o twojego partnera.

– Przepraszam – szepnęła.

– Stałem w kącie sali balowej i cię obserwowałem. Jak Posejdon wpatrzony w Amfitrytę.

Odchyliła się, by spojrzeć na niego pytająco.

– Ja też wiem coś o Posejdonie – wyjaśnił z uśmiechem.

– Jak widać, więcej od mnie.

– Amfitryta była jedną z pięćdziesięciu nereid, które w przeciwieństwie do syren ratowały śmiałków na morzu. – Wykonali obrót i na jej twarz padło światło z sali balowej. Wpatrywała się w niego. – Pewnej nocy pod koniec lata nereidy zebrały się na wyspie Naksos i tańczyły wśród fal. Posejdon je obserwował. Ale podobała mu się tylko jedna z nich.

– Amfitryta.

– Ja opowiadam czy ty? – spytał przekornie.

– Och, proszę mi wybaczyć, sir – odparła.

– Pragnął jej rozpaczliwie. Wyłonił się z morza zupełnie nagi i zażądał, by była jego. Przysiągł, że jego miłość jest namiętna jak spienione fale, głęboka jak ocean i potężna jak sztorm.

Georgiana przestała się uśmiechać. Opowieść stała się nagle całkiem poważna.

– I co było dalej?

– Uciekła przed nim – ciągnął cicho i z powagą, podkreślając słowa pocałunkiem, który złożył na jej czole. – Uciekła na najdalszy kraniec oceanu.

– Była przerażona jego władzą, tak?

– Chciał się nią podzielić. Ruszył za nią zrozpaczony, pragnąc jej do bólu, nie chciał spocząć, dopóki jej nie odnajdzie. Niczego bardziej nie pragnął niż jej. Chciał ją czcić, ożenić się z nią, uczynić ją boginią oceanu.

Zasłuchała się w opowieści. Oboje ciężko oddychali.

– Nie mógł jej znaleźć i poczuł się zagubiony. Nie chciał rządzić oceanami, nie mając jej u boku. Zaniedbał swoje obowiązki. Wody się wzburzyły, a sztormy pustoszyły wyspy Morza Egejskiego, ale jego to nic nie obchodziło.

Kiedy Amfitryta zrozumiała, jaki dar odrzuciła, kiedy zobaczyła, jak rozpaczliwie Posejdon jej poszukiwał, zapłakała z tęsknoty za nim i za miłością, którą jej ofiarował. Za jego namiętnością i pożądaniem. Za tym, co straciła. – Oczy Georgiany wypełniły się łzami, bo opowieść nabrała nowego znaczenia. I nowej siły. – Wypłakała tyle łez, że roztopiła się w oceanie. I sama się nim stała.

– I była dla niego stracona na zawsze – dokończyła miękko.

– Nie. Została z nim na zawsze. Ze swoim silnym, nieokiełznanym partnerem. Bez niej on nie istnieje.

Muzyka przestała grać. Odsunął się od Georgiany.

– Ty też przede mną uciekasz.

– Nie – zaprzeczyła, ale oboje wiedzieli, że kłamie. – Tak. Uciekam.

– Dlaczego?

– Uciekam przed tobą – odpowiedziała ze smutkiem – bo gdybym tego nie robiła, musiałabym pobiec do ciebie. A to niemożliwe.

Pocałował ją. Tylko to przyszło mu do głowy.

– Kim jest dla ciebie Tremley? Był u mnie wczoraj wieczorem – dodała.

Owładnęła nim zimna furia.

– Po co?

– Mało nie zabił swojej żony. Szukała schronienia w klubie.

– Chryste – powiedział, cofając się o kilka kroków. – To wszystko moja wina.

– Nasza. To nasza wina.

– Czy ona…

– Wyzdrowieje – zapewniła Georgiana. – Wyzdrowieje i będzie triumfować. Znajdziemy jej takie schronienie, że będzie poza jego zasięgiem.

– Mówiąc „nasza wina", masz na myśli siebie i Chase'a?

– Między innymi.

– Chcę jego śmierci – wyznał West głosem ochrypłym od złości i poczucia winy za to, że przez niego ucierpiała niewinna żona Tremleya. – Chcę go zniszczyć na zawsze.

– To dlaczego tego nie zrobisz? – zapytała. – Masz narzędzia, żeby go zniszczyć. Sama ci je dałam. Kim on jest dla ciebie? Co takiego na ciebie ma, że trzyma cię w garści? – Przerwała, żeby się opanować. – Powiedz mi. Możemy to naprawić.

I rzeczywiście tak myślała. Nie mógł powstrzymać śmiechu. Wydało mu się to po prostu niedorzeczne, bo nie miała przecież władzy nad Tremleyem. Ani nawet nad Chase'em.

– Można to naprawić tylko w jeden sposób – stwierdził. – Żeby tajemnica pozostała tajemnicą, powinna ją znać tylko jedna osoba.

– A Tremley zna twój sekret.

Gdyby to było takie proste.

– Ta historia nie jest taka piękna jak ta o Posejdonie i Amfitrycie.

– Pozwól, że sama to ocenię – odparła.

Wiedział, że nie ustoi w jednym miejscu, kiedy będzie jej to opowiadał. Miał ujawnić grzechy przeszłości – po raz pierwszy i jedyny. Odwrócił się i ruszył przed siebie, a Georgiana podążyła za nim, dotrzymując mu kroku. Wiedziała – jakby znała go od wieków – że nie zniósłby jej dotyku. Nie teraz.

W końcu wyznał:

– Tremley od zawsze zna wszystkie moje sekrety.

Wiedziała, że istnieje między nimi jakiś związek, ale nie miała pojęcia, że sięga tak głęboko. Nigdy nie przyszło jej do głowy, że Duncan i hrabia mogą się znać od wczesnego dzieciństwa.

Przyglądała się uważnie Duncanowi, próbując nie okazać, jak bardzo jego słowa nią wstrząsnęły. Powstrzymywała niezliczone pytania, które cisnęły jej się na usta.

– Kiedy miałem zaledwie cztery lata, zmarł mój ojciec. – Dostrzegł z zadowoleniem, że uważnie go słucha. – Moja matka została sama z dzieckiem, a ponieważ nie miała pojęcia o uprawie ziemi, zaproponowano jej schronienie w głównym domu. Z żony farmera zamieniła się w praczkę. Zamiast spać we własnym domu, sypiała teraz w jednym pokoju z sześcioma innymi kobietami i w dodatku dzieliła łóżko ze swoim dzieckiem. – Podniósł wzrok na liście szeleszczące na wiosennym wietrze. – Ale nigdy się nie skarżyła.

– To oczywiste. – Georgiana nie mogła już milczeć. – Robiła to dla ciebie. I dla twojej siostry.

Zignorował jej słowa i mówił dalej:

– Życie w tym majątku to był koszmar. Trudno to sobie wyobrazić, ale poprzedni hrabia był jeszcze gorszy niż obecny. Bił służbę. Wykorzystywał kobiety. – Zapatrzył się w ciemność. – Matka i ja mieliśmy szczęście, że w ogóle nas tam zatrzymali.

Georgiana rozumiała, że ten obraz jest daleki od szczęścia. Chciała dotknąć Duncana, aby go pocieszyć, ale się powstrzymała. Pozwoliła mu mówić.

– Zainteresował się moją matką.

Spodziewała się tych słów, ale i tak nią to wstrząsnęło.

– Zaproponował jej układ: miała mu się oddawać w zamian za moje bezpieczeństwo. – Po chwili dodał: – Właściwie nie za bezpieczeństwo. Za sam fakt, że będzie tolerował moją obecność. Gdyby mu nie dała tego, czego chciał, to by mnie odesłał do przytułku.

Georgiana pomyślała o córce i swojej przeszłości, o tym, że zagrożenia, przed którymi stanęła, nigdy nie były aż tak okrutne. Nawet ze zrujnowaną reputacją wciąż miała szczęście należeć do arystokracji. W przeciwieństwie do tej kobiety... i tego chłopca.

– Ale po co? – zapytała. – Dlaczego ją tak dręczył?

Poszukał jej wzroku.

– Bo miał władzę. – Przerwał, żeby pozbierać myśli, po czym mówił dalej: – Pozwolił mi zostać, ale kazał pracować... ten fragment już znasz. – Wyciągnęła do niego ręce, nie mogąc się powstrzymać. Tak bardzo chciała pocieszyć tego chłopca, którym kiedyś był. – Nie wiem, czy zdołam opowiedzieć ci wszystko, jeśli... – Zawiesił głos z wahaniem, po czym dodał: – Kiedy raz odmówiłem pójścia do pracy, ukarał ją.

– Duncanie – wyszeptała.

– Nie mogłem go powstrzymać.

– Oczywiście, że nie. Byłeś chłopcem.

– Ale już nie jestem chłopcem. I mimo to nie mogłem nic zrobić, żeby Tremley nie pobił żony.

– Nie możesz tego porównywać.

– Właśnie że mogę. Nie pozwolę jej tam wrócić – obiecał. – Pokryję koszty jej utrzymania, obojętne, gdzie się uda. Niech wybierze miejsce.

– Dobrze.

– Mówię poważnie – dodał, a w jego oczach błysnął gniew.

– Wiem.

Wziął głęboki oddech, a potem brzydko zaklął.

– Kiedy miałem dziesięć lat, matka zaszła w ciążę.

Już wcześniej policzyła to w myślach i doszła do wniosku, że Cynthia jest jego przyrodnią siostrą. Teraz zrozumiała znacznie więcej. Otworzyła szeroko oczy, a Duncan skinął głową.

– Rozumiesz, w czym problem?

– Tremley, prawda?

– Jest jego przyrodnią siostrą.

– Chryste – wyszeptała. – Czy on wie?

Nie odpowiedział.

– Hrabia zmuszał matkę, żeby się jej pozbyła, najpierw kiedy zaszła w ciążę, a potem kiedy Cynthia się urodziła. Groził, że ją zabierze i odda na wychowanie jakiejś przyzwoitej rodzinie na terenie majątku. Moja matka się na to nie zgadzała.

– Wcale mnie to nie dziwi. – Georgiana westchnęła. – Urodziła zdrowe dzieci i miałaby je oddać? Żadna kobieta by tego nie zrobiła.

– Wyobrażam sobie, że postąpiłabyś tak samo.

Uniosła podbródek.

– Broniłabym dzieci do ostatniego tchnienia.

– Caroline jest szczęściarą, że ma taką matką.

– To ja jestem szczęściarą, że mam taką córkę – powiedziała. – A twoja matka była szczęściarą, że miała takie dzieci jak wy.

– Powinno nas być troje – wyznał. – Jedno dziecko urodziło się martwe. Chłopiec.

– Duncanie… – Jej oczy wypełniły się łzami. Płakała nad jego losem i nad tym, czego musiał być świadkiem.

– Kiedy miałem piętnaście lat, a Cynthia pięć… – zebrał siły – …umarła nasza matka.

Czekała na te słowa, ale i tak rozdzierały jej serce.

– Zabił ją – dodał.

Skinęła głową, a po jej policzkach spływały łzy. Opłakiwała tragedię kobiety, której nigdy nie pozna. I chłopca, którego nigdy nie pozna. Dopowiedziała dalszy ciąg:

– I wtedy uciekłeś.

– Ukradłem konia. – Siwy ogier. – Był wart dziesięć razy więcej niż ja. Co najmniej.

– Zabrałeś Cyntię, prawda?

– Porwałem. Gdyby hrabia kiedykolwiek chciał ją odzyskać... gdyby nas znalazł... skończyłbym na stryczku. – Popatrzył na salę balową. – Ale co miałem zrobić? Jak miałbym ją zostawić?

– Nie mogłeś – zapewniła, dotykając jego twarzy. – Zrobiłeś to, co należało. Dokąd pojechałeś?

– Mieliśmy szczęście... Trafiliśmy na właściciela gospody i jego żonę. Przygarnęli nas, nakarmili i pomogli. Ani razu nie zapytali o konia. Właściciel miał brata w Londynie, który prowadził pub. Pojechaliśmy do niego. Sprzedałem konia. Chciałem zapłacić właścicielowi pubu, żeby zaopiekował się Cynthią. Miałem zamiar zaciągnąć się do armii. – Zrobił pauzę. – Nigdy więcej bym jej nie zobaczył.

– Ale zobaczyłeś. I widujesz codziennie.

– Kiedy wróciłem z pieniędzmi, byłem gotowy odmienić nasze życie. W pubie spotkałem pewnego człowieka, właściciela gazety. Zaproponował mi pracę. Miałem uzupełniać farbę i papier w prasie drukarskiej.

– I tak stałeś się Duncanem Westem, magnatem prasowym.

– Nie od razu. Złożyło się na to kilka rzeczy. Najpierw zainwestowałem w nową prasę drukarską, potem przeszedł na emeryturę człowiek, który dostrzegł we mnie to coś, z czego istnienia nie zdawałem sobie sprawy. A potem sprawy potoczyły się szybko... Zacząłem wydawać „Skandale"...

– Moje ulubione czasopismo.

Udał skruchę.

– Przeprosiłem cię za tamten rysunek.

– Całe szczęście, że poczuwałeś się do zadośćuczynienia.

Wesołe iskierki w jego oczach zgasły, gdy przypomniał sobie o ich umowie: o obietnicy, że pomoże jej wyjść za mąż. Skarciła się w duchu, że poruszyła ten temat.

– I tak stałem się Duncanem Westem. Powinienem był przewidzieć, że Tremley mnie odnajdzie, kiedy odziedziczy majątek i obejmie stanowisko w parlamencie. W końcu to zrobił i od tamtej pory trzyma mnie w garści.

– Zna twoje tajemnice i wcale nie chce ich ujawniać, bo w ten sposób są dla niego cenniejsze. Za twoim pośrednictwem ma dostęp do informacji. Jeśli cię zdemaskuje, skończysz w więzieniu.

– Za kradzież konia grozi stryczek – przypomniał jej o tym makabrycznym zwyczaju. – Za oszustwo też.

Zmarszczyła brwi.

– Oszustwo?

– Duncan West nie istnieje. – Spuścił wzrok i wyglądał przez chwilę jak tamten posiniaczony chłopiec sprzed lat. – W majątku mieszkał jeszcze jeden chłopiec. Widział, jak odjeżdżamy – ciągnął cicho, zatopiony we wspomnieniach. – Chciał jechać z nami, ale był za młody i za słaby. Nie mogłem go wziąć na siodło, bo miałem już Cynthię. Kazałem mu wziąć innego konia. – Przerażenie ścisnęło Georgianie żołądek. – Było ciemno, koń stanął gwałtownie przed przeszkodą. Chłopiec spadł i się zabił. – Pokręcił głową. – Zostawiłem go. Zabił się przeze mnie, a ja go zostawiłem.

– Nie miałeś wyboru.

– Nazywał się Duncan West.

Zamknęła oczy. Przytłoczyło ją zaufanie, jakim musiał ją obdarzać, aby to wyznać. Zaufanie, którego sama mu nie okazała.

– A jak ty się nazywałeś?

– James – odrzekł. – Jamie Croft.

– Jamie – wyszeptała.

Pokręcił głową.

– On odszedł. Na zawsze.

– A Cynthia? – zapytała.

Jego twarz zasnuła chmura.

– Cynthia nic nie pamięta sprzed okresu, kiedy była u karczmarza i jego żony. Nie pamięta naszej matki. Myśli, że mieliśmy tego samego ojca i że nazywał się West. – Pokręcił głową. – Wolałem, żeby nie znała prawdy.

– O tym, że jej ojciec był potworem? Postąpiłeś słusznie.

– Ograbiłem ją z przeszłości, a ona nie miała wyboru.

– Podjąłeś decyzję najlepszą z możliwych.

– Jest w połowie arystokratką.

– Ale wszystko zawdzięcza Westowi. – Nie powinien się tego wstydzić. – Zdecydowałeś tak dla siebie?

– Zrobiłem to dla niej – powiedział, a Georgiana rozumiała to o wiele lepiej, niż sobie wyobrażał.

Ujął jej twarz w dłonie z taką czułością, że mogłaby się rozpłakać, gdyby nie pragnęła go tak bardzo. Całował ją wciąż od nowa, przytulając mocno, aż ich ciała stanowiły jedność. Żałowała, że nie są gdzieś za zamkniętymi drzwiami, w pokoju z łóżkiem.

W końcu się oderwał.

– Sama rozumiesz, że nie mogę ujawnić tajemnic Tremleya ze względu na Cynthię. Ale teraz, kiedy zna je również Chase…

Ten fakt oznaczał, rzecz jasna, zagrożenie dla Duncana i Cynthii. To dlatego Tremley tak bardzo chciał poznać tożsamość Chase'a. Z tego powodu jej groził.

Ale teraz, kiedy Georgiana znała sekrety Duncana, zrobi wszystko, aby je ochronić. Aby ochronić jego.

Tremley kazał jej wybierać – Chase albo West. Wybór był oczywisty.

Nie mogła zdobyć Duncana na zawsze, ale mogła zapewnić mu szczęśliwą i bezpieczną przyszłość.

Był szlachetnym człowiekiem. Niezaprzeczalnie zasłużył na to, by chodzić po tym świecie. Zasłużył na miłość. Stanęła na palcach. Zetknęli się czołami.

– A gdybyśmy się pobrali?

Pokręcił głową.

– Nie mogę się z tobą ożenić.

To nią wstrząsnęło.

– Co ty mówisz?

Od razu zrozumiał, co narobił.

– Nie mogę cię obarczać swoimi tajemnicami. Gdyby wyszły na jaw, moja żona byłaby zrujnowana. I moja rodzina. Poszedłbym do więzienia… w najlepszym razie. A ty…

– Możemy kupić milczenie Tremleya.

Pokręcił głową.

– Tak długo jak Tremley żyje, żyje też moja przeszłość. – Po chwili dodał: – A poza tym nie mogę dać ci tytułu.

– Do diabła z tytułem.

Uśmiechnął się, ale w jego oczach czaił się smutek.

– Wcale tak nie myślisz.

Miał rację. Całe jej życie – wszystko, co zrobiła przez ostatnich dziesięć lat – było podporządkowane Caroline.

– Chciałabym…

– Powiedz.

– Chciałabym, żebyśmy byli kimś innym – dokończyła cicho. – Chciałabym, żebyśmy byli prostymi ludźmi, których obchodzi tylko jedzenie na stole i dach nad głową.

– I miłość – dodał.

– I miłość – zgodziła się bez wahania.

– Gdybyśmy byli takimi ludźmi – zapytał – zostałabyś moją żoną?

Podniosła oczy na ciemne niebo i wyobraziła sobie, że zamiast stać na Mayfair w blasku padającym z sali balowej, ubrana w suknię wartą więcej niż roczny dochód większości ludzi, przechadza się po wsi, a dzieci, którym pokazuje gwiazdozbiory, ciągną ją za tasiemki fartucha.

– Tak – przyznała cicho.

– Gdybyśmy byli innymi ludźmi – zaczął z satysfakcją, muskając palcami jej twarz – poprosiłbym cię o rękę.

– Ale nie jesteśmy.

– Ciiii – uciszył ją. – Nie zabieraj nam tego. Jeszcze nie. – Odwrócił ją tak, że światło z sali padało na jej twarz. – Powiedz mi to, co pragnę usłyszeć.

– Nie powinnam – szepnęła. – To nie jest dobry pomysł.

– Całe moje życie wypełniają złe pomysły – odparł. – Powiedz mi, proszę. – Pocałował ją szybko i czule. – Powiedz mi, że mnie kochasz.

Łzy spływały po jej policzkach, ale nie mogła odwrócić od niego wzroku. Nie mogła mu tego powiedzieć, bo nie zdoła od niego odejść. A jeśli go nie zostawi, to cały ten bałagan, w który go wciągnęła, zda się psu na budę.

– Powiedz mi to, Georgiano – wyszeptał, spijając łzy z jej policzków. – Kochasz mnie?

Gdyby odpowiedziała, że tak, na pewno nie pozwoliłby jej zrobić tego, co musiała zrobić.

Zamiast tego udzieliła więc odpowiedzi na pytanie, które poprzedniego wieczoru zadał jej Tremley. Wsunęła ręce we włosy ukochanego, przyciągnęła go do siebie i musnęła jego wargi raz i drugi, po czym powiedziała:

– Wybieram ciebie.

Wybrała Westa. Tu i teraz, i na zawsze.

Nagrodził jej słowa długim, cudownym pocałunkiem, chociaż nie powiedziała dokładnie tego, co chciał usłyszeć.

– Też wybieram ciebie, kochana. Na zawsze.

Uwielbiała tego mężczyznę. Wielbiły go także wszystkie ciemne zakamarki jej ciała, które kiedyś zamknęła, sądząc, że na zawsze.

Na zawsze?

To szmat czasu, ale ten czas należał do niego.

Oddałaby mu go bez wahania.

– Mogę to naprawić – odezwała się.

– Ale co? – zapytał zaciekawiony.

Znowu ruszył przed siebie. Przeszli za bramę ogrodu, do zaułka obok masywnego domu, gdzie stłoczone powozy czekały na swoich właścicieli.

– Spójrz na to wszystko – powiedziała i musnęła palcami wielkie czarne koło powozu, a potem jedwabisty bok jednego z koni. – Mogę przekonać Tremleya, żeby nigdy nie ujawnił tych informacji.

– Ale jak?

– Z pomocą Chase'a.

Po raz pierwszy, odkąd się poznali, nie czuła się winna, mówiąc o Chasie jak o innej osobie. Przecież zamierzała poświęcić fałszywą tożsamość, aby ocalić Duncana.

– Nie chcę, żebyś się do tego mieszała, Georgiano. Czy nie czas zostawić Chase'a? Czy nie czas zacząć życie bez niego?

Pokręciła głową.

– Duncanie, nie rozumiesz…

Ścisnął ją mocno za ramię.

– Nie, to ty nie rozumiesz. Zadbałem o wszystko.

Te słowa ją zmroziły.

– Co masz na myśli? – Czyżby chciał się przyznać? – Duncanie, nie wolno ci…

– Zadbałem o wszystko – powtórzył. – Posłuchaj mnie. Chase jest niebezpieczny. Ma taką władzę, że może nas zniszczyć, jeśli zechce. Ta cała sytuacja wynikła z tego, że Tremley liczy się z tym, że Chase ujawni informacje o zdradzie stanu. Nie wiem, dlaczego jesteś do niego taka przywiązana, ale przysiągłem, że nigdy więcej o to nie zapytam. Wiem tylko, że czas przeciąć więzy, które cię łączą z tym mitycznym człowiekiem. – Mówił z coraz większym zapamiętaniem, nie kryjąc złości. – Najwyższy czas, żebyś go zostawiła i odeszła z tego miejsca. Musisz zamknąć tę część swojego życia.

– Wiem.

– Jeśli nie chcesz zrobić tego dla siebie czy dla Caroline... zrób to dla mnie.

Miał rację.

– Dobrze.

– Zrób dla mnie tę jedną rzecz – błagał. – Zakończ wszystko... cokolwiek to jest. Trzymaj się z dala od klubu.

– Dobrze.

Jeszcze dwa dni i nawet nie obejrzy się za siebie.

– Zrób to, a już nigdy więcej o nic cię nie poproszę.

Ale ona chciała, żeby ją poprosił. Chciała być jego partnerką. Jego Amfitrytą.

– Duncanie... – zaczęła, nie wiedząc, co powiedzieć. Nienawidziła losu, żałowała, że nie jest kimś innym, kobietą, która mogłaby spędzić resztę życia w ramionach Duncana Westa.

– Obiecaj mi – wyszeptał z ustami na jej ustach, a żadne z nich nie przejmowało się, że obserwuje ich cały tłum londyńskich woźniców. – Obiecaj mi, że nie pozwolisz mu i tym razem wygrać.

Odwzajemniła pocałunek.

– Obiecuję. – Tak niewiele brakowało, by mu powiedziała, że go kocha. – Obiecuję – powtórzyła, wiedząc, że mówi prawdę. Chase tym razem nie wygra.

Podeszli do następnego powozu. Otworzył drzwi. Zerknęła do środka. Na podłodze leżały porozrzucane gazety. Serce zaczęło jej mocno bić. To był jego powóz. Czy chciał ją zabrać do swojego domu? Porwać z tego miejsca? Od tych wszystkich rzeczy, które wiązały ich z tym światem niczym łańcuchy?

Pomógł jej wsiąść do powozu.

– Musisz mi obiecać coś jeszcze.

– Wszystko, co zechcesz.

Wsunął dłoń pod suknię i objął kostki pieszczotliwym gestem.

– Nie przychodź jutro do klubu.

Zamknął drzwi i zapukał w ścianę powozu, dając znak woźnicy.

– Zawieź jaśnie panią do Leighton House – usłyszała jeszcze, gdy pojazd ruszał. Od razu zrozumiała, że nie chce, aby spała w klubie i dlatego kazał woźnicy zawieźć ją do domu jej brata.

Powinno ją to zirytować, ale nie miała dość siły. Miłość kosztowała ją zbyt wiele energii.

Rozsiadła się wygodnie na miękkiej ławce powozu i zastanawiała się nad tym, co musi zrobić przed ostatecznym spotkaniem z Tremleyem, do którego miało dojść nazajutrz. Przede wszystkim musi powiedzieć pozostałym wspólnikom, że ma zamiar ujawnić tożsamość Chase'a.

Ile razy kręciła głową z dezaprobatą, widząc działania zakochanych mężczyzn, wypływające z miłości?

Ale to było nic w porównaniu z czynami, do których była zdolna zakochana kobieta.

Do wnętrza powozu wpadło światło ulicznej latarni, oświetlając gazetę leżącą na ławce.

Znieruchomiała, myśląc, że musiała źle przeczytać.

Wzięła do ręki gazetę, nie dowierzając samej sobie, i odwróciła ją w stronę okna, czekając, aż światło kolejnej latarni pozwoli jej się upewnić. Sprawdziła datę wydania. Gazeta, którą trzymała w ręku, miała się ukazać nazajutrz, czyli tego samego dnia, kiedy upływał termin ultimatum Tremleya.

W poprzek całej strony biegł ogromny nagłówek:

NAGRODA ZA UJAWNIENIE TOŻSAMOŚCI WŁAŚCICIELA UPADŁEGO ANIOŁA

Pod nim zaś widniał podtytuł:

5000 FUNTÓW ZA NAZWISKO NIEUCHWYTNEGO CHASE'A

20

Wydawcy tej prestiżowej gazety mają dość monopolistycznej władzy, która rządzi najciemniejszymi zakątkami Londynu. Zachęcamy czytelników, by zrobili, co w ich mo-

cy, aby stało się dla wszystkich jasne, że ten kraj ma tylko
jednego monarchę – tego, który sprawuje władzę jawnie...
„Wiadomości Londyńskie", 17 maja 1833

Upadły Anioł przypominał oblężoną twierdzę.

Było dopiero wpół do dwunastej rano i w kasynie panowały ciemności, ale z pewnością nie spokój. Pod wejściem na St. James Street zgromadził się spory tłum rozkrzyczanych mężczyzn, którzy walili w stalowe drzwi, mając nadzieję na obiecane pięć tysięcy funtów.

Temple i Cross siedzieli w środku przy stole do ruletki i czekali na najnowsze wieści od ochroniarza.

Ale najpierw pojawił się Bourne.

– Co tu się, do diabła, dzieje?! – zawołał, przeciskając się na salę z wejściowego holu, którego drzwi były zamknięte na podwójne zasuwy, a na straży stał przy nich człowiek dwa razy większy niż przeciętny mężczyzna.

Cross spojrzał na Bourne'a.

– Wyglądasz, jakbyś wrócił z wojny.

– Widziałeś ten tłum przed wejściem? Chcą się dostać do środka. Myślą, że tak po prostu powiemy im, kim jest Chase? Tylko dlatego, że West postradał zmysły? Zobacz, co ta hołota mi zrobiła! Urwali mi mankiet koszuli.

– Gdy chodzi o garderobę, zachowujesz się jak kobieta – zauważył Temple. – Na twoim miejscu bardziej bym się martwił, żeby mi nie urwali ręki. Albo nie rozszarpali mnie na kawałki.

Bourne spojrzał na Temple'a spode łba.

– Tym też się martwiłem. Ale ponieważ już mi to nie grozi, to wkurzam się mankietem. Czy możecie mi wyjaśnić, co tu się, do diabła, dzieje?

Temple i Cross wymienili spojrzenia, a potem wbili wzrok w Bourne'a.

– Chase się zakochał – rzucił bez ogródek Cross.

Bourne zamrugał.

– Mówicie poważnie?

– Na zabój – dodał Temple.

Rozległ się brzęk tłuczonego szkła. Dobrze wycelowany kamień trafił w małe okienko pod sufitem i odłamki szyby posypały się na podłogę kasyna.

Przez dłuższą chwilę wpatrywali się w spadające szkło, po czym Bourne zapytał:

– W Weście?

Cross skinął głową.

– A więc te burdy pod drzwiami to przez romans Chase'a? I dlatego kasynu grozi zniszczenie?

– Obawiam się, że nie tylko zniszczenie, jeśli West nie odwoła tego, co narobił.

– Przypuszczam, że już...

– Oczywiście – powiedział Temple. – Od razu. Gdy tylko zobaczyliśmy tę gazetę.

– Ale ona nie wie.

– Oczywiście, że nie wie – wyznał Cross. – A czy ona nas kiedykolwiek uprzedzała, gdy miała zamiar mieszać się do naszych spraw?

– Nigdy – burknął Bourne. – Czyli czekamy, tak?

Temple wskazał na najbliższe krzesło.

– Czekamy.

Bourne zajął miejsce za stołem do ruletki. Milczał przez długą chwilę, patrząc, jak Cross raz za razem wprawia koło w ruch. W końcu ocenił:

– Jak nie ma kulki, nie ma zabawy.

– Jak jest kulka, to też nie ma specjalnej zabawy.

– Ciekawe, dlaczego Chase tak lubi ruletkę – zastanowił się Temple.

– Bo ruletka to jedyna gra hazardowa, której wynik jest całkowicie przypadkowy – odparł Cross. – Nie można na niego wpłynąć, więc nie da się oszukiwać.

– Czysty przypadek – stwierdził Bourne.

– Bez kalkulowania – dorzucił Cross.

Rozległo się głośne i uporczywe walenie w drzwi, które wskazywało na determinację zebranych. Nagle ustało, drzwi się otworzyły, a ochroniarze użyli bez wątpienia całej siły, aby tłum nie wdarł się do środka.

Bourne roześmiał się, a pozostali spojrzeli na niego ze zdziwieniem. Pokręcił głową.

– Właśnie sobie wyobraziłem tych wszystkich arystokratycznych sztywniaków z White's i Brook's. Wjeżdżają w St. James, niczego nie podejrzewając, a tu taki widok.

Cross też się roześmiał.

– Ale będą na nas wściekli. Zresztą to bez znaczenia, bo i tak nami gardzą.

– Niech ich diabli – mruknął Temple, wykrzywiając usta w uśmiechu. – Nie można powiedzieć, że Upadły Anioł nie dostarcza rozrywki całej okolicy.

Roześmiali się chórem. Dopiero po chwili zauważyli Brunona, który stanął przy drzwiach.

– Już tu jest – oznajmił ogromny ochroniarz.

– Sam trafię – poinformował Duncan, mijając olbrzyma i wchodząc na ciemnawą salę.

Właściciele wstali jak na zawołanie, wygładzając rękawy – wszyscy oprócz Bourne'a, który zaklął, przypomniawszy sobie o oberwanym mankiecie. Każdy z nich w pojedynkę mógł wprawić człowieka w onieśmielenie, a razem byli zdolni przestraszyć największego śmiałka.

Duncan jednak podszedł do nich bez chwili wahania.

Bruno wpatrywał się w jego plecy.

– Powinno się go rzucić tłumowi na pożarcie.

– Niewykluczone, że tak zrobimy – zgodził się Temple.

– Może później – dodał Cross.

– Co to ma znaczyć, do diabła? – zapytał Duncan, wymachując skrawkiem papieru. – Myślicie, że jak będziecie mnie obrażać, to wycofam nagrodę?

Bourne wyrwał mu kartkę i przeczytał na głos wiadomość:

– Jesteś idiotą, błąkasz się jak dziecko we mgle. – Kiwnął głową, patrząc na Temple'a. – Cóż za poezja.

Temple wydawał się dumny z siebie.

– Dziękuję. Ma się ten talent.

Duncan ze złością wyrwał papier z rąk Bourne'a.

– Najpierw mnie obrażacie, a potem wzywacie do kasyna. To nie nastraja mnie do was życzliwie. Czego ode mnie chcecie, do diabła?

– Wiesz co? – zaczął Bourne. – Ktoś mi kiedyś mówił, że jesteś genialny. – Spojrzał na Crossa. – Ale jak na geniusza to nie jesteś zbyt bystry.

– No cóż, szczerze mówiąc, w jego sytuacji to normalne, że człowiek przestaje myśleć – zauważył Cross. – Mam taką teorię, że kobiety wysysają z nas inteligencję w pierwszej fazie zadurzenia i same z niej korzystają. Dlatego to zawsze one pierwsze widzą koniec gry.

Temple pokiwał głową, jakby hrabia powiedział coś niesłychanie mądrego.

– To bardzo trafna teoria – zgodził się Bourne.

– Wszyscy jesteście dobrzy! – parsknął Duncan, wymachując papierem. – Nie przyszedłem wysłuchiwać waszych idiotycznych teorii. Obiecaliście mi Chase'a, ale widzę was tu tylko trzech, więc mnie okłamaliście.

Cross oparł się o stół do ruletki i założył długie ręce na piersi. Skinął podbródkiem w kierunku drzwi na drugim końcu pokoju. Duncan uświadomił sobie, że przez tych kilka lat, kiedy należał do klubu, przy tych drzwiach zawsze stał ochroniarz.

– No, idź – zachęcił go Cross. – Pogadaj z Chase'em.

– Czy to pułapka?

– Nie taka jak myślisz – oznajmił złowieszczo Temple.

– Marnujecie mój czas.

– To nie jest pułapka – zapewnił go Cross. – Przeżyjesz.

Przenosił wzrok z jednego właściciela na drugiego.

– Skąd mam wiedzieć, czy mogę wam ufać?

Bourne wzruszył ramionami.

– Ona cię kocha. Nie zrobimy ci krzywdy, nawet gdybyśmy chcieli.

Słowom towarzyszyła kakofonia krzyków dobiegających z ulicy, które jednak nie zagłuszyły bicia jego serca.

„Ona cię kocha".

– Źle ją traktowaliście, wszyscy trzej – stwierdził. – Jak mogliście jej pozwolić, żeby prowadziła takie życie?

Temple uśmiechnął się, słysząc to.

– Jeśli sądzisz, że możemy jej na coś pozwalać, to znaczy, że naprawdę postradałeś zmysły. – Wskazał podbródkiem na drzwi. – Gabinet Chase'a jest za tymi drzwiami.

Duncan zatrzymał na nich spojrzenie. Jeśli to była pułapka, trudno. Sam doprowadził do tej sytuacji, zmuszając ich do ujawnienia Chase'a. Wyznaczył nagrodę, ściągając pod ich drzwi tłum ludzi, którzy chcieli wykurzyć z kryjówki nieuchwytnego właściciela kasyna.

Musi stawić temu czoło.

Przeszedł przez pokój i otworzył drzwi, za którymi ciągnęły się długie schody prowadzące w ciemność. Odwrócił się. Trzej mężczyźni, którzy firmowali kasyno swoimi twarzami, nie spuszczali z niego oczu. Gdy zamknął drzwi, zostawiając ich za sobą, przyszło mu do głowy, że brakowało przy nich czwartej osoby – kobiety, wspólniczki, która wraz z nimi rządziła w tym imponującym miejscu.

Ta myśl przeszyła go jak ostrze sztyletu. To ona była czwartym właścicielem.

To ona była brakującą osobą.

Wchodził po schodach coraz szybciej, a w głowie wciąż od nowa odtwarzał wydarzenia ostatnich pięciu lat... Wzmianki o Chasie, wiadomości przekazywane w jego imieniu przez piękną i inteligentną Annę, wyrzutka socjety ukrytego na drugim planie. Tak dużo wiedziała o tym miejscu i o członkach klubu.

Bo była czwartym właścicielem.

Za drzwiami, które znajdowały się u szczytu schodów, otwierała się droga przez znajomy korytarz, a na przeciwległej ścianie pysznił się olbrzymi obraz olejny, który już widział. Temida i Nemezis. Sprawiedliwość i Zemsta.

„Którą z nich jesteś?" – zapytał, gdy tu stali.

„A nie mogę być jedną i drugą?" – odparła wówczas.

Była jedną i drugą.

O mało nie zrzucił obrazu ze ściany, gdy otwierał wejście do tajnego korytarza. Do gabinetu Chase'a.

Policzył drzwi i zatrzymał się przed czwartymi. Ujął za klamkę. Wiedział, że obojętne kogo ujrzy w tym pokoju, jego życie zmieni się nieodwołalnie. Wziął głęboki oddech dla uspokojenia i otworzył drzwi.

Za biurkiem siedziała Georgiana z pochyloną głową. Pisała coś, a na wielkim dębowym biurku leżał stosik kartek. Ożyły wspomnienia sprzed kilku dni. Kiedy siedziała na skraju tego biurka, a on dotykał jej dłońmi, ustami, całym ciałem.

Śpieszył się, bo myślał, że są w gabinecie Chase'a.

Myślał, że Georgiana należy do innego mężczyzny.

Chciał, by należała tylko do niego.

Zawładnął nim gniew pomieszany z fascynacją, niedowierzanie splecione z szacunkiem.

Nie podniosła głowy znad biurka na odgłos otwierania drzwi, tylko wskazała stos listów przy swoim łokciu.

– Można je doręczyć – zarządziła. – Czy Bourne już przyszedł?

Zamknął drzwi i jednym ruchem przekręcił klucz.

Podniosła wzrok, gdy klucz szczęknął w zamku, i zatopiła spojrzenie w jego oczach. Zerwała się z fotela, wyraźnie zaszokowana.

Miała na sobie spodnie.

– Duncan – powiedziała.

– Bourne już przyszedł – odparł.

Zmarszczyła brwi i dopiero po chwili zrozumiała, co ma na myśli.

– Ja… – Zawiesiła głos. – Och…

– Powiedz mi – poprosił. Przypomniał sobie, że poprzedniej nocy wypowiadał te same słowa, mając nadzieję, że w końcu mu powie, że go kocha.

Teraz chciał tylko poznać prawdę.

Milczała, więc powtórzył łamiącym się głosem:

– Powiedz mi.

Pokręciła głową, więc powtórzył jeszcze raz, prawie krzycząc:

– Powiedz mi!

W jej bursztynowych oczach zalśniły łzy. Zastanawiał się, co je wywołało – czy żal, że odkrył jej tajemnice, czy świadomość, że tak poważna zdrada może być niewybaczalna; że sekret o takim znaczeniu wszystko zmienia.

– Duncanie – wyszeptała. – Nie byłam gotowa do tego, żeby ci powiedzieć.

– Co powiedzieć? – zapytał i poprosił po raz ostatni: – Powiedz mi. Wypowiedz te słowa. Chociaż raz w życiu powiedz mi prawdę.

Skinęła głową, szukając odpowiednich słów. Nie było ich wiele. Tylko dwa. Bardzo proste, a zarazem nieprawdopodobne.

– Jestem Chase'em.

Milczał przez długą chwilę, a kiedy w końcu przemówił, powiedział tylko:

– A ja byłem o niego tak piekielnie zazdrosny. Myślałem, że do niego należysz. Nie mogłem zrozumieć, dlaczego jesteś do niego taka przywiązana. Dlaczego go ochraniasz. Nie mogłem zrozumieć, dlaczego byłaś ze mną, skoro za każdym razem wybierałaś jego.

– Nie wybrałam – szepnęła.

– Ale wybrałaś to miejsce.

– Nie – zaprzeczyła, licząc, że zrozumie. – Wybrałam bezpieczeństwo. Ochronę.

– Mogłem ci to wszystko dać. Chryste, Georgiano, przecież chciałem. Wystarczyło tylko, żebyś mi zaufała.

– Dlaczego miałabym ci zaufać? – zapytała, rozpaczliwie pragnąc, by ją zrozumiał. – Od wielu lat żyję w otoczeniu niebezpiecznych mężczyzn, a ty... mogłeś się okazać najbardziej niebezpieczny z nich wszystkich.

– Ja? – zapytał z niedowierzaniem. – Przecież od pierwszej chwili proponowałem, że ci pomogę.

– Nieprawda. Zaproponowałeś pomoc Georgianie, ale kiedy odkryłeś, co ją łączy z Upadłym Aniołem, kiedy odkryłeś, że jestem też Anną, zaproponowałeś mi układ.

Wiedziała, że nie powinna go za to winić – sama miała więcej na sumieniu – ale nie mogła się powstrzymać. Czuła się przyparta do muru i musiała się bronić, więc dodała:

– Groziłeś, że mnie zdemaskujesz. – Pokręciła głową. – Byłam jedną ze stron tego układu, przyznaję. I musisz wiedzieć, że przez te wszystkie lata w przebraniu Chase'a nauczyłam się, że w interesach nie ma mowy o przyjaźni. Ani o zaufaniu.

– To już od dawna nie są interesy – stwierdził.

Wiedziała, że Duncan ma rację. Wiedziała też, że teraz może w końcu powiedzieć prawdę, chociaż raz w życiu.

I chciała, by to właśnie on ją usłyszał.

Oparła się o biurko i położyła rozpostarte dłonie na blacie.

– Chciałam być kimś więcej niż osobą, którą kazali mi być. – Przerwała, szukając właściwych słów. – Mówiłam ci o domu w Yorkshire, pamiętasz? – Przytaknął. – Było tam wiele kobiet... takich kobiet, które uciekły. Które znalazły w sobie dość siły, by przeciwstawić się oczekiwaniom. – Pokręciła głową. – Byłam z nich zdecydowanie najsłabsza. Kiedy stamtąd wyjechałam, kiedy wróciłam do domu, przekonałam się, jak patrzą na mnie ludzie. Na mnie i na moje dziecko. I znienawidziłam ich za to. Chciałam zrobić coś, co dałoby mi potężną siłę, co pozwoliłoby mi trzymać ich w garści. Zdobyć władzę nad tymi ludźmi, którzy mówili o przyzwoitości, ale za drzwiami swoich domów ukrywali grzech i występek.

Z początku myślałam tylko o zemście. Chciałam ukarać każdego, kto mi wszedł w drogę albo ośmielił się obrazić Caroline. Chciałam zabić plotki... i socjetę.

– Ale w końcu uświadomiłaś sobie, że nie jesteś Bogiem – zauważył z uśmiechem.

– Nie. Uświadomiłam sobie, że nie chciałabym być Bogiem. Że chciałabym być kim zupełnie innym, ale mieć nad nimi władzę. Chciałam, żeby mieli wobec mnie długi, które musieliby spłacać nie tylko pieniędzmi, ale swoimi sekretami albo w inny sposób.

– I tak narodził się Chase.

– Mój brat wyłożył pieniądze na klub i pomógł mi wybrać wspólników. – Uśmiechnęła się. – Pierwsi byli Bourne i Temple. Ochroniarze wepchnęli ich do mojego powozu. Nigdy nie zapomnę ich min, kiedy się przedstawiłam. – Zamilkła. – Bourne obrzucił mnie wyszukanymi wyzwiskami, zanim się uspokoił i zdał sobie sprawę, że nie mógłby dostać lepszej propozycji.

– Zostania współwłaścicielem klubu dla dżentelmenów, tak?

Pokręciła głową.

– Ważniejsze było, że wyciągnęłam go z rynsztoka. Był bankrutem, tak jak Temple. To była ich szansa na odbudowanie życia. Nie potrzebowałam ich pieniędzy... Liczyły się tytuły. I twarze. Umiejętności, które posiadali.

– Dlaczego Chase*?

– Dzięki Bourne'owi. Zwykł powtarzać, że ganiał po Londynie bez celu, dopóki mnie nie spotkał. To pasowało. Dzięki pomocy mojego brata i jego koneksjom otworzyliśmy kasyno. Po kilku miesiącach ludzie bili się, żeby do niego należeć. I przez pierwszych kilka lat nie obchodziło mnie, co myślą o Georgianie. Prawie o niej zapomniałam. Byłam Chase'em i Anną. Czułam się wolna... To było wspaniałe. – Odwróciła wzrok. – Tak mi się w każdym razie wydawało... do czasu.

– Aż Caroline podrosła na tyle, żeby zauważyć, że cię potępiają.

– Aż Caroline podrosła na tyle, żeby zauważyć, że potępiają także ją.

– I wtedy zaczęłaś to robić dla niej.

---

* Chase (ang.) – pogoń, pościg.

– Nie ukradłam konia. Ukradłam cały świat.

– Wierzyliśmy ci. – Westchnął.

– Wbrew pozorom to nie było wcale takie trudne – wyjaśniła. – Ludzie wierzą w to, co im się mówi… na ogół. Kiedy postanowiliśmy, że Chase pozostanie nieznaną nikomu postacią, łatwo było wmówić światu, że ma on większą władzę niż oni wszyscy razem wzięci. Tajemnica dała mu siłę. I stała się moją siłą.

– Mylisz się. – Stał tak blisko niej, że mogłaby go dotknąć, ale się powstrzymywała. – Znam cię jako Georgianę i Annę i odczułem całą pełnię twojej władzy. Czepiałem się jej i grzałem się w jej promieniach. I wiem, że twoja siła nie pochodzi od Chase'a. – Położył jej dłoń na karku. Wstrzymała oddech. – To twoja siła, a nie jego. – Podniosła na niego wzrok, gdy dodał: – I ona to zrozumie.

Do jej oczu napłynęły niechciane łzy.

Odwróciła głowę, próbując je ukryć.

– Nie odwracaj wzroku – poprosił, zmuszając ją, by na niego spojrzała. – Nie chowaj się przede mną. Odpychałaś mnie na każdym kroku, używając Chase'a jako tarczy.

– Nie… – zaczęła, ale jej przerwał, a w jego oczach wyczytała gniew i smutek.

– Tak. Bałaś się mnie. Ale dlaczego? Bałaś się tego, co mógłbym zrobić? Co mógłbym powiedzieć światu? Naprawdę myślałaś, że mógłby cię zdradzić?

Zmarszczyła czoło.

– Nie wiedziałam… jedyny mężczyzna, któremu się wcześniej oddałam…

– A więc nie bałaś się mnie – mówił dalej. – Nie bałaś się reakcji Chase'a… teraz to jasne – dodał z ironicznym uśmiechem. – Bałaś się uczuć, które w tobie budziłem.

Spojrzała mu w oczy.

– To prawda.

Jej szczerość zaskoczyła ich oboje.

– Byłam zdana na siebie. Musiałam walczyć o siebie i o Caroline. – Zastanowiła się. – Wciąż jestem zdana na siebie i walczę dla niej. Muszę wykorzystać wszystkie środki, jakie mam w swoim arsenale, by zabezpieczyć jej przyszłość. Do tego był potrzebny Chase. Z nim było łatwo. Ale ty... – Zawahała się. – Z tobą wszystko nagle stało się trudne.

– Odebrałaś mi członkostwo klubu – przypomniał.

– Przepraszam. Przyjmuję cię ponownie w szeregi jego członków. Przynajmniej dopóty, dopóki przetrwa klub.

– Nie obchodzi mnie ten cholerny klub. Boli mnie tylko, że mnie przepędziłaś.

– Nie mogłam znieść twojej bliskości – wyznała w końcu całą prawdę. – Bo kiedy byłeś obok, marzyłam, abyś został przy mnie na zawsze.

I znowu te podstępne, kuszące słowa.

Przygarnął ją do siebie, otaczając ramionami. Zapragnęła, by wszystko inne przestało być ważne. Żeby nie było Chase'a, Anny, Tremleya dobijającego się do drzwi i stawiającego jej warunki. Ani Upadłego Anioła.

Nie chciała go wykorzystywać. Już nie. Nie chciała, żeby padł na niego cień kłamstw związanych z jej przyszłością. Nie chciała mu już dawać powodów, żeby myślał o niej źle.

Zrozumiał to po swojemu.

– Chryste... Georgiano – odezwał się nad jej głową, trzymając ją w stalowymi uścisku. – A co z gazetą? Z nagrodą?

Ukryła twarz na jego piersi, wdychając męski zapach.

– Chase jest skończony.

– To przeze mnie. Zrujnowałem go. – Zamilkł. – Zrujnowałem wszystko, co zbudowałaś.

Zniszczyłaby to sama – miała zamiar to zrobić – ale to była ostatnia tajemnica, której nie chciała mu ujawniać. Uśmiechnęła się do niego.

– I tak trzeba było to zakończyć. Nie mogłabym być Anną i jednocześnie uczyć córkę zasad przyzwoitości. Myślałam, że to możliwe... ale teraz zdaję sobie sprawę, że ten plan był niedorzeczny.

– Znajdę jakiś sposób, aby zapewnić wam bezpieczeństwo. I Chase'owi. Odwołam nagrodę.

Zakryła mu usta dłonią i przesunęła palce wyżej.

– Przez cały czas... od samego początku... powtarzałeś mi, żebym ci zaufała.

– Owszem – przyznał. – A teraz musisz mi uwierzyć, że znajdę jakiś sposób...

– Kolej na ciebie, Duncanie. Teraz ty musisz mi zaufać.

– Co to ma znaczyć?

– Dokładnie to, co powiedziałam.

– Ale ja ci ufam. Co zamierzasz zrobić?

– Nie pytaj, jeśli mi wierzysz.

– Mam już dość gadania. – Podniósł ją z podłogi. – Chcę cię kochać. Od stóp do głów. Jeszcze raz, zanim to się skończy.

Te słowa ją przygniotły. Ujęła jego twarz w dłonie i odwzajemniła się głębokim pocałunkiem. Nie podobał jej się ten pożegnalny ton. Czyżby tej nocy miało się skończyć wszystko, co było ważne w jej życiu?

Tej nocy umrze legenda Chase'a. I zakończy się zmyślone życie Anny.

A Georgiana będzie musiała po raz drugi zmierzyć się samotnie z wilkami socjety.

I stworzyć nową przyszłość.

Ale przyszłość się nie liczyła. Pragnęła tylko teraźniejszości. I tej chwili.

Tego mężczyzny.

– Chciałbym… – powiedział prosto do jej ucha.

– Czego byś chciał? – zapytała i otarła się o niego kocim ruchem.

Podziałało. Uśmiechnął się, przymykając oczy.

– Może to szaleństwo, ale chciałbym, żebyśmy zrobili to w łóżku. Jak zwykli ludzie.

– Mam tu łóżko.

– Naprawdę?

– Naprawdę.

Postawił ją na ziemi. Przeprowadziła go przez kilkoro następnych drzwi do swojego mieszkania, gdzie w jednym z pokoi mieściła się sypialnia, w której spędzała większość nocy. Przystanął w progu, ogarniając wzrokiem łoże z narzutą i białymi zasłonami. Pokręcił głową.

– Cały Londyn oddawał się hazardowi, grzechom i występkom… a ty rządziłaś wszystkim z tego białego łoża. Jak nieskalana księżniczka.

– Już nie jestem nieskalana.

– Już nie.

Wziął ją w ramiona i zaniósł w stronę łoża, wywołując bolesną tęsknotę głęboko w jej wnętrzu. Chociaż przez ostatnich sześć lat dawała mężczyznom i kobietom Londynu wszystko, czego pragnęli, i uważała się za eksperta w zaspokajaniu zachcianek, nigdy nie pragnęła niczego tak bardzo jak tego mężczyzny.

I tej chwili.

Postawił ją przy łóżku i bez pośpiechu rozebrał ich oboje. Ściągnął buty, spodnie i koszule – najpierw z niej, a potem z siebie – i całował jej nagą skórę. Wydawało jej się, że zaraz umrze z nadmiaru rozkoszy. I z pożądania, jakie w niej budził.

Położył ją na łóżku – nagie ciało przylgnęło do chłodnej pościeli – i zawisł nad nią, przyciskając twarz do miękkiej skóry na brzuchu. Oddychał głęboko, dotykając ustami wyblakłych śladów, opowiadających historię, którą tylko on znał.

– Kocham cię – wyszeptał tak cicho, że nie była pewna, czy w ogóle wypowiedział te słowa.

Wzdychała głośno, gdy sunął ustami po jej ciele, odnajdując piersi i dotykając wargami najpierw jednego, a potem drugiego sutka. Jego dłonie obejmowały, unosiły, zasypywały pieszczotami po to, by nigdy nie zapomniała tej chwili i jego cudownego dotyku. Wplotła palce w jego miękkie złociste włosy, a on wyszeptał do zagłębienia między jej piersiami:

– Kocham cię.

Powtarzał te słowa jak modlitwę, aż jej oddech stał się urywany i niemal bolesny. Uniósł się na dłoniach, przykrywając ją swoim ciałem. Odszukał jej oczy i powtórzył:

– Kocham cię.

Odwzajemniła się, przyciągając go do siebie rozpaczliwym gestem.

Wsunął się w nią z łatwością i bez pośpiechu, jakby robili to z tysiąc razy, jakby zawsze należeli do siebie. I tak właśnie jest, pomyślała. Zawsze będzie do niego należała.

Jego ruchy były głębokie i pochłaniające; wysuwała ku niemu biodra, wciąż spragniona jego dotyku i jego miłości. Zdawał się to wiedzieć, bo wciąż od nowa powtarzał jej jak zaklęcie swoje miłosne wyznanie. Już po krótkim czasie błagała o ukojenie, które tylko on mógł jej dać. Zamarł, uniesiony nad nią z zamkniętymi oczami, pochłonięty rozkoszą i bolesnym pragnieniem spełnienia. Wiedziała, że zbiera siły, by ją opuścić, by nie narażać jej na ryzyko.

– Duncanie… – Otworzył oczy i zabrakło jej tchu, gdy zobaczyła ich wyraz. – Nie zostawiaj mnie – wyszeptała. – Nie tym razem.

Patrzył na nią przez chwilę, jakby chciał sprawdzić, czy mówi szczerze. Pokręciła głową.

– Nie tym razem – powtórzyła i łzy napłynęły jej do oczu na myśl, że to już ich ostatni raz.

Zgniótł jej usta gorącym pocałunkiem, głębszym i bardziej namiętnym niż wszystkie do tej pory. Wsunął dłoń między ich ciała i zaczął ją pieścić kciukiem, aż jęczała z rozkoszy. Dopiero wtedy pchnął głęboko ostatni raz, ofiarując jej swoje nasienie. Zatraciła się zupełnie, zapominając o całym świecie.

Opadł na nią bez sił. Przytuliła go mocno, a z jej oczu popłynęły łzy, których już nie wstrzymywała. Płakała wzruszona pięknem tej chwili; płakała nad nimi dwojgiem, występującym przeciwko całemu światu, nad sobą, nad poświęceniem, które kazało jej wybrać tę drogę... Teraz wydawało jej się dużo bardziej przytłaczające, bo wiedziała już, z czego zrezygnowała.

Z miłości.

Gdy się obudził, już jej nie było.

Powinien był się tego spodziewać, ale i tak poczuł żal, że zostawiła go tutaj, w samym sercu kasyna, i poszła samotnie stoczyć swoją bitwę.

„Byłam zdana na siebie. Musiałam walczyć o siebie i o Caroline".

Już nie była sama.

Dlaczego nie mogła zrozumieć, że znalazła w nim obrońcę? Że stoczy za nią wszystkie bitwy? Że zrobiłby wszystko, co w jego mocy, by ocalić i ją, i to miejsce, które tak kochała?

Nawet jeśli nie zostanie z nią do końca życia, może jej dać choć tyle.

Musi najpierw unieważnić nagrodę. To on otworzył puszkę Pandory i musi ją teraz zamknąć, bo w przeciwnym razie zrujnują i Georgianę, i jej klub. Wstał z łóżka, szybko się ubrał i nie tracąc ani chwili, poszedł do jej gabinetu.

Nie było tam żywego ducha. Pomyślał, jak musiała się czuć, kiedy pierwszy raz stanęła w tym pokoju, mając zaledwie dwadzieścia jeden lat, wykluczona z socjety za chwilę nierozwagi, za jeden jedyny błąd.

Zbudowała imperium zza tego biurka. I pomyśleć, że to on uważał się za najciężej pracującego człowieka w Londynie.

Idealnie do siebie pasowali.

Zignorował bolesne pragnienie, by była to prawda. By mieli przed sobą przyszłość. Ale nie mógł jej obarczać swoimi tajemnicami, które nawet jego samego przytłaczały. Nie mógł jej skazywać na lęk, że zostaną odkryte, a jego spotka kara.

I nie mógł jej wplątywać w kolejny skandal.

Odwrócił wzrok, a jego spojrzenie padło na niewielki stosik listów na skraju biurka – zostało ich teraz chyba z dziesięć z całej masy identycznych kwadracików zapełniających blat, gdy wszedł do pokoju.

Przyjrzał się tym listom, choć wiedział, że nie powinien, że to nie jego sprawa, ale nie mógł się powstrzymać. Każdy był zaadresowany zamaszystym pismem, które do tej pory uważał za charakterystyczne dla Chase'a.

Ale nie napisał tego Chase, tylko Georgiana.

Listy były zaadresowane do członków klubu, których widywał tam dziesiątki razy. Wybór nazwisk był przypadkowy – wśród adresatów byli starzy i młodzi, zamożni i niezbyt bogaci, znalazł się książę, dwóch baronów, trzech kupców.

Był też liścik przeznaczony dla barona Pottle'a.

Wsunął palec pod pieczęć i rozerwał ją. Na widok jednej krótkiej linijki poczuł lodowaty dreszcz.

Dziś wieczór w Upadłym Aniele.

21

Jeszcze nigdy nie widział klubu tak szczelnie wypełnionego ludźmi.

Bo też nie było jeszcze takiego dnia jak ten. Zebrał się tu cały Londyn w oczekiwaniu na ostatnią noc Upadłego Anioła. Setki klubowiczów wymieniały się plotkami i pogłoskami, ściskając w dłoniach taki sam kwadratowy liścik, wypisany ręką Georgiany.

– Co to może znaczyć? – zapytał szeptem młody człowiek swoich kompanów, zebranych przy stole do gry w faraona.

– Nie mam pojęcia – ktoś odpowiedział. – Wiem tylko, że taka noc w Upadłym Aniele jest warta więcej niż wszystkie bale w Brytanii.

I tu się nie mylił. W kasynie roiło się od ludzi – salę wypełniała masa czarnych surdutów i gwar niskich głosów, a monotonię barw przełamywały dziesiątki kolorowych sylwetek, bo tej nocy dopuszczono na parkiet członkinie damskiej części Upadłego Anioła, a one stawiły się licznie, kryjąc twarze pod maskami.

Jakie zamiary miała Georgiana?

Odkąd tu wszedł, nieustannie szukał jej wzrokiem. Nie widział jej ani pozostałych właścicieli od momentu ich wcześniejszego spotkania. Gdy wyszedł z mieszkania Georgiany i udał się do głównej jaskini hazardu, panowała tam cisza – nie licząc, oczywiście, walenia w drzwi i krzyków tłumu kłębiącego się na ulicy.

Chciał zniszczyć Chase'a i uwolnić od niego Georgianę, a tymczasem zrujnował wszystko, co z takim trudem zbudowała.

– Miałeś dobry pomysł z tą nagrodą, West – powiedział mężczyzna, którego Duncan nie rozpoznał, podchodząc i klepiąc go w ramię. – Najwyższy czas wykurzyć tego drania z nory. Przecież oskubuje nas od lat! Dziwię się, że cię tu wpuścili!

Podszedł do nich drugi mężczyzna.

– Dajesz kilka tysięcy funciaków? Zobaczysz, że zgłoszą się do ciebie setki osób z fałszywymi nazwiskami.

To, o czym mówił, już się stało – od rana do redakcji spływały nazwiska podejrzanych. Nie oszczędzono nikogo, nawet jego królewskiej mości i syna handlarza ryb z Temple Bar.

– Rozpoznam prawdziwe nazwisko, kiedy się pojawi – uciął Duncan.

Co prawda, nawet gdy miał przed oczami prawdziwego Chase'a, niczego się nie domyślił. Minęło kilka godzin od chwili, kiedy mu o tym powiedziała, a przez ten czas odtwarzał w pamięci niezliczone sytuacje, które powinny podsunąć mu podejrzenie, że jest kimś więcej, niż się zdaje. Wiele wskazywało, że jest silniejsza, bystrzejsza i ma większą władzę niż mężczyźni, którzy co noc oddawali się hazardowi w jej klubie.

Źle ją ocenił, tak samo jak reszta Londynu.

Dostrzegł wicehrabiego Langleya grającego przy stoliku na drugim końcu sali. Sądząc po entuzjastycznych okrzykach jego kompanów, Langley był na fali. Ruszył w jego stronę, zanim się zastanowił, co robi.

Przedzierając się przez tłum, Duncan myślał o tamtej nocy, kiedy pierwszy raz rozmawiał z Georgianą na balkonie – już wtedy wybrała Langleya na przyszłego męża.

To był dobry wybór.

Nie ciążył na nim żaden skandal, miał nieposzlakowaną opinię. Będzie o nią dbał.

A jeśli nie, to West już zadba o zemstę.

Langley rzucił kości. Znowu wygrał. Duncan poczuł gorycz. Dlaczego ten człowiek musi wygrać? Dlaczego Duncan ma być tym przegranym?

Obserwował przez kilka minut wicehrabiego, który w końcu przegrał, a kości podano krupierowi. Duncan poczuł satysfakcję, słysząc jęki kompanów Langleya.

– Langley – zagadnął, na co wicehrabia odwrócił się do niego z zaciekawieniem tym większym, że jeszcze nigdy ze sobą nie rozmawiali.

Odciągnął wicehrabiego na stronę.

– Milordzie, nazywam się Duncan West.

Langley skinął głową.

– Poznaję pana. Przyznam się, że jestem pana zwolennikiem. Zamierzam głosować zgodnie z pańską opinią za wieloma ustawami, nad którymi będziemy obradować w tym sezonie.

Ducana zaskoczył ten komplement.

– Dziękuję – powiedział tylko. Chce doprowadzić do skutku to małżeństwo, ale czy musi go lubić?

Odetchnął głęboko. Wicehrabia spytał:

– Źle się pan czuje?

Pewnie… i już zawsze będzie się źle czuł, gdy Georgiana zostanie wicehrabiną Langley. Cóż, kiedy obiecał jej to.

Przysługa za przysługę.

– Zaleca się pan do lady Georgiany – odezwał się do wicehrabiego.

Ku jego zdziwieniu Langley odwrócił wzrok, ale zaraz znowu spojrzał na Westa z poczuciem winy. Nie podobało mu się to wahanie; czyżby Langley w gruncie rzeczy wcale nie zalecał się do Georgiany?

Sprawiło mu jednak radość, że Langley się waha.

– Czyżbym się mylił?

Langley wciąż się wahał.

– Zamierza pan to opublikować? Zauważyłem, że pańskie gazety wspierają wysiłki lady Georgiany, by powrócić do socjety.

– Nie będę tego publikował, ale mam nadzieję, że moje gazety ukazują ją w pozytywnym świetle.

Wicehrabia się uśmiechnął.

– Moja matka wiąże duże nadzieje z tą damą.

To sukces, pomyślał.

– Pewnie niektórzy mogliby uznać moje kontakty z nią za zaloty – odpowiedział w końcu Langley, ale Duncan wyczuł wahanie w jego słowach.

Miał ochotę wykrzyczeć swoją dezaprobatę. Czy ten człowiek nie dostrzegł, co mu się proponuje?

– Dziwię się panu? To doskonała partia. Nadzwyczajna. Każdy mężczyzna byłby dumny, mogąc ją zdobyć. Mogłaby mieć króla, gdyby zechciała.

Już przy pierwszych słowach na twarzy Langleya pojawiło się zdziwienie, by stopniowo zmienić się w ostrożną ciekawość. Duncan pod koniec tej tyrady poczuł się jak skończony osioł.

Tym razem wicehrabia odparł bez wahania, z wyraźnym zainteresowaniem w głosie:

– Zdaje się, że to nie król chciałby ją mieć, tylko ktoś będący jego przeciwieństwem.

Duncan zmrużył oczy. Prawdziwość tych słów była porażająca.

– Teraz to pan przeholował.

– Możliwe, ale wiem, co to znaczy pragnąć czegoś, czego nie można zdobyć. Teraz rozumiem, dlaczego pan tak bardzo zainteresował się tą damą. – Dodał po chwili zastanowienia: – Gdybym mógł oddać tytuł za wolność, którą pan ma, zrobiłbym to.

Nagle rozmowa stała się krępująca.

– I tu się pan myli. Brak tytułu nie daje wolności. Raczej ją jeszcze bardziej ogranicza.

Tytuł dawał bezpieczeństwo, on natomiast żył w ciągłym strachu przed zdemaskowaniem. Ten strach położy się cieniem na całym jego dalszym życiu.

Spojrzał wicehrabiemu w oczy.

– Ona wybrała pana.

– Jeśli to prawda... w co wątpię... będę zaszczycony, mogąc pojąć tę damę za żonę.

– I będzie pan się o nią troszczył?

– Jeśli nie pan, to ja.

Bezczelność tego utytułowanego bubka wyprowadziła Duncana z równowagi. Miał ochotę przewrócić stolik do gry. Przecież nie mógł się o nią troszczyć, bo nie mógł obciążyć jej swoimi sekretami.

„A gdybyśmy się pobrali?"

Do końca życia będzie pamiętał te słowa, wypowiedziane cichym głosem, gdy była w jego ramionach – słowa wyrażające niemądre marzenie. To będzie jego ostatnia myśl, gdy przyjdzie mu dokonać żywota w więzieniu albo na stryczku.

I nie miało znaczenia, że nie powiedziała tego poważnie.

Potrzebowała tytułu, chciałaby dać córce bezpieczeństwo oraz wygodne i przyzwoite życie. Wiedział lepiej niż ktokolwiek inny, że są to sprawy nie do przecenienia. Wiedział też, ile jest w stanie dla nich poświęcić.

A on da jej to, czego pragnęła.

Wicehrabia odezwał się, jakby czytał mu w myślach:

– To pan powinien się o nią troszczyć.

– Robię to – zaczął – w taki sposób, jak pan widzi.

Langley przyglądał się Duncanowi przez dłuższą chwilę, po czym skinął głową.

– W takim razie skoro ona mnie chce, to ja także.

Duncan znienawidził te słowa, gdy tylko padły. Poczuł dziką złość. Miał ochotę wygrażać Bogu i całemu światu za swój przeklęty los – za to, że pokochał kobietę, której nie mógł mieć.

Ale opanował się i stwierdził tylko:

– Jeśli kiedykolwiek będę mógł coś dla pana zrobić, milordzie, moje gazety są do pańskiej dyspozycji.

– Być może skorzystam z tego szybciej, niż pan myśli.

Wicehrabia oddalił się, a Duncan został sam. Obserwował tłum i czekał, aż pojawi się Georgiana.

– Widzę, że przywrócono ci członkostwo – zauważył markiz Bourne, który nagle wyrósł przy jego boku. – Przynajmniej możesz ocenić skutki swoich idiotycznych pomysłów.

Duncan skrzywił się, ale nie zaprotestował. W końcu to on wyznaczył cenę za głowę Chase'a, co oznaczało również zagrożenie dla tego miejsca i pozostałych właścicieli.

– Co on zamierza? – zapytał.

– Wiem tylko, że chce popełnić cholerny błąd. Ale nikt nie może mówić Chase'owi, jak ma żyć.

– Jaki błąd? – zapytał Duncan, rozpaczliwie szukając jej wzrokiem wśród tłumu. Chciał ją powstrzymać przed tym, co zamierzała zrobić.

To on wywołał całe to zamieszanie, wyznaczając nagrodę za podanie tożsamości Chase'a – i on powinien wyjaśnić sprawę.

– Ma zamiar wyznać światu, że to ona jest Chase'em.

Odwrócił się gwałtownie do Bourne'a.

– Dlaczego, do diabła, chce to zrobić?

– Nic więcej nam nie powiedziała. Tylko tyle, że musiała podjąć taką decyzję – a z tym bym dyskutował – i jeszcze plotła jakieś bzdury, że wszyscy mamy rodziny i dużo pieniędzy, a klubowi to i tak nie zaszkodzi.

– Nie może tego zrobić. Wybuchnie skandal...

– Przemyślała to po swojemu, jak to Chase – powiedział Bourne z irytacją, jakby mówił o kaprysie niemądrej dziewczyny, a nie o zniszczeniu czyjeś wieloletniej pracy i marzeń. – Plan jest taki, żeby ogłosić, że to Anna jest Chase'em, a kiedy stracimy członków... co na pewno się stanie, kiedy się dowiedzą, że najpotężniejszy z właścicieli jest kobietą... ma zamiar wkroczyć w wyższe sfery jako Georgiana. – Zrobił pauzę. – Sam jej to ułatwiłeś. Nawiasem mówiąc, dobra robota.

Duncan zaklął siarczyście.

– Nic dodać, nic ująć.

Nie mógł na to pozwolić. Może przecież ocalić ją w inny sposób. Znowu zaczął rozglądać się w tłumie.

– Gdzie ona jest?

– Znając Chase'a, szykuje wielkie wejście. – Bourne zamilkł. – Nie muszę dodawać, że jeśli stanie jej się jakakolwiek krzywda... jeśli na Caroline padnie cień z powodu tej nocy...

Duncan spojrzał markizowi oczy.

– To spotkają mnie przykre konsekwencje.

– To mało powiedziane – prychnął Bourne. – Po prostu znikniesz z powierzchni ziemi. I nikt cię nie znajdzie.

– Przysłali cię, żebyś mi to przekazał?

– Nie tylko to – odpowiedział Bourne. – Nie powinieneś pozwolić jej odejść.

Zrobiło mu się zimno, a potem gorąco.

– Nie nadążam.

Bourne uśmiechnął się szyderczo, nie odrywając wzroku od tłumu.

– Jesteś najinteligentniejszym człowiekiem, jakiego znam, West. I doskonale wiesz, co mam na myśli.

„Nie powinieneś pozwolić jej odejść".

Tak jakby miał jakiś wybór.

Gwar na sali narastał – alkohol płynął szerokim strumieniem, a przy każdym stoliku tłoczyli się gracze spragnieni wygranej. Nawoływania krupierów mieszały się z okrzykami gapiów przyglądających się grze i jękami osób siedzących przy stołach do ruletki. Wydawało mu się, że słyszy nawet szelest rozdawanych kart do gry w oczko, a każdy dźwięk brzmiał pełniej niż kiedykolwiek przedtem – ponieważ teraz już wiedział, że to było jej dzieło, świat, który wyszedł spod jej ręki.

– Powiem to w jej imieniu – odezwał się Bourne, obserwując salę i tłum graczy. – Jeśli zamkniemy kasyno po tym wieczorze, to dzisiejszy utarg będzie wyższy niż kiedykolwiek.

– Muszę ją powstrzymać.

– Cóż, miałem nadzieję, że może to rozważysz. Mam rodzinę na utrzymaniu.

Markiz Bourne miał dość pieniędzy i ziemi, żeby utrzymać wszystkie rodziny w Brytanii, ale Duncan nie chciał się z nim sprzeczać.

– Gdzie ona może być?

– Gdybym miał zgadywać...

Duncan od razu zaczął przepychać się przez tłum. Usłyszał za plecami, jak ktoś woła go po nazwisku – głosem wprawdzie znajomym, ale niepasującym do tego miejsca.

Hrabia Tremley nie był członkiem klubu.

Duncan powiedział to głośno, a Tremley podszedł bliżej z uśmiechem na ustach.

– Dostałem zaproszenie na dzisiejszy wieczór... od twojej Anny. Słyszałem, że jest ładna, ale kiedy zobaczyłem ją na własne oczy... po prostu cudowna.

Duncan poczuł zimną wściekłość. Nie mógł znieść myśli, że Anna i Tremley mogą oddychać tym samym powietrzem, a nawet przebywać w tym samym pokoju.

– Coś ty zrobił?

– Mniej więcej to, co ty. – Lord Tremley uśmiechnął się szyderczo. – Prawdę mówiąc, zagrałeś o wszystko. Pięć tysięcy funtów za tożsamość Chase'a? Myślisz, że będzie spokojnie czekał, aż ta horda go dopadnie? Wolałem to komuś zlecić.

Duncan znieruchomiał.

– Komu?

– Twojej dziewczynie. Zawarliśmy umowę. To było naprawdę urocze.

Duncan wiedział, co teraz nastąpi, zanim jeszcze Tremley się odezwał.

– Zrobiła to dla ciebie, biedactwo. Myślała, że jeśli ujawni tajemnicę Chase'a, to cię ocali. – Spojrzał na Westa. – Obaj wiemy, że to niemożliwe.

A więc robiła to dla niego.

Cóż, sama to powiedziała.

Tremley postawił jej ultimatum: albo klub, albo on.

„Wybieram ciebie".

Dokonała wyboru bez chwili wahania.

„Najwyższy czas, żebyś mi zaufał".

Nie mógł pozwolić, żeby zrujnowała sobie życie. Nie mógł pozwolić, żeby zniszczyła wszystko, na co tak ciężko pracowała. Coś mu jednak w tym nie pasowało. Jeśli ujawni publicznie tożsamość Chase'a, to nie pomoże Tremleyowi. Jeśli cały świat się dowie, kim jest Chase, Upadły Anioł, który znał sekrety hrabiego, nadal będzie mógł wykorzystać informacje o jego zdradzie.

Ale teraz Tremley znał już słaby punkt Georgiany i mógł nią manipulować.

I będzie to robił do końca życia. Zamierza trzymać Georgianę i to miejsce w garści, stosując zwykły szantaż, tak jak robił to przez całe życie z Duncanem.

Tylko że Duncan miał już tego dosyć.

Od wielu lat żył w lęku, że Tremley ujawni jego przestępstwa, co groziło mu więzieniem albo stryczkiem. Długo gromadził majątek i ludzką przychylność, aby mieć pewność, że gdy już zostanie zdemaskowany, ktoś zaopiekuje się Cynthią. Płaszczył się, spierał, lecz wypełniał rozkazy Tremleya.

Ale dość tego.

Otworzył usta, żeby przekazać to hrabiemu, gdy na sali podniosła się jeszcze większa wrzawa. Na stole stała Georgiana, ubrana od stóp do głów w szkarłat. Za jej plecami spadał Lucyfer.

Więc jednak zamierza to zrobić.

– Panowie! – zawołała, wskazując, żeby usiedli. – I panie! – Spojrzała w stronę niewielkiej grupki kobiet w maskach.

Mężczyzna siedzący przy stole, na którym stała, sięgnął do jej pantofelka. West w jednej chwili ruszył z miejsca, aby zniszczyć tego śmiecia, ale ona cofnęła się o krok i nadepnęła na nadgarstek łajdaka.

– Och! – powiedziała, rozpływając się w uśmiechach. – Proszę wybaczyć, lordzie Densmore. Nie wiedziałam, że trzyma pan rękę tak blisko mojej stopy.

West stanął w miejscu, a salę wypełnił męski rechot.

– Bardzo się cieszymy, że zechcieliście spędzić z nami ten wieczór, który bez wątpienia będzie niezwykle budujący.

Ruszył w jej stronę, ale nie mógł się przecisnąć przez gęsty tłum. Zaczęło się przecież niecodzienne wydarzenie, na które wszyscy czekali.

– Jak wiecie, nasz drogi przyjaciel Duncan West wyznaczył nagrodę za tożsamość Chase'a…

West przystanął. Po jej słowach nastąpiło zbiorowe buczenie na znak dezaprobaty. Kilku gości klepnęło go w plecy.

– Czuje do ciebie miętę, West – szepnął jeden z nich.

– Nie mamy wątpliwości, że już wkrótce jeden z przedsiębiorczych dżentelmenów, których mam przed sobą, odkryje prawdę o założycielu Upadłego Anioła. – Zrobiła pauzę. – Pięć tysięcy funtów to bardzo dużo pieniędzy dla takiej zgrai jak wy, którzy przepuszczacie tu fortunę.

Znowu rozległy się śmiechy, ale Duncan zignorował to, próbując się do niej przedostać i powstrzymać wszelkimi sposobami.

– Ale my wierzymy w sprawiedliwość! No, w każdym razie uważamy, że pieniądze powinny płynąć do naszych kieszeni, a nie odwrotnie. I dlatego chcę coś wyznać… – Zawiesiła dramatycznie głos dla większego efektu. Zrozumiał, że nie zdoła jej powstrzymać.

Rozłożyła szeroko ręce.

– To ja jestem Chase'em!

Nie przyszło mu do głowy, że jej nie uwierzą, ale kiedy sala ryknęła niepohamowanym śmiechem, zdał sobie sprawę, w jaki sposób może ocalić ją i klub, a przy okazji uwolnić się od Tremleya.

Przecisnął się do najbliższego stolika, wskoczył na blat i stanął z nią twarzą w twarz.

– Nie zapłacę, dopóki nie dostarczysz dowodu, Anno – oznajmił kpiącym tonem. Popatrzył na zgromadzonych. – Czy ktoś jeszcze chce się z nami podzielić informacją? Powtórzę to jeszcze raz w tym wspaniałym miejscu, które stworzył Chase. Pięć tysięcy funtów nagrody za jego tożsamość. Zapłacę jeszcze tej nocy.

Zamilkł i modlił się, żeby jeden z jej wspólników był wystarczająco bystry, by zrozumieć, do czego zmierza.

Pierwszy włączył się Cross, który wskoczył na stół do ruletki.

– Raczej nie uwierzysz, że to ja jestem Chase'em, co, West?

Duncan pokręcił głową.

– Nie uwierzę.

– Albo ja? – Temple stał na stole do gry w oczko na drugim końcu sali. Schylił się i wciągnął na blat swoją żonę. – Albo księżna?

Jej Książęca Mość zawołała:

– Jestem Chase'em!

Sala znowu ryknęła śmiechem.

Kobiety i mężczyźni, mający dług wdzięczności wobec Georgiany, jedni po drugich wykrzykiwali, że są Chase'em: ochroniarze klubu, szef sali, Bourne, krupierzy, wszyscy, którzy pracowali w Upadłym Aniele. Dwaj lokaje i nawet Francuz, szef kuchni, który słysząc zamieszanie na sali, wyszedł ze swojego królestwa, oznajmił:

– La Chase.

A potem także inni włączyli się do zabawy – mężczyźni, którzy nigdy jej nie poznali, nigdy się do niej nie zbliżyli. Chcieli po prostu wywołać śmiech, którym goście witali kolejne osoby podające się za Chase'a.

I rzeczywiście wybuchała ogólna wesołość za każdym razem, gdy kolejna osoba wypowiadała stanowczym tonem te same dwa słowa. W ten sposób Chase stawał się wśród graczy mitem. Legendą.

Bo przecież żaden Chase nie istniał, nie mógł istnieć, skoro wszyscy po kolei przyznawali się, że są tajemniczym mężczyzną ukrytym za wielkim witrażem i obserwującym z wysokości swoje królestwo.

Duncan spojrzał na Georgianę. Przyglądała się z niedowierzaniem ludziom, którzy stanęli za nią murem i bez chwili wahania.

W jej oczach, gdy napotkała jego spojrzenie, lśniły łzy. Chciałby wejść na stół, na którym stała, i powiedzieć jej, jak bardzo ją wszyscy kochają. I jaką jest wyjątkową osobą.

– Nie! – wrzasnął hrabia Tremley, a Duncan odwrócił się i zobaczył, że patrzy w jego stronę. – To nieprawda! – darł się Tremley, wspinając się na sąsiedni stolik i odwracając do Westa. – Uknułeś to razem ze swoją dziwką, żeby zachować w tajemnicy swój sekret!

Wszyscy ucichli, widząc ten napad wściekłości.

Duncanowi waliło serce, Tremley zwrócił się do sali:

– Postawcie sobie pytanie, kim jest człowiek, który wydaje wasze gazety. Skąd pochodzi? Jak doszedł do takich pieniędzy?

Duncan spojrzał na Georgianę. Miała szeroko otwarte, przerażone oczy. Wiedział, że to koniec – teraz Tremely ujawni to, co wie, aby zgubić Westa.

Czekając, aż topór spadnie na jego głowę, już się tym nie przejmował. Liczył się tylko fakt, że Georgiana była bezpieczna.

Tremley zadał ostatnie pytanie:

– Zapytajcie go, jak się nazywa.

Słowa Tremleya zawisły w ciszy, jaka zapadła w pokoju.

Duncan wpatrywał się w oczy Georgiany, gotów na to, co miało nadejść. I chociaż uśmiechała się zuchwale, widział w jej oczach bezbrzeżny strach.

– Tylko niech pan nie mówi, milordzie, że nazywa się Chase – odparła.

To zdanie, trafione w dziesiątkę, a wypowiedziane przez jego piękną, ukochaną kobietę, wywołało kolejne salwy śmiechu. Ocaliła go. Odwzajemniła się za to, co zrobił przed chwilą na oczach ciekawskiego tłumu. I tylko oni dwoje wiedzieli, co się naprawdę dzieje.

Tremley wpadł w szał, słysząc ten śmiech. Sięgnął do kieszeni płaszcza, wyjął pistolet i wycelował w Westa.

– Mam cię dość! – warknął.

Śmiech zgasł w jednej chwili, a jego miejsce zajęło przerażenie. Georgiana potrafiła myśleć tylko o Duncanie.

Nie po to go przed chwilą ocaliła, żeby teraz stracić na dobre. Poszukała wzrokiem Bourne'a i Temple'a, którzy przeciskali się przez tłum, ale byli za daleko, by dotrzeć do Tremleya na czas.

Duncan podniósł ręce.

– Milordzie – zaczął. – Na pewno nie chce pan tego zrobić.

Tremley wybuchnął śmiechem.

– Niewiele jest rzeczy, których pragnę bardziej niż twojej śmierci. Jak śmiesz myśleć, że możesz wykorzystać moje grzechy przeciwko mnie? Nie zdajesz sobie sprawy, kim jestem?

– Wiem, kim jesteś – powiedział Duncan. – Wielu ludzi to wie. Wszyscy na tej sali. A jeśli mnie zabijesz, udowodnisz, że to prawda.

– Ale się tym nie zmartwią.

– Myślę, że nie ma pan racji – oznajmiła Georgiana, zdumiona, że w jej głosie nie słychać strachu, gdy tymczasem bała się panicznie, że Duncan zginie.

Straci go i nigdy nie będzie mogła mu wyznać, jak bardzo go kocha. Była przerażona perspektywą życia bez niego.

Tremley odwrócił się w jej stronę.

– Jeśli ciebie zabiję, też się tym nie zmartwią.

– Nie! – wrzasnął Duncan z furią. Kątem oka Georgiana dostrzegła, że ruszył w stronę hrabiego, przeskakując po stołach.

Georgiana skupiła spojrzenie na pistolecie, zastanawiając się, czy Tremleyowi starczy odwagi, aby pociągnąć za cyngiel. Kto zaopiekuje się Caroline, jeśli ona zginie.

I kto będzie kochał Duncana, jeżeli jej zabraknie.

Żałowała, że nie starczyło jej odwagi, by powiedzieć mu, że go kocha.

– Proszę o odpowiedź, milordzie – odezwał się silny, czysty głos. Odwróciła się i dostrzegła kobietę w masce, stojącą na stole za Duncanem. – Czy ktoś się zmartwi, jeśli cię zabiję, ty wstrętny zdrajco?

To była lady Tremley.

Georgiana rozpoznała ten głos w tej samej sekundzie, w której Duncan skoczył na Tremleya, a w wielkiej sali rozległ się huk wystrzału.

Tremley i Duncan spadli ze stołów, ale zanim dotknęli podłogi, Georgiana już ruszyła w ich stronę, choć serce podchodziło jej do gardła.

Tłum oszalał. Ludzi krzyczeli i biegali, tratując się nawzajem. Georgiana nie mogła znaleźć Duncana – dym po wystrzale i kłębiący się ludzie zasłaniali jej widok.

Gdy w końcu go znalazła, leżał na podłodze na plecach, z zamkniętymi oczami.

– Nie… – powtarzała szeptem, kładąc dłonie na jego piersi. Rozpięła mu ubranie. – Nie, nie, nie, nie.

Złapał ją za rękę.

– Przestań!

– Żyjesz!

Otworzył oczy.

– Owszem.

Wybuchnęła płaczem.

– Ukochana – szepnął, usiadł i wziął ją w ramiona. – Nie płacz. Chryste – wymruczał w jej włosy. – Jesteś zachwycająca. Ocaliłaś mnie, moja cudowna, idealna dziewczyno.

– Myślałam, że nie żyjesz. – Westchnęła.

– Nic mi nie jest. – Popatrzył ponad jej głową na nieruchome ciało Tremleya leżące w pobliżu. – Ta dama ma dobre oko.

Duncan poprawił frak, szukając czegoś w kieszeniach, po czym uważnie popatrzył na podłogę.

– Co się stało? – spytała.

Pochylił się i podniósł coś z dywanu.

– Tak gorliwie mnie ratowałaś, że o mały włos zginęłaby mi najcenniejsza rzecz, jaką posiadam.

Wyprostował się i pokazał piórko.

Jej piórko.

Wyjęte z jej fryzury pierwszej nocy, której spotkali się jako Georgiana i West na balu u Worthingtonów.

Jej oczy znowu wypełniły się łzami. Duncan włożył piórko do kieszeni fraka, tej na sercu, po czym zaczął wycierać łzy z jej policzków.

– Nie płacz, kochanie. Jestem cały i zdrowy. Przy tobie.

– Myślałam, że chce cię zabić – wyjaśniła.

– Ale nie zabił – odparł z naciskiem, zerkając na lady Tremley. – Za to sam zginął z jej ręki. Może powinniśmy coś wymyślić, żeby nie skończyła na stryczku?

Anna wstała i wszyscy ucichli, wstrząśnięci wydarzeniami wieczoru. Nie bardziej jednak niż lady Tremley, która wydawała się zaszokowana tym, że zabiła swojego męża.

Cóż, to było z pewnością morderstwo. I wiedzieli o tym właściciele Upadłego Anioła, wymieniający teraz spojrzenia nad stygnącym ciałem hrabiego. Sytuacja wymagała szybkiego działania, bo jeśli ktoś zasługiwał na śmierć, to z pewnością lord Tremley.

Georgiana omiotła wzrokiem milczących ludzi i postanowiła wziąć sprawy w swoje ręce. Weszła na stół do ruletki i zaczęła mówić:

– Nie muszę wam chyba przypominać, że każdy z was powierzył nam w zaufaniu jakiś sekret.

Temple w lot zrozumiał, do czego zmierza. Wszedł na stół i stanął obok niej.

– Jeśli piśniecie choć słówko o tym, co tu dziś zaszło...

Bourne również wstał.

– Przecież nic się nie stało...

– Zupełnie nic. Ot, zwykła samoobrona – dodała Georgiana.

– Dzięki temu uratowano życie dwóm zupełnie niewinnym osobom – zauważył Duncan, wspomagając ją.

Cross odezwał się z miejsca, w którym stał:

– Ale jeżeli wiadomość o tym wyjdzie poza to pomieszczenie, to każda z waszych tajemnic...

– ...co do jednej... – wtrąciła Georgiana.

Duncan wszedł na stół i stanął obok niej.

– ...zostanie opublikowana w moich gazetach.

Znaczenie tych słów momentalnie dotarło do zgromadzonych i przez chwilę nic nie mąciło ciszy – członkowie Upadłego Anioła przypominali sobie, po co przyszli do tego miejsca, gdzie w tajemnicy spłacali swoje długi.

Przyszli tu po to, żeby grać.

A więc zabrali się do tego bez dalszej zwłoki.

Georgiana i Duncan zeskoczyli ze stołu i odeszli na bok, uśmiechając się do siebie.

Tremley był martwy. A Duncan mógł zacząć żyć pełną piersią, jako wolny człowiek.

Nie musiał się bać o przyszłość.

Zagrożenie zniknęło wraz z mężczyzną, który je uosabiał.

Pochylił się i szepnął Georgianie do ucha:

– Jesteśmy wspaniałą parą, kochana.

Miał rację.

Pasowali do siebie idealnie.

Wzięła głęboki oddech, choć jej serce nadal ściskało przerażenie.

– Myślałam, że cię zabije – powtórzyła. – A wtedy nie miałabym już okazji, żeby ci powiedzieć, że...

Dostrzegła w jego oczach błysk radości, którą szybko zgasił żal. I poczucie straty.

– Nie mów – szepnął, przyciskając usta do jej skroni. – Nie mów mi, że mnie kochasz. Jeśli powiesz, to nie wiem, czy będę w stanie znieść twoje odejście.

Bo musiała go zostawić.

Ta chwila w końcu nadejdzie, a to, co przydarzyło się dziś Annie i Chase'owi... nie zmieniało życia Georgiany. Jutro nadal będzie musiała walczyć o swoją reputację. I myśleć o Caroline.

I o tytule. O szacunku. Chase, Anna i West ocaleli... ale Georgiana nadal żyła z piętnem skandalu.

Poczuła ból w piersi, rozumiejąc, że Duncan ma rację. Że to, co się stało, nie miało żadnego znaczenia.

Dziś w nocy zmieniło się wszystko. A zarazem nic.

22

Dwa dni później w domu brata Georgianę obudził rano zapach kwiatów, a gdy otworzyła oczy, zobaczyła nad sobą twarzyczkę córki.

Od razu powrócił głęboki, wszechogarniający smutek, który trawił ją od dwóch dni, odkąd Duncan West wyszedł z Upadłego Anioła.

I nic nie wskazywało na to, by ten smutek zamierzał ją opuścić.

– Coś się stało – oznajmiła Caroline, stojąc przy łóżku. – I myślę, że powinnaś o tym wiedzieć.

Stało się tysiąc rzeczy. Jej klub przetrwał. Jej tożsamość pozostała tajemnicą, podobnie jak inne sekrety. Zdrajca zginął, a jego żona ocalała – była teraz w drodze do Yorkshire, gdzie zamierzała rozpocząć nowe życie.

A Georgiana nauczyła się kochać, ale od razu musiała się wyrzec tej miłości. Nie miała wyboru.

Ale nie sądziła, aby Caroline miała na myśli którąkolwiek z tych spraw.

Georgiana usiadła i przesunęła się, żeby zrobić córce miejsce, ale mała nie chciała wejść do łóżka, co się prawie nie zdarzało.

– Co się stało? – Dotknęła różyczki wetkniętej fantazyjnie we włosy córki. – Skąd to masz?

Caroline otworzyła szeroko niebieskie oczy, wyraźnie podekscytowana, i też dotknęła kwiatka.

– Dostałaś kwiaty. Całe mnóstwo kwiatów. – Chwyciła Georgianę za rękę. – Chodź. Musisz je zobaczyć.

Georgiana ubrała się wygodnie – w spodnie, półgorset i prostą płócienną koszulę – bo i tak nie miała na kim robić wrażenia. Caroline zaprowadziła ją do jadalni, gdzie czekał tuzin bukietów.

A może i dwa tuziny. Albo więcej.

Róże i piwonie, tulipany i hiacynty – ułożone w zachwycające bukiety o różnorodnych kolorach, rozmiarach i kształtach. Zabrakło jej tchu i przez chwilę myślała, że przysłał je Duncan.

Jej wzrok spoczął na białych różach ułożonych w formie konia. Uniosła brew.

– Czy stało się coś jeszcze?

Caroline uśmiechnęła się jak kot, który dostał swoją śmietankę.

– Znowu jest rysunek. – Podniosła gazetę, która leżała przy talerzu na miejscu Georgiany. – Ale tym razem dobry.

Georgianę przeszył dreszcz. Nie sądziła, aby jakikolwiek rysunek w gazecie mógł być „dobry".

Jakże się myliła.

Na pierwszej stronie „Wiadomości Londyńskich" zobaczyła rysunek, który wydawał jej się zarazem znajomy i zupełnie nieznany. Na końskim grzbiecie siedziała kobieta ubrana w strój tak piękny, że nie powstydziłaby się go królowa. Długie włosy miała rozwiane od jazdy. O pół długości konia za nią jechała na własnym wierzchowcu uśmiechnięta dziewczynka, ubrana równie wytwornie.

Ten rysunek, w przeciwieństwie do poprzedniego, nie ukazywał gardzących nimi rodziny i arystokratów. Zgromadzeni wokół nich ludzie oddawali im hołd na kolanach, jakby rzeczywiście były królowymi.

Nagłówek brzmiał: „Wytworne damy na białych rumakach podbiły serca londyńczyków".

Większość hołdowników stanowili mężczyźni, w mundurach albo w oficjalnych strojach. Uwagę Georgiany przyciągnęła postać na drugim planie. Gdyby nawet nie rozpoznała tego mężczyzny po prostym nosie i jasnych włosach, to z pewnością po piórku, które wystawało z kieszeni fraka.

Które wyjął z jej włosów.

I które ocalił po tym, jak omal nie stracił życia w Upadłym Aniele.

To był bardzo dobry rysunek.

– Myślę, że to my – stwierdziła Caroline z dumą i radością.

– Myślę, że masz rację.

– I myślę, że stąd wziął się ten koń z białych róż. Chociaż to już lekka przesada.

Georgiana roześmiała się, ale do jej oczu napłynęły niechciane łzy.

– Chyba masz rację.

Ostatnio łzy płynęły z byle powodu.

– To piękny rysunek, prawda? – Caroline spojrzała na nią. Dostrzegła łzy. – Matko?

Georgiana szybka wytarła twarz, starając się zamaskować płacz śmiechem.

– Trochę niemądry – przyznała i wzięła głęboki oddech. – Ale to bardzo miłe ze strony pana Westa.

Caroline zmrużyła oczy.

– Myślisz, że to pan West go zamieścił?

Wiedziała, że tak, ale odparła tylko:

– To jego gazeta. – Georgiana pochyliła się i pocałowała córkę w czubek głowy, żeby sobie przypomnieć, że to dla niej żyje. Dla tej dziewczynki. Dla jej przyszłości. – Zobaczymy, kto te kwiaty przysłał.

Caroline poszła zebrać wszystkie wizytówki przypięte do kwiatów, a Georgiana przesunęła palcami po rysunku. A więc Duncan kazał umieścić tu siebie.

Chociaż z niej zrezygnował, a przedtem dał jej wszystko to, czego, jak sądziła, kiedyś pragnęła, nadal zaszczycał ją swoją miłością.

Tylko że teraz nie chciała już nic więcej.

Caroline przyniosła wizytówki i zaczęły je przeglądać, a każde z nazwisk wydawało się lepsze od poprzedniego. Bohaterowie wojenni. Arystokraci. Dżentelmeni.

Ale żadna wizytówka nie była od dziennikarza.

Przeglądała kartki coraz bardziej gorączkowo, w miarę jak ich stos malał. Miała nadzieję, że choć jeden bukiet był od niego. Miała nadzieję, że jej nie opuścił, ale wiedziała, że to płonna nadzieja.

„Nie mów mi, że mnie kochasz. Jeśli powiesz, to nie wiem, czy będę w stanie znieść twoje odejście".

Powinna była mu to powiedzieć. Od pierwszej chwili. Powinna była powiedzieć mu prawdę. Że go kocha. Że gdyby mogła wybrać sobie takie życie, jakie by chciała, swoją przyszłość, swój świat... to on musiałby w nim być.

Rozległo się pukanie do drzwi pokoju. Stanął w nich kamerdyner brata.

– Milady... – odezwał się z pewną rezerwą, jak zwykle. Napuszony sługus jej brata nie przejmował się, że jaśnie pani chodzi po domu w spodniach i koszuli. I tak nikt jej nigdy nie odwiedzał.

Odwróciła się do służącego w przypływie nagłej nadziei. Może przyniósł ostatnią wiadomość od niego?

– Tak?

– Ma pani gościa.

A jednak przyszedł.

Wypadła do holu i ujrzała mężczyznę, który czekał z kapeluszem w dłoni. Stanęła jak wryta.

To nie był Duncan.

Wicehrabia Langley odwrócił się do niej ze zdziwieniem w oczach.

– Och – jęknęła.

Langley nie wyglądał na skrępowanego.

– Milordzie – powiedziała i lekko dygnęła.

Patrzył na nią zafascynowany.

– Tak się składa – stwierdził – że nigdy nie przyjmowałem ukłonu od kobiety w spodniach. To wygląda dosyć zabawnie.

Uśmiechnęła się nieznacznie.

– Są wygodniejsze. Nie spodziewałam się...

– Jeśli wolno coś zasugerować – podniósł gazetę, którą trzymał w dłoni – powinna się pani spodziewać. Jest pani głównym tematem rozmów. I przypuszczam, że po mnie pojawi się wielu gości.

– Nie wiem, czy chcę być kimś ważnym dla socjety.

– Już za późno. Po dwóch tygodniach nieprzerwanej adoracji w gazetach musieliśmy, oczywiście, uznać panią za jedną z nas.

– Powinnam się cieszyć?

– Jak najbardziej. – Roześmiał się. – Nigdy nie przejmowaliśmy się etykietą.

– To prawda, milordzie.

– Skoro tak i skoro ma pani na sobie spodnie, to myślę, że możemy darować sobie formalności.

– Oczywiście.

– Przyszedłem prosić panią o rękę.

Posmutniała. I nie mogła nic na to poradzić. Przecież właśnie tego chciała od samego początku. Starannie go wybrała spośród wszystkich kandydatów, bo idealnie spełniał jej wymagania.

Ale teraz pragnęła już w małżeństwie czegoś więcej. Pragnęła partnerstwa, zaufania i przywiązania. A także miłości.

I pożądania.

Pragnęła Duncana.

– Widzę, że nie jest pani zachwycona – zauważył wicehrabia.

– To nie tak – wykrztusiła, a do jej oczu znowu napłynęły łzy.

Zamrugała, żeby je powstrzymać. Co się z nią, do licha, dzieje od czterdziestu ośmiu godzin?

Langley się uśmiechnął.

– No cóż, powiadają, że niektóre kobiety płaczą przy oświadczynach. Ale zazwyczaj ze szczęścia, prawda? Nie jestem jednak kobietą i nie znam się na sprawach matrymonialnych… – Zawiesił głos.

Roześmiała się i wytarła łzy.

– Zapewniam pana, milordzie, że ja też nie jestem ekspertem w sprawach matrymonialnych. I dlatego nie umiem sobie poradzić z tą sytuacją.

Stali w milczeniu przez dłuższą chwilę, po czym wicehrabia rozłożył ręce i wskazał na marmurową podłogę.

– Może powinienem przed panią uklęknąć?

Pokręciła głową.

– Och, niech pan tego nie robi. – Po chwili namysłu dodała: – Przepraszam. Wszystko psuję.

– Wcale nie – zaprzeczył cicho i podszedł od niej. – Myślę tylko, że moja propozycja matrymonialna nie jest tą, na którą pani czeka.

– To nieprawda – skłamała, wyobrażając sobie zamiast niego wysokiego, jasnowłosego i przystojniejszego mężczyznę.

– Proszę nie zaprzeczać. Myślę, że chciałaby tu pani widzieć innego człowieka. Bez tytułu, ale wspaniałego. – Spojrzała mu przelotnie w oczy.

Skąd on wiedział? – Nie mogę tylko zrozumieć, dlaczego zadowala się pani mną, skoro mogłaby mieć jego.

Na to pytanie potrafiła odpowiedzieć.

– Proszę nie mówić, że zadowalam się panem. Nie myślę tak o naszym małżeństwie, milordzie.

– Oczywiście, że tak. Nie jestem Duncanem Westem.

Nie było sensu dalej udawać.

– Skąd pan wie?

– Należymy do tego samego klubu. Odwiedził mnie i kazał mi się z panią ożenić. – Odwróciła wzrok, ale nie mogła przestać słuchać. – Zachwalał pani zalety. Mówił, że będę szczęściarzem, jeśli się z panią ożenię. Cóż, przekonał mnie. Oboje wiemy, że to by było małżeństwo z rozsądku, ale znam dobre małżeństwa zawarte z gorszych powodów. – Spojrzała na niego uważnie. – I wtedy zdarzyła się najdziwniejsza rzecz.

– Co takiego? – zapytała, rozpaczliwie pragnąć usłyszeć, co ma do powiedzenia.

– Zobaczyłem, jak bardzo go pani kocha.

W jej głowie zadźwięczał ostrzegawczy dzwonek.

– Nie wiem, co pan ma na myśli.

Uśmiechnął się.

– Proszę się nie martwić. Wszyscy mamy sekrety. A zważywszy na to, kim pani jest, kiedy nie przebywa tutaj, ubrana w spodnie, doskonale zna pani moje tajemnice.

I pomyśleć, że kiedyś chciała je wykorzystać, zagrozić, że je ujawni, jeśli się z nią nie ożeni. Ale Chase ostatnio złagodniał. Georgiana niemal za nim zatęskniła, kiedy Langley dodał:

– A ja wiem, jaki smutek człowiek odczuwa w głębi serca, kiedy wie, że nigdy nie będzie miał tego, czego najbardziej pragnie.

Do jej oczu znowu napłynęły łzy.

– Czego pani pragnie, milady?

– To bez znaczenia – odparła szeptem.

– I właśnie tego nie potrafię zrozumieć. Dlaczego odmawia pani sobie szczęścia?

– To niezupełnie tak – próbowała wyjaśnić. – Po prostu robię to, co muszę zrobić, żeby mieć pewność, że moja córka będzie szczęśliwa. Żeby miała szansę dostać to, czego zapragnie.

Na rasowej twarzy Langleya pojawił się wyraz zrozumienia, ale zanim odpowiedział, odezwał się ktoś inny:

– Ale dlaczego nie spytasz, czego ja chcę?

Georgiana obróciła się na pięcie. W drzwiach jadalni stała Caroline z bardzo poważną miną.

– No, dalej – zachęciła ją córka. – Zapytaj mnie.

– Caroline… – zaczęła.

Dziewczynka ruszyła w jej stronę.

– Przez całe życie decydujesz za mnie.

– Przez całe twoje życie – zauważyła Georgiana. – Czyli przez dziewięć lat.

Caroline ściągnęła brwi.

– Dziewięć lat i ćwierć – poprawiła ją i mówiła dalej: – Wysłałaś mnie do Yorkshire, potem przywiozłaś tutaj, do Londynu. Wynajęłaś najlepsze guwernantki, otoczyłaś mnie opiekunkami. – Przerwała na chwilę. – Kupujesz mi wytworną garderobę i jeszcze wytworniejsze książki. Ale ani razu nie zapytałaś mnie, czego bym chciała.

Georgiana przypomniała sobie własne młode lata. Była rozpieszczana i dostawała wszystko, o czym mogła zamarzyć, ale nie miała żadnego wyboru. I kiedy w końcu nadarzyła się okazja do podjęcia samodzielnej decyzji, skoczyła w przepaść bez namysłu.

– A więc czego byś chciała?

– No cóż – westchnęła dziewczynka, podchodząc bliżej. – Chciałabym wyjść za mąż z miłości, kiedy dorosnę, więc dobrze by było, żebyś postąpiła tak samo. – Odwróciła się do Langleya. – Bez obrazy, milordzie. Jestem pewna, że jest pan uroczym człowiekiem.

Ukłonił się z uśmiechem.

– Nie obrażam się.

Caroline odwróciła się z powrotem do matki.

– Przez całe życie tłumaczyłaś mi, że nie możemy pozwolić, żeby socjeta mówiła nam, jak mamy żyć. I żeby inni pokazywali nam drogę. Wybrałaś dla nas inne życie. Przywiozłaś mnie tutaj, chociaż wiedziałaś, że to będzie trudne. Wiedziałaś, że będą się z nas śmiać. – Pokręciła głową. – I co mam teraz myśleć, skoro chcesz poślubić człowieka, którego nie kochasz w zamian za tytuł i przyzwoitość? A może ja tego wcale nie chcę? Przecież żyję w otoczeniu kobiet, które szły własną drogą. Myślisz, że to dobry pomysł, żeby mi wytyczać taką ścieżkę?

Georgiana w końcu się odezwała:

– Bo to łatwa ścieżka, kochanie. Chcę, żeby tobie było łatwiej.

Caroline przewróciła oczami.

– Wybacz, matko, ale to mi się wydaje okropnie nudne.

Langley się roześmiał, ale obie zmierzyły go wzrokiem.

– Przepraszam – powiedział – ale ona ma rację. To naprawdę wydaje się okropnie nudne.

Bóg świadkiem, że było nudne. Ale nie mogła się poddać.

– Ale jeśli się zakochasz... jeśli będziesz chciała poślubić arystokratę... to zapragniesz szacunku, który daje tytuł.

– Jeśli się zakocham w arystokracie, to czy on nie da mi tytułu, którego potrzebuję?

Pytanie trafiło w sedno. Aż trudno było uwierzyć, że dziewięcioletnia dziewczynka mogła je postawić z tak doskonałą prostotą.

Georgiana spojrzała w poważne zielone oczy córki.

– Skąd ty się taka wzięłaś?

Caroline się uśmiechnęła.

– Z ciebie. – Uniosła w górę plik wizytówek, które były dołączone do kwiatów. – Czy chcesz wyjść za mąż za któregoś z tych mężczyzn?

Georgiana zaprzeczyła.

– Nie chcę.

Caroline wskazała na Langleya.

– A chcesz wyjść za niego? Proszę o wybaczenie, milordzie.

Machnął ręką.

– Całkiem dobrze się bawię. Chce pani za mnie wyjść? – Skierował pytanie do Georgiany.

Roześmiała się.

– Nie chcę. Przykro mi, milordzie.

Wzruszył ramionami.

– Nie żywię urazy. Również nie mam specjalnej ochoty, żeby się z panią żenić.

– Matko – zaczęła cicho Caroline. – Czy jest ktoś, kogo chciałabyś poślubić?

Oczywiście, był taki mężczyzna. Mieszkał niemal na drugim końcu Londynu i rozpaczliwie pragnęła zostać jego żoną. Bo kochała go bezgranicznie.

Przyszedł jej na myśl rysunek, na którym był klęczący Duncan z piórkiem wystającym z kieszeni. Zabrakło jej tchu.

– Tak – przyznała cicho. – Tak, jest taki ktoś, za kogo bardzo bym chciała wyjść za mąż.

– I będziesz z nim szczęśliwa?

– O, tak. Wierzę w to całym sercem.

Caroline się uśmiechnęła.

– A zatem czy nie sądzisz, że powinnaś dać dobry przykład córce? I pomyśleć o swoim szczęściu?

Georgiana stwierdziła, że to bardzo dobry pomysł.

Odkąd rozstał się z Georgianą, przepłynął tyle kilometrów w basenie, że byłby już chyba po drugiej stronie oceanu.

Wiele razy chciał do niej pójść, wyciągnąć ją z łóżka i uprowadzić w ciemną noc, a potem trzymać pod kluczem, aż sobie uświadomi, że jej plan jest idiotyczny. Chciał się z nią kochać, aż dojdzie do wniosku, że to on jest mężczyzną, którego powinna poślubić i niech diabli wezmą przyzwoitość, skandal oraz przeklętą arystokrację. Ale zawsze zamiast do niej szedł popływać.

Zanim poznał Georgianę, znajdował w pływaniu głębokie ukojenie i wielką przyjemność. To się zmieniło, odkąd każdy skrawek basenu przypominał mu o niej, o tym, jak stała tu wysoka, dumna i piękna. Gdy przechodził przez tę salę, widział ją przy kominku; gdy dotykał brzegu basenu, żeby zawrócić, widział jej nogi zanurzone w wodzie; gdy owijał biodra ręcznikiem i szedł do sypialni, czuł dotyk jej miękkiego, ciepłego i chętnego ciała; gdy spoglądał na niebo przez szklane panele, widział jej uśmiech.

I gdziekolwiek spojrzał, miał ogromne poczucie straty.

Odepchnął się od brzegu basenu i zawrócił. Przepłynął kolejną długość.

Pływał tak od dwóch dni, mając nadzieję, że fizyczne wyczerpanie pomoże mu wyrzucić ją z myśli. Robił przerwy tylko na jedzenie i spanie, chociaż sypiał niewiele, bo gdy tylko zamknął oczy, widział ją. I nic innego.

Wiele razy chciał do niej pójść, ale się powstrzymywał, bo nie wiedział, co miałby jej powiedzieć. Układał w myślach mowy, okraszone pięknymi słowami, które miały ją przekonać, że się myli. Że to on jest dla niej idealnym mężczyzną i niech diabli wezmą resztę świata.

I setki razy żałował, że nie pozwolił jej powiedzieć, że go kocha.

Bo może znalazłby ukojenie w tych słowach.

Ale niewykluczone, że odtwarzałby je we wspomnieniach tyle razy, aż w końcu by je znienawidził.

Może więc lepiej się stało, że jej na to nie pozwolił.

Przecinał wodę ramionami, aż poczuł ból. Z zamkniętymi oczami dopłynął do ściany basenu, wyrzucając to wszystko z pamięci. Postanowił zakończyć tę rundę pływania. Na razie miał dość.

Otworzył oczy i jego wzrok natrafił na parę brązowych pantofelków pół kroku od niego. Podniósł wzrok i serce zaczęło mu walić jak szalone.

Georgiana.

– Czy mogę ci to teraz powiedzieć?

– Jak się tu dostałaś?

– Langley mnie przywiózł. Czy mogę ci to teraz powiedzieć?

Uklękła przed nim i oparła się na rękach, aby być bliżej niego.

– Czy mogę ci wyznać, że cię kocham?

Objął ją za szyję i przyciągnął bliżej.

– Tylko pod warunkiem – zaczął, a serce o mało nie wyskoczyło mu z piersi – że będziesz to powtarzać codziennie. Do końca życia.

– To będzie zależało od ciebie.

Spojrzał jej w oczy, starając się zrozumieć znaczenie tych słów. Wolał nie robić sobie nadziei, że znaczą dokładnie to, co znaczą.

– Georgiano… – szepnął, szczęśliwy, że może wreszcie wymawiać jej imię.

– Bo widzisz… nie będę mogła mówić ci tego codziennie, jeśli będziemy rozdzieleni – odpowiedziała łamiącym się głosem i niczego więcej w tej chwili nie pragnął, jak ją przytulić. – Więc jeśli mnie chcesz…

– Przestań.

Wynurzył się z basenu. Pisnęła, gdy woda ją opryskała, a potem spłynęła na kafelki, mocząc jej spodnie i rujnując buty.

Był teraz tuż przy niej, na kolanach, i szukał wzrokiem jej twarzy.

– Kradniesz mi rolę. – Ujął jej dłonie. – Powiedz mi to jeszcze raz.

Spojrzała mu w twarz. Zabrakło mu tchu, gdy zobaczył wyraz bezgranicznej szczerości w jej pięknych bursztynowych oczach.

– Kocham cię.

– Łajdaka bez tytułu?

– Hultaja. I nicponia. Co wolisz.

– Naprawdę mi się podobasz.

– Mam nadzieję, że to nie wszystko – stwierdziła z uśmiechem.

– Wiesz, że nie – szepnął i przytulił ją mocno. – Przecież cię kocham. Od pierwszej chwili gdy cię ujrzałem na tym ciemnym balkonie, gdzie broniłaś siebie i tych, których kochasz. Wielbię cię od tamtej chwili. I chciałem zaliczać się do ich grona.

– Kocham cię – szepnęła.

– Powiedz to jeszcze raz – poprosił, całując ją mocno i bez pośpiechu.

– Nie mogę tego mówić, kiedy mnie całujesz – zaprotestowała.

– To poczekaj chwilę. Powiesz, kiedy skończę. – Więc za każdym razem, gdy odrywał usta od jej warg, szeptała:

– Kocham cię.

W końcu Duncan odsunął się i oznajmił:

– To zawsze byłaś ty. Zostań moją żoną. Wybierz mnie.

– Tak – obiecała. – Będę twoją żoną.

– Kiedy?

– Zaraz. Jutro. W przyszłym tygodniu. Na zawsze.

Wstał i uniósł ją w ramionach.

– Na zawsze – zgodził się. – Wybieram na zawsze.

I zostali razem. Na zawsze.

Epilog

Upadły Anioł
Rok później

Georgiana stała w prywatnym pokoju właścicieli Upadłego Anioła i obserwowała, co dzieje się na dole. W kasynie roiło się od graczy. Jej spojrzenie zatrzymało się na ruletce stojącej na środku sali. Wirujące koło zostawiało czerwone i czarne smugi. Pół tuzina mężczyzn pochyliło się, gdy zwolniło bieg.

– Czerwone – szepnęła.

I wypadło czerwone, a jednemu z graczy poszczęściło się widać bardzo, bo z radości wyrzucił w górę ramiona. Wygrał. A wygrana w ruletce to był prawdziwy triumf.

Decydował ślepy traf.

Szczęście i los, przypadek i przeznaczenie – na tych filarach Georgiana zbudowała całe imperium. Odebrała niezwykłą lekcję o kłamstwach i prawdzie, o zemście i skandalu. Ale mimo to nadal wstrzymywała oddech, gdy kręciło się koło ruletki.

Drzwi do pokoju się otworzyły. Wiedziała bez patrzenia, kto przyszedł. Jej oddech przyspieszył. Duncan otoczył ją silnymi, ciepłymi ramionami i powędrował wzrokiem za jej spojrzeniem.

– Tyle masz gier do wyboru w tej twojej jaskini hazardu – szepnął jej do ucha – ale zawsze wybierasz ruletkę. Dlaczego?

– Bo tylko w ruletce wygrana zależy całkowicie od przypadku – odparła. – To jedyna gra, w której nie da się kalkulować. W żadnej innej nie trzeba tyle zaryzykować, żeby wygrać. – Obróciła się w jego ramionach i splotła ręce na jego karku. – Zupełnie jak w życiu. Kręcimy kołem i...

Zamknął jej usta pocałunkiem, obejmując ją w talii i przytulając mocno.

Gdy ją puścił, westchnęła:

– I czasami zdobywamy upragnioną nagrodę.

Przesunął dłonie na jej nabrzmiały brzuch, w którym rosło jego dziecko.

– Czasami zdobywamy – zgodził się z nią. – Chociaż muszę ci powiedzieć, że często się martwię, że mam za dużo szczęścia... że w końcu moja pula musi się wyczerpać.

– Spotkało cię już w życiu dosyć nieszczęść. Nie pozwolę, żeby przyszły następne.

Uniósł brwi.

– Masz moc rozkazywania losowi?

Uśmiechnęła się szeroko.

– W te dni, kiedy nie masz szczęścia, musisz się oprzeć na czymś innym.

Pocałował ją znowu, po czym odwrócił ją do okna. Przez dłuższą chwilę przyglądali się graczom przy stolikach do kart i kości. W końcu musiała się przeciągnąć, żeby złagodzić skurcz pleców.

– Obiecałaś, że będziesz więcej sypiać – przypomniał i zaczął masować plecy Georgiany w krzyżu, żeby złagodzić ból, który teraz, gdy termin porodu zbliżał się wielkimi krokami, dokuczał jej coraz bardziej. – Nie powinno cię tu być.

Podniosła na niego zdziwiony wzrok.

– Chyba nie sądzisz, że przepuściłabym grę – zwróciła mu uwagę. – To może być ostatni raz. Niedługo urodzi się dziecko.

– Nie mogę się doczekać – wyznał. – Nigdy nie pozwalałem sobie na marzenie o dzieciach. Moja przeszłość mogłaby im zrujnować życie.

– Kiedy mały się urodzi, nie będziesz taki zadowolony – przekomarzała się z nim, patrząc znowu na salę kasyna. – Będzie płakał i marudził.

– Kiedy mała się urodzi, będę chciał ją mieć cały czas przy sobie – obiecał uroczyście. – Tak jak jej matkę i siostrę.

Uśmiechnęła się.

– Twoje kółko wiernych adoratorek.

– Są gorsze rzeczy – stwierdził i otoczył ją ramionami. Oparła się o niego. Zsunął dłoń po jej brzuchu i zatrzymał na udzie, podnosząc spódnicę, aż obnażył nogę do kolan.

– Uwielbiam cię w spodniach, kochanie, ale spódnica to jedna z lepszych rzeczy związanych z ciążą.

Jego palce muskały udo. Rozstawiła lekko nogi, aby mógł wsunąć rękę wyżej, aż dotarł do miejsca, które było gotowe na jego dotyk.

– Nie możemy – westchnęła, opierając się mocniej o niego. – Zaraz do nas dojdą.

Westchnął rozczarowany.

– Lepiej, żebyś ty doszła.

Roześmiała się, ale w tym momencie drzwi do pokoju się otworzyły, więc puścił jej spódnicę. Szczypiąc zębami płatek jej ucha, obiecał:

– Dziś w nocy.

Zarumieniona, odwróciła się, żeby powitać wspólników.

Bourne usadowił żonę przy stoliku do kart, po czym znacząco uniósł brew, patrząc na Georgianę. Idąc w stronę barku, żeby nalać sobie szkockiej, odezwał się:

– Dobry wieczór, pani West.

Ogarnęła ją fala ciepła, jak zawsze, gdy ją tak nazywano. Mogła zatrzymać tytuł lady, który przysługiwał jej z racji urodzenia. Miała do niego prawo jako córka księcia, ale już go nie chciała. Za każdym razem, gdy ktoś nazywał ją panią West, myślała o mężczyźnie, którego poślubiła. I o życiu, które razem tworzyli – we troje, a wkrótce we czworo.

Geogiana i Duncan Westowie królowali na salach balowych dzięki swoim połączonym walorom – magnat prasowy i jego olśniewająca, inteligentna żona tworzyli doskonałą parę. Nadal otaczała ich aura skandalu, ale takiego, który sprawiał, że arystokraci zabiegali o to, by gościć ich w swoich domach.

A w te wieczory, kiedy nie chodzili na kolacje do rezydencji w całej Brytanii, prowadziła swój klub jako Chase. Anna musiała zniknąć wkrótce po tym, jak Duncan i Georgiana wzięli ślub. Ostateczna decyzja o jej odejściu zapadła wtedy, gdy po wyjątkowo burzliwym wieczorze trzeba było wezwać chirurga do Duncana, który rzucił się z pięściami na członka klubu, zbyt poufale traktującego Annę.

Nie było innego wyjścia, bo Duncan i Georgiana nie potrafili utrzymać rąk przy sobie, więc z pewnością w końcu ktoś skojarzyłby fakty i doszukał się związku między dwiema miłościami Westa.

Pippa i Cross zajęli miejsca przy stole. Cross wyjął talię kart i położył przed sobą, a Pippa wyciągnęła szyję, aby spojrzeć na Georgianę. Zamrugała.

– Z minuty na minutę jesteś grubsza – oznajmiła.

– Pippa! – napomniała ją lady Bourne. – Wyglądasz wspaniale, Georgiano.

– Nie powiedziałam, że nie wygląda wspaniale – odezwała się Pippa do siostry, po czym znowu zmierzyła wzrokiem Georgianę. – Stwierdziłam tylko, że jest coraz grubsza. To mogą być bliźnięta.

– A co ty możesz wiedzieć o bliźniętach? – zapytała księżna Lamont, wchodząc do pokoju. Za nią wsunął się Temple, który rozmawiał z Asrielem o pewnej teczce.

– Odebrałam wiele mnogich porodów – zapewniła ją Pippa.

– Naprawdę? – zapytał Duncan, wysuwając krzesło i pomagając Georgianie usiąść. – Dobrze wiedzieć, na wypadek gdyby była potrzebna twoja pomoc.

– Nie zapytałeś jej, czy to były porody u ludzi – zauważył Cross.

– Wiele razy odbierałam porody psów – broniła się Pippa. – I pozwól, że ci przypomnę, mężu, że mam dwoje dzieci.

– Tak, ale nie są bliźniętami. Dzięki Bogu i za to.

– Trafiłeś w sedno – zauważył Bourne, obecnie ojciec trojga dzieci. – Bliźnięta to nieszczęście.

Duncan robił się coraz bledszy.

– Czy możemy już skończyć tę rozmowę?

– To nie będą bliźnięta – zapewnił Temple, po czym obszedł stół i podał Georgianie teczkę, której zawartość oglądał.

– Nie wiadomo – przekomarzała się Georgiana. – Pippa mówi, że jestem ogromna!

– Nie powiedziałam, że jesteś ogromna!

Georgiana otworzyła teczkę i przejrzała jej zawartość. Podniosła wzrok na Temple'a.

– Biedactwo – mruknęła. – Wypuśćmy ją z pudełka.

– O kim mowa? – zapytał Duncan.

– O lady Mary Ashehollow.

Przy stole rozległ się pomruk zrozumienia, ale tylko Duncan się odezwał:

– Postanowiłaś zakończyć ten akt zemsty?

– Bardzo mnie rozzłościła.

Uniósł brwi.

– To jeszcze dziecko.

– Za chwilę rozpocznie trzeci sezon, więc nie jest już dzieckiem. Ale masz rację – zgodziła się Georgiana. – Jeśli to cię pocieszy, to wiedz, że trafi do księgi zakładów jako jedna z najbardziej atrakcyjnych dam tego sezonu. Czy to ci wystarczy, mężu?

Pochylił się i pocałował ją.

– W zupełności.

– A skoro już mowa o księdze zakładów, to zdaje się, że jesteś mi winien tysiąc funtów, Chase.

– Za co? – spytał Duncan, nie kryjąc ciekawości.

– Za pewien głupi zakład sprzed roku – przypomniał Cross.

– Cross twierdził, że ty i Chase się pobierzecie – wyjaśnił Temple. – Chase…

– …uważał, że nie – dokończył Bourne.

– Michael! – zganiła go Penelope. – To nieuprzejme.

– Ale to prawda.

– A chciałbyś, żeby powiedzieli prawdę o naszym narzeczeństwie? – zapytała Penelope.

Markiz Bourne przypomniał sobie, że ożenił się z Penelope po tym, jak uprowadził ją późną nocą z domu na wsi. To zamknęło mu usta.

Duncan spojrzał na Georgianę z uśmiechem na przystojnej twarzy.

– Wygląda na to, że przegrałaś zakład, milady.

Poczuła falę ciepła, jak zwykle, gdy używał jej grzecznościowego tytułu.

– Nie czuję się przegrana.

Uśmiechnął się szerzej.

– Ani trochę, prawda?

– A skoro już mowa o kandydatach na męża Chase'a, to może porozmawiamy o propozycji Langleya. Poprosił nas, abyśmy pomogli mu przy pewnej inwestycji.

Przy stole rozległ się zbiorowy jęk.

– Znowu on – zaprotestował Bourne. – Przestań mu dawać nasze pieniądze, Chase.

– Nie ma ręki do interesów, a mimo to mu pomagamy – zauważył Cross.

– Przepraszam... Nie wiedziałam, że brakuje wam na chleb – zadrwiła Georgiana.

– Jest dobrym człowiekiem – wtrącił się Duncan. – Właściwie podarował mi moją piękną żonę.

– Tylko dlatego, że sam jej nie chciał – stwierdził kpiąco Temple, a wszyscy hultaje parsknęli śmiechem.

– Proszę mnie nie obrażać – zaprotestowała Georgiana. – A poza tym Duncanowi podoba się ta inwestycja.

Przytaknął.

– To się nazywa negatyw fotograficzny czy jakoś tak.

– Coś jak z powieści – zauważył Bourne. – Jak latające machiny i pojazdy bez koni.

– To wcale nie brzmi nieprawdopodobnie – odezwała się Pippa.

Bourne spojrzał na nią.

– Zawsze uważasz, że nieprawdopodobne rzeczy są wyzwaniem.

Spojrzała z uśmiechem na Crossa.

– Chyba tak.

Hrabia pochylił się i pocałował żonę.

– W tym cały twój urok.

– Możemy zagrać? – zapytała Georgiana, sięgając po karty.

Kiedyś w grze uczestniczyli tylko właściciele kasyna, ale od jakiegoś czasu spotykali się co tydzień w cztery pary, by pograć w faraona.

Temple usiadł i westchnął.

– Nie wiem, po co w to gram, skoro nigdy nie wygrywam. Wszystko diabli wzięli, odkąd dopuściliśmy żony do naszego grona. – Spojrzał na Duncana. – Przepraszam, stary.

Duncan się uśmiechnął.

– Mogę być nawet żoną, jeśli pogodzisz się z tym, że cię co tydzień ogrywam.

Mara przyłożyła dłoń do policzka męża.

– Biedny Temple – powiedziała. – Chciałbyś zagrać w coś innego?

Popatrzył jej w oczy z powagą.

– Tak, ale nie będziesz chciała w to grać na oczach wszystkich.

Znowu rozległy się jęki, a księżna pocałowała księcia.

Georgiana oparła się na krześle.

– Chyba nie powinniśmy grać.

Bourne spojrzał na nią od barku, przy którym nalewał sobie szkockiej.

– Dlatego że Temple chce iść z żoną do łóżka?

Uśmiechnęła się.

– Nie... – Popatrzyła na męża. – Dlatego że chyba się wkrótce dowiemy, czy to bliźnięta.

W dole, za słynnym witrażowym oknem, zakręciło się koło ruletki, potoczyły kości i pofrunęły karty – ta noc przeszła do legendy. Tej nocy los uśmiechnął się do członków Upadłego Anioła.

Tak samo uśmiechnął się do założycielki klubu i jej ukochanego.

Podziękowania

Dopiero teraz, gdy ta seria książek jest zakończona, uświadomiłam sobie, jak duże grono osób pomagało mi w prostowaniu ścieżek moich hultajów. Jednocześnie przyszła mi do głowy druga, znacznie bardziej niepokojąca myśl, że nigdy nie będę w stanie wszystkim za to podziękować.

Książka ta, jak i wszystkie pozostałe, nie powstałaby, gdyby nie cierpliwość i wiara mojej literackiej przewodniczki Carrie Feron, ciężka praca Nicole Fischer i Chelsey Emmelhainz oraz niesamowite wsparcie Pam Spengler-Jaffee, Jessie Edwards, Caroline Perny, Shawn Nicholls, Toma Egnera, Gail Dubov, Carli Parker, Briana Grogana, Tobly McSmith, Eleanor Mikucki i całej reszty niezrównanego zespołu Avon Books.

Dziękuję również Carrie Ryan, Lily Everett, Sophie Jordan, Morgan Baden, Sarze Lyle, Melissie Walker i Lindzie Frances Lee – za waszą spostrzegawczość i inteligencję, gdy pisałam historię Chase'a, a także Reksowi i pracownikom Kruppa Grocery za kibicowanie i kofeinę.

Mój ojciec opowiedział mi kiedyś historię o piciu krwi z czaszki, gdy byliśmy w zamku Teodorico. Byłam wtedy dużo młodsza niż Caroline. Cieszę się ogromnie, że w końcu mogłam wykorzystać tę historię w książce. Jestem głęboko wdzięczna ojcu za to, że nigdy nie pomyślał: chyba jest na to za mała. Dziękuję Davidowi i Valerie Mortensenom za wycieczkę do Hearst Castle – to tam znalazłam inspirację dla postaci Duncana Westa i jego wspaniałego basenu. Dziękuję im też, że wychowali syna na cierpliwego i uprzejmego człowieka – jest w każdym calu dżentelmenem, a nie hultajem.

A przede wszystkim dziękuję moim cudownym czytelnikom za to, że wybrali się w tę podróż z Bourne'em, Crossem, Temple'em i Chase'em, za to, że ich pokochali równie mocno jak ja, oraz za ich ustawiczne wsparcie internetowe i mailowe. Dziękuję wszystkim, którzy westchnęli ze zdziwienia, że Chase jest kobietą, ale mimo to zainteresowali się jego historią – nie zdajecie sobie nawet sprawy, jak wiele znaczy dla mnie wasza wiara.

I na koniec dziękuję kobiecie, która zaskoczyła mnie w Teksasie na początku 2012 roku, mówiąc: „Myślę, że Chase jest kobietą!" Przepraszam, że panią okłamałam.